# 김재홍 문학전집 ⑦

## 한국현대문학의 비극론

국학자료원

## 일러두기

1. 전집은 단행본 발행연도를 기준으로 삼았으나, 학위논문인 『한용운 문학연구』는 1권에, 편저는 9권과 10권에 각각 수록했다.

2. 출판 당시 저자의 집필의도를 살리기 위해, 일부의 보완 원고는 그대로 두었다. 단, 내용이 중복된 것은 삭제하여 전집의 전체성을 유지했다.

3. 원문을 최대한으로 살리되, 의미와 어감을 해치지 않는 범위에서 현행 맞춤법에 따라 고쳤다.

4. 한문과 외국어는 괄호 안에 병기하는 원칙으로 하되, 필요한 부분은 노출하였다. 단, 제1권 『한용운 문학연구』는 원문 그대로 수록하였다.

5. 본문의 '인용' 부분은 필요에 따라 한글 표기를 했으며, 이외의 것은 원문에 충실하려고 노력했다.

# 韓國 現代文學의 悲劇論

金載弘 著

1993年

시와시학사

# 머 리 말

『한국 현대문학의 비극론』이라는 다소 거창한 제목으로 평론집을 펴낸다. 이런 제목을 택한 것은 우리 문학을 공부하면서 끊임없이 그 어떤 불운한 운명의 표정성이랄까 뿌리 깊은 비극성을 느껴왔기 때문이다.

현대사 100년만 해도 그렇지 않은가! 전반부 50년은 외세 침략과 일제강점의 혹독한 수난기였고, 광복 후 50년은 전쟁과 분단, 그리고 군사정변과 민중항쟁으로 이어지는 끝없는 시련의 연속이었다. 이러한 수난과 시련 속에서 운명론적 비극성을 가장 첨예하게 읽어낸 사람들이 바로 시인들이 아니겠는가.

따라서 먼저 1부에서는 통일에 대한 염원과 갈망으로 우리 문학 속에 나타난 백두산의 모습을 6·25의 참화 속에 숨겨간 북의 시인 조기천과 70~80년대 민주항쟁에 몸 바쳐온 남의 시인 고은의 진행 중인 서사시 「백두산」을 통해 살펴보고자 한다. 항일무장투쟁과 민족운동에 헌신하다가 광막한 만주벌판, 역사 속으로 불행하게 사라져간 비운의 주인공들의 모습을 그려보고자 했기 때문이다.

제2부에서는 주로 프로문학 계열 시인 중 불우하게 살다가 삶을 마친 시인들을 다뤄 보았다. 소설 「낙동강」 필화사건으로 소련으로 망명하여 소련한인문학을 개척하다가 불운하게 죽어간 조명희, 농민시의 개척자 박아지, 좌우의 대립 속에 절충을 모색하던 정노풍, 그리고 최대의 프로시인이자 평론가이고 문단 지도자이면서도 남과 북 그 어느 곳에도 안주하지 못하고 끝내 비

운 속에 처형당한 임화가 그들이다. 또한 1930년대 후반 등장하여 변두리 유랑민들의 비참한 삶을 형상화하다가 북으로 가서 이데올로기 문학에 함몰돼 예술성을 잃어버리고 만 이용악과 안용만의 불행을 눈여겨볼 필요가 있으리라.

　제3부에서는 주로 생명, 고향, 예술의식을 바탕으로 시를 쓰다가 불우하게 숨져간 시인들을 대상으로 하였다. 평생을 민족운동에 헌신하며 가시밭길을 걸어가면서도 아름다운 시집『님의 침묵』을 펴내고 심우장 냉돌 위에서 숨져간 만해가 그러하고, 불멸의 시집『진달래꽃』을 남겼지만 33살 아까운 나이에 자살한 소월이 또한 그러하다. 그리고 우리 시에 현대적 호흡과 맥박을 불어 넣고 혜산, 지훈, 목월 등을 길러냈지만 전쟁의 와중에 북으로 실종돼 자취도 없어진 정지용 시인, 6·25 전란 중 파편을 맞고 거리에서 죽어간 불운의 시인 김영랑, 한국의 토속적 삶을 깊이 있는 서정과 운명애로 노래하던 천래의 유랑시인 백석이 또한 그분들이다.

　제4부에서는 이미 발표됐던 논문 몇 편을 체재상 재수록하였다. 여기에는 불행한 이 땅 역사를 딛고 일어서서 올바른 생명사랑, 인간사랑, 자유사랑의 정의롭고 따뜻한 삶과 역사를 만들어가기 위해 고심한 내용들을 중심으로 하여 문학과 역사의 관계를 더듬어 보았다. 전쟁과 분단, 군사정변과 민주항쟁으로 점철돼 온 수난의 역사 전개 속에서 문학의 등불을 밝히려는 몸부림을

통해 이 땅에서의 고단한 삶의 모습을 밝혀보려 한 것이다.

이렇게 보면 문학이란 결국 역사 속에서 바람직한 삶을 향해 부단하게 싸워 가는 인간회복의 길이며, 비극적인 운명의 극복을 통해 구원을 성취하려는 생명사랑, 인간사랑, 자유사랑의 길에 해당한다고 할 것이다. 어둠 속에서 어둠을 어둠대로 쓰면서 빛을 찾아내려는 격투이고, 절망 속에서 희망을, 슬픔 속에서 힘을, 좌절 속에서 구원을 얻으려는 참된 안간힘에 분명하다. 그러기에 영위 중에서 가장 죄 없는 일이고 순수하고 아름다운 일임에 분명하다.

이 작은 책을 이 땅의 비극 속에서 고단하게 살다간 시인들과 최선을 다해 이름 없이 살다간 많은 분들의 비극적인 삶에 바친다.

# 차 례

# 제1부
# 우리 문학 속의 백두산

조기천의 「백두산」, 민족혼의 상징
고은의 『백두산』, 그 진행형

# 조기천의 「백두산」, 민족혼의 상징

## 1. 「백두산」과 조기천

「백두산」은 조기천이 북한 정권 수립 이전인 1947년에 쓴 장편서사시이다. 이 작품은 조기천의 대표작일 뿐 아니라 해방공간에 북쪽에서 씌어진 항일무장투쟁 서사시로서 발군의 위치에 놓이는 것으로 회자돼 왔다. 이 작품은 1930년대 백두산을 중심으로 한 항일무장투쟁을 기초로 하였으면서도 뚜렷한 날짜나 지명들을 사용치 않음으로써 일반화되고 전형화된 모습을 보여준다. 이른바 보천보전투(1937. 6. 4)라고 하는 역사적 사실을 기초로 하고 있으면서도[1] 이것의 단순한 재현이 아니라 예술적으로 형상화되어 있는 것이다.

조기천은 소위 '평화적 건설시기'(1945. 8~1950. 6)에 북쪽에서 활약한 대표적인 시인의 한 사람이다. 그는 함경북도 회령에서 태어났다. 빈농인 그의 가정은 일제강점하의 수탈에 쫓겨 시베리아로 망명, 유이민의 길을 떠난다. 그는 옴스크에 있는 고리끼사범대학을 마치고는 중앙아시아의 조선사범대

---

[1] 『조선문학사』(학우서방, 1964) 192쪽. 및 임헌영의 「민중적 영웅주의의 구현」(『백두산』 실천문학사, 1989) 시집 해설 참조. 이하 텍스트로는 이 실천문학사 판을 사용하기로 한다.

학에서 2년간 교원 생활을 했다. 이 무렵부터 조금씩 시 창작을 하다가 해방을 맞아 귀국, 북한의 『조선신문』 문예부에서 일하면서 본격적인 시작 활동을 전개한다. 1946년에는 두만강의 흐름을 역사 흐름에 견주어 쓴 서정시 「두만강」을 발표하고, 이어서 1947년에 이 「백두산」을 창작한 것이다.

> 오오 조상의 땅이여!
> 오천년 흐르던 그대의 혈통이
> 일제의 칼에 맞아 끊어졌을 때
> 떨어져나간 그 토막토막
> 얼마나 원한의 선혈로 딩굴었더냐?
> 조선의 운명이 칠성판에 올랐을 때
> 몇만의 지사 밤길 더듬어
> 백두의 밀림 찾았더냐?
> 가랑잎에 쪽잠도 그리웠고
> 사지를 문턱인 듯 넘나든 이 그뉘냐?
> 산아 조종의 산아 말하라—
> 해방된 이 땅에서
> 뉘가 인민을 위해 싸우느냐?
> 뉘가 민전의 첫머리에 섰느냐?
>
> —「머리시」 부분

이 시에서 직접 다루고 있는 것은 일제강점기에 전개된 항일무장투쟁이다. 그렇지만 이 시는 일제하의 항일투쟁 정신을 이어받아 해방 조국 건설의 추진력으로 삼고자 하는 창작 의도를 지니고 있는 것으로 보인다. 서사시「백두산」은 지난날 일제강점이라는 역사적 사실과 연관되면서도 당대 해방기 현실에 암유적 대응력을 발휘하고자 하는 실제적 의도로서 씌어졌다는 말이다.

지금까지 「백두산」은 남쪽에서 작품 공개는 물론 그에 대한 비평적 고찰 또한 전혀 이루어지지 못했다. 그러던 차 88년의 7·19 해금 조치에 힘입어『실천문학』88년 겨울호에「북한문학걸작선」으로 작품이 수록되고, 다시 ´89년 1월에 실천문학의 시집으로『백두산』이 간행됨으로써 일반에게까지 널리 알려지게 된 것이다. 이에 대한 논의로는 시집 해설인 임헌영의「민중적 영웅주의의 구현」이 발견될 뿐 아직 본격적인 작업이 없는 형편이다.[2]

## 2.「백두산」의 서사시적 요건

「백두산」의 내용을 살펴보기 전에 먼저 이 시가 서사시적 요건을 제대로 갖추고 있는가를 살펴볼 필요가 있다.「백두산」은 '장편서사시'라고 명기되어 있음을 본다. 그렇다면 서사시란 무엇인가? 연전에 필자는 우리의 근대서사시를 살펴본 결과[3] 서사시가 ①서사적 구조를 지니고 있을 것, ②역사적 사실과 연관·대응될 것, ③사회적 기능을 지니고 있을 것, ④집단의식을 바탕으로 할 것, ⑤창작된 당대 현실과 암유적 관계를 지닐 것, ⑥노래체의 율문으로 짜여질 것, ⑦길이가 비교적 길어야 할 것 등을 그 범주로 제시한 바 있다.[4] 이에 비춰볼 때「백두산」은 모든 항목에서 대체로 부합됨을 알 수 있다. 즉「백두산」은 서사로서의 기본 요건인 일정한 성격을 지닌 인물과, 일정한 질서를 지닌 사건을 갖춘, 있을 수 있는 이야기를 바탕으로 한다는 점[5]에서 '①서사적 구조를 지니고 있을 것'에 부합한다. 또한「백두산」은 일제강점하 민족의 수난사와 민족운동이라는 역사적 사실을 배경으로 한다는 점에서는 '②역사적 사실과 연관 대응될 것'이라는 조건과도 부합한다. 또한「백두산」

---

2) 이후 조기천은 6·25가 발발하자 종군 작가로 참전하여「불타는 거리에서」등을 창작했으며, 1951년 3월에는 조선문학예술총동맹 부위원장에 피선되고 국기 훈장을 받기도 하는 등 북한 문단에서 이름을 날렸다. 1951년 7월 31일 평양에서 폭격으로 전사했다고 한다. 임헌영, 윗글, 133쪽 참조.
3) 김재홍,『한국근대서사시와 역사적 대응력』(문예중앙, 1985, 가을호).
4) 김재홍, 윗글, 43쪽.
5) 조동일,『서사민요연구(叙事民謠研究)』(계명대 출판부, 1983), 43쪽.

은 일제강점하의 항일무장 투쟁사를 직접 형상화한 것이라는 점에서 ③과 ④의 항목과 관련되며, 광복 후의 현실 상황에서 새 조국 건설에 박차를 가하자고 하는 의도에서 집필됐다는 점에서는 '⑤당대 현실과 암유적 관계를 지닐 것'과도 밀접히 대응된다. 아울러 노래체의 율문형식으로 씌어진 1,500여 행의 장시라는 점에서는 ⑥, ⑦과 연관된다.

따라서 「백두산」은 서사시로서의 요건을 충분히 갖추고 있는 것으로 판단된다. 일제강점기라는 근대사상 민족의 최대 수난기에 처해서 그러한 민족적 위난을 타개하고 조국 광복과 독립을 전취해 나아가려는 일제하의 무장투쟁 과정6)의 한 모습이 서사시의 한 전형성을 확보한 데서 이 작품의 의미가 드러난다는 뜻이다.


## 3. 「백두산」의 구성과 내용

「백두산」은 머리시와 본시 및 맺음시로 구성돼 있다. 본시는 모두 7장으로 짜였는데 구체적으로는 다시 46절로 나누어져 있다. 전체시는 모두 약 1,564행 정도의 행 전개를 보여주는바, 길이 면에서는 장편서사시에 속한다고 하겠다. 이러한 「백두산」의 내용은 사건 전개 순서대로 살펴보면 다음과 같이 정리할 수 있다.

> 머리시
> 발단 : 1장(1~7절)
> 전개 :
>   (1) 2장(1~7절), 3장(1~8절)
>   (2) 4장(1~6절), 5장(1~5절)
> 절정 : 6장(1~7절)

---

6) 이재화, 『한국근현대민족해방운동사』(백산서당, 1988), 324~332쪽.

대단원 : 7장(1~6절)
맺음시

　따라서 이 시는 서사적 플롯을 지니고 있다고 하겠다. 극적인 사건의 전개로 인해 긴박감과 흥미를 불러일으킨다는 점에서도 일단 장편서사시로서 자리 잡힌 면모가 발견된다.

　먼저 「머리시」에서는 '천지(天地)'와 '호랑이'로서 백두산의 신비스럽고 위엄 있는 모습을 형상화한다.

> 첩첩 층암이 창공을 치뚫으고
> 절벽에 눈뿌리 아득해지는 이 곳
> 선녀들이 무지개 타고 내린다는 천지
> 안개도 오르기 주저하는 이 절정!
> 세월의 유수에
> 추억의 배 거슬러 올라라―
> 어느 해 어느 때에
> 이나라 빨지산들이 이 곳에 올라
> 천심을 본받으며
> 의분에 불질러
> 해방전의 마지막 봉화 일으켰느냐?
> ……중략……
> 쉬― 위―
> 바우 위에 호랑이 나섰다
> 백두산 호랑이 나섰다
> 앞발을 거세게 내여뻗치고
> 남쪽 하늘 노려보다가
> 「따― 웅― 」산골을 깨친다.
> 그 무엇 쳐부시련 듯 톱을 들어
> 「따― 웅― 」
> 그리곤 휘파람 속에 감추인다

……중략……
지난날의 싸움의 자취 더듬으며
가난한 시상을 모으고 엮어
백두의 주인공 삼가 그리며
삼천만이여, 그대에게
높아도 낮아도 제 목소리로
가슴헤쳐 마음대로 말하련다!

천지와 백두산 호랑이는 이 땅의 오랜 역사 속에서 신성한 민족의 성소 또는 영물로서 상징적인 의미를 지녀왔다. 특히 백두산은 한민족의 뿌리이자 영산으로서 민족혼과 민족정기의 표상성을 지닌다. 이 점에서 이 시가 백두산을 제재로 한 것부터가 의도적이라고 할 수 있다. 이 백두산은 "조선의 운명이 칠성판에 올랐을 때/몇만의 지사 밤길 더듬어/백두의 밀림 찾았더냐/가랑잎에 쪽잠도 그리웠고/사지를 문턱인 듯 넘나든 이 그 뉘냐?"처럼 항일민족투사들의 피어린 자취와 연결됨으로써 민족의 성소이면서 삶의 역사적 현장성을 강조하고 있기 때문이다. 아울러 '해방된 오늘'로서 현재화함으로써 이 서사시가 지난시기의 항일무장투쟁이라는 역사적 사실을 형상화하는 데만 목표를 두고 있는 게 아니라 창작된 시기 당대의 민족의 삶과 역사적 방향성에 영향을 미치고자 한다는 점[7]을 포괄적으로 암시하고 있는 것이다.

「백두산」의 발단 부분은 제1장인데 여기에서는 일반적인 서사구조에서처럼 배경 제시와 등장인물 제시 및 사건의 실마리가 열리게 된다.

① 고개 뒤에 또 고개―
   몇몇이나 있으련고?

---

7) 이 점에서 이 시는 서사, 본사, 결사로 구성되어 서사에서 우리 역사에 대한 소감이나 각종 민란과 동학의 태동 그리고 60년대 현실비판이 이루어지고 있는 신동엽의 「금강」(『한국현대신작전집』·5, 을유문화사, 1967)의 형식이나 내용과 유사한 면을 지닌다고 하겠다.

넘어넘어 또 넘어도
기다린듯 다가만 서라!
한 골짜기 지나면
또 다른 골짜기—
이깔로 백화로 뒤엉켜 앞길 막노니
목도군이 고역에 노그라지듯
골짜기는 으슥히 휘늘어져 있어라!
울림으로 빽빽하여 몇백 리
백설로 아득하여 몇천 리

② 그 다음……
그담엔 홍산골이 터졌다—
총소리, 작탄소리, 기관총소리,
놈들의 아우성소리!
그담엔 절벽이 무너졌다
다닥치며 뛰치며 부서지며
바위돌이 골짜기를 처부신다,
「만세!」「만세!」
— 골안을 떨치며
산비탈에 숨었던 흰 두루마기들
나는듯이 달려내렸다
……중략……
「한 놈도 남기지 말라!」
그이는 부르짖었다
바른손 싸창을
바위 아래로 번쩍이자
마지막 발악쓰던 원쑤 두 놈이
미끄러지듯 허적여 뒤여진다—
「한 놈도 남기지 말라!」
그이는 재쳐 부르짖었다
이는 이름만 들어도

삼도 일제가 치떠는
조선의 빨찌산 김대장!
⋯⋯중략⋯⋯
이날 밤 대장이 든 천막엔
새벽까지 등불이 가물가물⋯⋯
하더니 아침에 눈보라치는데
정치공작원 철호 먼길 떠났다
⋯⋯하략⋯⋯

그러고 보면 이 시의 배경은 한겨울 눈보라 몰아치는 백두산 밀림 속임을 알 수 있다. 그곳은 수많은 고개와 골짜기로 이어진 첩첩산중 밀림 속이며, '칼바람·눈보라·서릿발' 날리는 백두산의 밀영지 홍산골인 것이다. 여기에 일제 토벌대의 기습이 있게 되고, 육박전이 벌어지면서 수많은 항일무장투쟁 전사들이 등장하고, 용맹한 빨치산 김 대장이 나타난다. 따라서 이 시는 '흰옷 입은 무리'로서 항일유격대가 등장한다는 점에서는 민중서사시적 성격을 지니며, '새별'로서 빨치산 김 대장의 활약[8]이 돋보인다는 점에서는 일종의 영웅서사시의 범주를 지닌다고 하겠다.[9] 실제로 여기에 "절벽 사이 칼바람이 쌓인 눈 위에/뚜렷이 그려진 이 발자욱/어디론지 북으로 북으로 가버린/가없이 외로운 이 발자욱/어느 뉘의 자취인가?/어느 넌지 북으론 웨 갔느뇨?/지난 밤 흰 두루마기 사람들/설피 신고 이곳 꿰여 북으로 갔으니/사람은 몇 백이나 되어도/발자욱은 하나만 남겨두고"처럼 유이민(流移民)들의 쫓기어 간 모습이 한숨과 눈물로 제시되었다는 점에서 이 시는 민중서사시적인 측면을 강하

---

8) 여기에서 김 대장은 끝까지 계속 김 대장으로 호칭됨으로써 한 독립군 대장으로서 일반화·전형화된다. 다만 6장 6절에서 김일성 장군이라는 이름이 꼭 한 차례 등장하는 게 특이하다. 이 작품이 쓰어질 때인 1947년만 해도 김일성이 북한의 정권을 완전히 장악하거나 우상화되지 않았기 때문이 아닐까 한다.
9) 이 점에서 임헌영은 「백두산」을 '민중적 영웅주의의 구현'으로 보는 것 같다. 앞의 『백두산』 해설.

게 지난다. 여기에 철호라고 하는 젊은 정치공작원이 등장하여 밀명을 띠고 압록강을 건너 조국 땅으로 잠입하는 데서 발단으로서의 제1장이 마무리된다.

　전개 부분은 다시 2·3장과 4·5장으로 구분되는데, 그 주된 내용은 일제강점기 이 땅 민중들의 비참한 생활상과 항일 빨치산들의 고난에 찬 삶의 역정을 묘파하는 데 초점이 놓여진다. 김 대장과 더불어 「백두산」의 주인공이라고 할 수 있는 철호와 꽃분이의 관계가 드러나면서 사건이 구체적인 윤곽을 잡아가기 시작하는 것이다. 먼저 2·3장에서는 새로운 배경으로 조선 땅 화전마을인 솔개골이 제시된다. 그러면서 꽃분이가 등장한다.

> 「에그! 벌서 저무는데－」
> 칡뿌리 캐는 꽃분이 말소리
> 저물어도 캐야만 될 그 칡뿌리
> 저녁가마에 맨 물이 소품치려니,
> 쌀독에 거미줄 친지도 벌써 그 며칠
> 손꼽아 헤여서는 무엇하리!
> 「에그! 벌써 저무는데!
> 그래도 캐야만될 꽃분의 신세
> ……중략……
> 솔밭도 어둑어둑
> 맘 속도 무시무시
> 이때 그림자인 듯 언뜻－
> 솔밭에서 사나이 나온다
> 「에구? 웬 사람인가?」
> 어느덧 꺼멓게 길막는다
> 귀신이냐? 사람이냐?
> ……중략……
> 「나는 박철호라 부르우,
> 얼마나 괴로우시우」
> 길막던 사나이의 첫말,

솔밭은 어둑해져도
꽃분의 뺨앤 붉은 노을−
「아이고! 철호동무!」
가늘게 속삭일 뿐
처녀는 면목도 모르며
한 해나 그의 지도 받았다−
삐라도 찍어보내고
피복도 홍산으로 보내고.
중년은 되리라 한 그−
그는 새파란 청년,
강직하고도 인자스런 모습
호협한 정열에 끓는 눈−
(스물댓이나 되였을가?)
머리 숙이는 처녀의 생각
……하략……

　　그렇게 보면 여기에는 철호와 꽃분이 사이에 일종의 연정 관계가 복선으로
서 제시돼 있음을 알 수 있다. 간접적으로는 서로 전부터 선이 닿아 있었으면
서도 직접적으로는 처음 만나게 된 이들 사이에 애틋한 연정이 피어오르는
것이다. 그러나 여기에서 이러한 연정의 모습은 그것이 3장에서 볼 수 있듯이
'마지막 선포문'을 비밀리에 찍는 행위를 통해서 강한 동지애로 결집된다. 따
라서 이들 두 남녀의 관계를 설정한 것은 이 작품 속에 일종의 혁명적 로맨티
시즘을 불어 넣기 위한 방법적 장치임을 알 수 있다.

　　3장에선 김윤칠, 즉 꽃분이 아버지로 초점이 옮겨진다. 그는 백두산 포수
의 아들로서 의병에도 참여했던 항일투사이지만, "피투성의 <3·1>을 다시
맞은 해 봄/안해도 뭇매에 맞아 죽고"와 같이 왜적에게 아내를 잃고는 품팔이
로 여러 곳을 전전하다가 이 솔개골에 의식화된 화전민10)으로 들어온 사람이

────────────
10) 일제강점하에서 화전민이 증가한 가장 큰 이유는 식민지 농업정책에 의한 농촌경

다. 이 3장에는 또한 "백두산 속에 크나큰 굴/해도 달고 있고 별도 반짝이는/넓으나 넓은 굴 있는데/그 속에선 용사 수만이 장검을 간다고//령만 내리면 석문이 좌악 열리고/용사들이 벼락같이 쓸어 나오고/이땅에 해방전이 일어난다고"하는 전설이 삽입가요 형식으로 제시되어 있다. 또한 "백두산! 백두산!/너 세기의 증언자야!/칭키스한의 들뛰우는 말발굽도/도요도미히데요시의 피문은 칼도/너의 가슴에 잊히지 않은 상처를 남겼고/오백년 왕업도/사신의 두 어깨에 치욕의 짐이 되여//인민만은 자유의 해불을 쳐들고/홍경래의 창기를 뒤따랐고/갑오의 싸움을 펼쳤다//피를 들고 <3·1>이 일어났다"와 같이 이 땅 역사에 대한 비판과 증언이 펼쳐져 있는 것이다.

여기에 다시 꽃분이 일가의 비참한 생활상과 투쟁 정신을 접합시킴으로써 이 시에 민족서사시, 민중서사시의 맥박을 강하게 불어넣게 되는 효과를 유발한다. "꿈 속에라도 잠꼬대 피하려고/혀 물어끊어 벙어리되고/고문대에 매인 채 소리없이 죽어간/그 이름모를 청년"이나 "빨찌산 남편을 천정에 감추고/놈들의 창에 찔려 죽으면서도/남편이 알면 뛰어내릴까/한 마디 신음도 안 낸 그 마을 아낙네 − <아, 나도 그래리라!>/남몰래 꽃분이 맹세했다!"라는 구절에서 보듯이 민중들의 피어린 항일투쟁 정신을 크게 강조하면서 꽃분이에게 그러한 투쟁 정신을 접합시키고 있는 것이다. 바로 여기에서 꽃분이가 항일무장투쟁대열에 능동적으로 참여하게 되는 계기가 마련된다. 비밀리에 철호와 '선포문'을 등사하다가 순사에게 발각될 찰나에, 처녀로서 젖가슴을 드러낼 정도로 용기와 기지를 발휘하여 위기를 모면하는 대담성을 노정하게 되는 것이다. 따라서 이 3장에서는 피압박 민족으로서의 수난과 함께 민중적인 고난의 과정 및 역사에의 동참 과정을 형상화하고 있다.

---

제의 파멸에 있다고 한다. 식민지 농업정책의 결과로 농촌 빈민의 수가 급격히 증가하면서 이농한 인구가 도시지역의 품팔이꾼이 되거나 해외의 노동시장으로 흘러 들어갔거나 화민인이 되거나 했다고 한다. 강만길, 『일제시대 빈민생활사연구』, (창작사, 1987) 114쪽. 등 참조.

전개 부분 4·5장에서는 항일유격대의 생활상과 정치 군사 활동이 주로 묘사되는 가운데 김 대장의 용맹함과 인자함으로 그 인간성이 미화돼서 나타난다. 특히 이 부분에서 유격대의 근간이 바로 민중들이라는 점이 크게 강조되는 것은 주목할 만하다.

> ① 우둥불이 밤을 태운다―
> 무쇠같이 장백을 내려 누르는
> 캄캄한 밀림의 밤을!
> 끝없이 몰아 죄여드는 모진 어둠
> 머리 속에도 흑막이 드리운듯―
> 허나 불길은 솟고
> 불꽃은 튀고
> ……중략……
> 빨찌산 우둥불
> 그것은 집이였고 밥이였다
> 그것은 달콤한 잠자리였고
> 그것은 래일의 투쟁―
> 하물며 「토벌」의 철망을 헤치고
> 사지를 육박으로 지났으니
> 그것은 승리의 상징
> 야반의 노도속
> 반짝이는 구원의 등대
> ……중략……
> 깊은 잠 안식의 잠
> 그런데 한 분만이 잠 못들고
> 우둥불 옆에 비스듬히 앉아
> 밤 가는 줄 모르네―
> 이런 밤엔 그이는 책을 보았다―
> ……중략……

불안의 구름장이 가슴가에
낮게 떠돌고 어느 구석에선가
절망이 머리 들 때도
그이는 책을 보았다−
그러면 새 힘을 얻고
목적을 보았다−


② 그렇게 기다리던 식량부대
아침에야 돌아왔다
얻은 것이란 소 두마리 뿐,
……중략……
동전을 단 굴레,
수놓은 굴레……아낙네 솜씨,
독특한 코뚜레− 민족의 이색−
어김없이 일본소는 아니다
「동무들!
우리 빨찌산들이
어느때부터 마적이 되었는가?
어느때부터
평민의 재산을 로략했는가?
이 소는 조선 농민의 소다
저 소는 중국 농민의 소다」
이렇게 김대장이 말했다.
이것은 소를 돌려 보내라는 명령
……중략……
「뉘가 소를 죽였는가?」
대장이 낮게 묻는다.
……중략……
「제가 죽였습니다……」
한걸음 나서며 말하는
청년 빨찌산 최석준,

……중략……

「그렇다면……」

찰칵ー 총재우는 소리

자, 나는 죽어 마땅하니

석준이 총박죽을 내민다,

「기척!」ー 대장의 호령소리

……중략……

민중과의 분리ー

이것은 우리의 멸망,

이것을 일제들이 꾀한다

우리 이것을 모르고

어찌 대사를 이루랴!

    인용한 구절들에는 항일 빨치산들의 생활상이 잘 제시되어 있다. 그것은 목숨을 건 참담한 고행과 투쟁의 연속이며, 굶주림으로 이어지는 참담한 삶의 과정이다. 그러면서도 '우둥불'처럼 남성적인 건강미, 북국적이고 야성적인 아름다움이 빛나는 것이기도 하다.

    시 ①부분에서는 풍찬노숙하는 항일유격대의 고달픈 삶의 모습과 함께 끊임없이 탐구하고 노력하는 혁명 투사로서 김 대장의 모습이 미화되어 나타난다. 일컬어 앞에서 지적한 바대로 '민중적 영웅주의'의 한 구현이라고 하겠다. 시 ②부분에는 궁핍과 기아 속에서도 규율을 생명처럼 알아야 한다는 유격대의 생활 규범이 제시되어 있다. 식량 부대가 조달해 온 소 두 마리가 조선 농민의 소로 밝혀지면서 추상같은 김 대장의 질타가 가해진다. 여기에 굶주림에 못 이겨 청년 빨치산 석준이 소를 도살하자 그를 총살하라고 하면서도, 끝내는 "소값을 물어주라"고 함으로써 그를 용서하는 김 대장의 엄격하면서도 포용할 줄 아는 인간미가 그려져 있는 것이다. 아울러 이들 항일 빨치산이 민중들을 기반으로 성립하는 것이라는 점에서 민중과의 혈연적 유대성을 강조하는 것도 주목할 만하다고 하겠다.

한편 5장에서는 압록강을 건너려다가 일본수비대의 총에 맞아 죽는 소년 빨치산, 즉 철호의 연락원인 영남을 통해서 무명전사들의 고난에 찬 삶과 죽음의 과정을 그리고 있다. "끝까지 싸우라! 조선독립만세!"를 외치면서, "꺾어진 나래를 퍼덕이며/스르르 모으로 쓰러진다/입술로 두 줄기 피흘러서/풀잎에 맺힌 밤이슬에 섞인다……/눈동자에 구름장이 얼른……/바람이 우수수 ─ /소나무를 흔든다"처럼 어둠 속에 사라져 간 이름 없는 소년 전사 영남의 죽음을 통해서 이 땅에서 항일무장투쟁을 펼치다가 사라져간 무명전사들의 비장한 삶과 투쟁 과정을 묘파한 것이다. 따라서 5장은 항일무장투쟁이 이러한 민중성에 기초하는 것이라는 점을 분명히 함으로써 제6장의 절정으로 치닫게 된다. 영남의 죽음에 촉발되어 철호도 H시로 출발하고, 이어서 꽃분이도 그를 따라 무장투쟁의 길을 떠나는 것이다.

절정인 제6장은 항일 빨치산들의 국내 침공 작전의 모습을 집중적으로 그리고 있다. 여기에서 그 날짜나 장소가 구체화되어 있지 않다는 점에서 이 「백두산」이 어디까지나 역사적 사실[11]의 기록이나 미화 그 자체에 목표가 있는 게 아니라 문학적으로 형상화하려는데 목표를 두고 있다는 점을 확인할 수 있다. 항일무장투쟁이라고 하는 일제강점기의 역사적 사실들을 예술화함으로써 시대적 전형성을 획득하게 된 것이다.

이 시의 핵심이라고 할 이 6장의 내용은 이들 항일유격대가 압록강을 넘어 전개한 H시 야습이 성공하는 모습에 초점이 놓여진다. 철호가 오랫동안 잠행하여 준비하던 일이 바로 이 H시 야습 공작이었음이 드러난 것이다.

---

11) 이의 모델이 됐다고 하는 보천보전투란 1937년 6월 4일 조선 항일유격대가 한인민족해방동맹 지도 간부들과 연합하여 함남 보천보를 습격 시가지를 불태우고 왜적을 소탕한 사건이라 한다. 이재화, 앞책, 320~332쪽. 대체로 북한 측 자료들은 이 전투가 1930 후반 들어 소강상태에 접어든 이 땅의 항일무장투쟁을 새롭게 점화하는 중요한 계기가 됐다고 하나 남쪽의 자료들은 소극적 평가 내지 부정적인 입장을 취하고 있다.

① 이 나라 북변의 장강 –
　　칠백리 압록강 푸른 물에
　　저녁해 비꼈는데
　　황혼을 담아 싣고
　　떼목이 내린다 떼목이 내린다
　　뉘의 눈물겨운 이야기
　　떼목우의 초막에 깃들었느냐?
　　……중략……
　　강건너 바위 밑에는 휘 – 익
　　휘파람소리 나더니
　　떼목에서도 모닥불이 번뜩번뜩
　　……중략……
　　삽시간에 이어진 떼목다리
　　……중략……
　　군인들이 달아 나온다
　　달아 나와선 떼목으로
　　압록강을 건너온다 –
　　빨찌산부대 압록강을 건너온다
　　……중략……
　　빨찌산들이 압록강을 건너왔다 –
　　일제가 짓밟은 이땅에12)
　　살아서 살 곳 없고
　　죽어서 누울 곳 없고
　　모두 다 잃고 빼앗겼으니

② 바로 곁에서 신호의 총성
　　잠든 시가를 깨뜨린다
　　그담 련이어 나는 총소리 총소리

---

12) 이 부분은 조명희의 산문시 「짓밟힌 고려」와 유사한 면이 발견된다. 그리고 부분
　　적으로는 김동환의 「국경의 밤」의 모습과도 연관된다고 하겠다.

우편국에서도 총소리
은행에서도 영림창에서도
어지러운 점선을 그으는
따– 따– 따– 따– 기관총소리
쿵쾅– 폭탄 치는 소리
적은 반항도 못하고
죽고 도망치고
……중략……
눌리우고 짓밟힌 이 거리에
반항의 함성 뒤울리거니
암담한 이 거리에 투쟁의 불길 세차거니
흰 옷 입은 무리 쓸어 나온다–
……중략……
「동포들이여!
저 불길을 보느냐?
조선은 죽지 않았다!
조선의 정신은 살았다!
조선의 심장도 살았다!
불을 지르라– 」

이처럼 민족의 피눈물로 얼룩진 압록강을 넘어서 국내로 진공하여 일제 주구들을 쳐부수고 승리를 전취하는 항일유격대의 활약상을 묘파한 것이다. 결국 유격대의 H시 야습 전투는 "조선의 정신이 살아 있다"라고 하는 항일 무장투쟁의 현장성을 제시함으로써 민족혼이 불멸하다라는 점을 강조하고자 하는 뜻을 담고 있다. 특히 이 부분에서 항일 무장투쟁으로서 구체적 현장성과 민족운동의 실천적인 방향성을 제시한 점은 중요한 일로 판단된다. 항일 독립투쟁이 민중적 기반 위에서 전개돼야 한다는 인식이 구체적 현장 묘사를 통해서 드러나고 있기 때문이다.

마지막 7장 대단원에서는 항일유격대가 H시 야습에 성공하고 귀환하다가

퇴로에 역습을 당하고, 이때 영웅적인 전투를 전개하다가 장렬하게 전사하는 철호와 석준의 모습을 통해서 항일 무장투쟁의 고난으로 가득찬 역정과 그 비장미를 심화하고 있다.

> 허다가 철호 그만 우뚝 선다–
> 불의의 유탄이
> 전사의 심장을 꿰었다……
> 「아하!」 우뚝 섰다가
> 앞으로 거꾸러져……
> 창– 처절썩–
> 물결이 두 전사를 감춘다
> 압록강 찬 물결이……
> ……중략……
> 강변에서 녀자의 부르는 소리
> 「철– 호– 석– 준– 이–」
> 꽃분의 목소리였다
> 「철– 호– 철– 호–」
> 분명히 김대장의 목소리
> 허나…… 대답은 없었다
> ……중략……
> 사격–
> 레총소리 산하를 떨친다
> 「조선아! 조선아!
> 너의 해방과 독립을 위하여
> 사격 사격– 」
> 레총소리 산하를 떨친다!
> 삼천리를 떨친다!

따라서 이 대단원은 끝내 사랑도 맺어보지 못하고 조국 광복도 보지 못한 채 고난과 형극으로 이어진 항일무장투쟁 끝에 장렬하게 죽어간 철호의 모습을 통해서 민족의 가슴에 새롭게 투쟁의 불길을 점화하는 것으로 대미를 맺고 있다.

아울러 맺음시에서는 백두산과 시인의 말을 통해서 이 땅에 새 조국 건설을 강조하는 것으로 끝맺음한다.

> 백두는 웨친다 —
> 「너, 세계야 들으라!
> 이 땅에 내 나라를 세우리라!
> 내 천만년 깎아 세운 절벽의 의지로
> 내 세세로 모은 힘 가다듬어
> 온갖 불의를 족쳐부시고
> 내 나라를,
> 민주의 나라를 세우리라!
> 내 뿌리와 같이 깊으게
> 내 바위와 같이 튼튼케
> 내 절정과 같이 높으게
> 내 천지와 같이 빛나게
> 세우리라 —
> 자유의 나라!
> 독립의 나라!
> 인민의 나라!
> 백두산은 이렇게 웨친다!
> 백성은 이렇게 웨친다!

이렇게 본다면 이 작품의 함의가 쉽게 드러난다고 하겠다. 이 작품은 항일무장투쟁의 전형화를 통해서 이 땅에서 민족의 해방이 얼마나 어렵게 전취된 것인가를 강조하는 동시에 민주와 자유에 기초한 새 조국 건설을 강력히 외치고 있는 것이다. 여기에서 백두산은 결론적으로 민족혼의 표상이며, 민중적 삶의 상징이라는 점이 제시된다. 따라서 이 시는 보천보전투라는 사실[13] 에만 연관 지어서 살펴본다면 작품의 의미가 크게 절하되기 쉽다. 그러한 역 사적 사건은 이 작품을 구성하는 하나의 잘 알려진 이야기일 뿐인 것이다. 시 인은 처음부터 어떤 구체적인 사건의 예술적 형상화를 추구한 것이라기보다 도 항일 무장투쟁의 수많은 에피소드들 가운데 무장투쟁의 성격을 일반화할 수 있는 소재들을 작가의 구상을 좇아 임의로 구사한 것[14]이다.

이 점에서 이 작품은 김일성의 항일 빨치산투쟁을 미화하거나 찬양하려는 것이 주된 목표라고만 보기는 어렵다. 오히려 이 작품의 기본 전개는「철호-꽃분」으로 표상되는 민중성에 기초를 두고 있는 것으로 보인다는 점에서 민 중서사시적 성격을 더 지닌다고 하겠다. 특히 민족의 고난에 찬 운명과 역사 적 진로에 역점을 두고 있다는 점에서는 민족서사시의 성격을 강하게 띠는 것이라고 할 것이다.


## 4.「백두산」의 주제

한편 서사시「백두산」은 주제 면에서 몇 가지 특성을 지닌다. 앞에서 우리 는「백두산」이 일제강점기의 많은 저항적인 작품들과 같이 민족해방의식과 민중해방의식이라는 두 가치 축을 핵심적인 내용으로 해서 전개되고 있음을 살펴본 바 있다. 이러한 두 가치 축은 사상적인 면에서 민족주체사상과 민중 적 세계관이라는 방향성을 지니고 있는 것으로 보인다.

---

13) 실제 보천보전투만 하더라도 임은은 이 사건이「조국 광복의 서광」운운하기에는
그 규모나 성격이 지나치게 적다고 본다. 또 이명영은 이 성격을 항일 애국투쟁이
아니라 '공비의 약탈, 만행, 행패'라고 보고, 이정식·스칼라피노는 이 사건이 하나의
허세로서 '맹목적 모험주의'에 지나지 않는다는 등 부정적으로 평가한다. 이재화,
앞의 책, 332쪽 각주 재인용.
14)『조선문학사』(학우서방, 1964), 192쪽.

먼저 「백두산」의 큰 사상적 뼈대는 민족적 주체사상이라고 할 수 있다. 이 작품에는 반외세 민족해방의식이 지속적으로 작용하고 있기 때문이다. 그것은 주로 항일투쟁을 통한 민족적 주체성을 확립하고자 하는 데 그 핵심이 놓여진다.

① 아아 칡뿌리! 칡뿌리!
　　이 나라의 산기슭에서
　　봄이면 봄마다 어김도 없이
　　꽃은 피고 나비는 넘나들어도
　　터질듯이 팅팅 부은 두 다리 끄을며
　　바구니 든 아낙네들이 왜 헤맸느뇨?
　　백성의 한평생 칡넝쿨에 얽히었거니
　　이 나라에 칡뿌리 많은 죄이드뇨?
　　음식내 치워 사람은 쓰러져도
　　크나큰 창고, 넓다란 역장과 항구엔
　　산더미같이 쌀이 쌓여
　　현해탄을 바라고 있었으니
　　실어간 놈 뉘며 먹은 놈 그 뉘냐?

② 갑오의 싸움을 펼쳤다
　　허다가 반만년 다듬기운 이 땅이
　　일제의 독아에 을크러질 제
　　백두야, 너도 가슴막히여
　　숙연히 머리 숙이였지!
　　그러나 인민은 봉화를 일으켜
　　칼을 들고 의병이 일어났고
　　피를 들고 「3·1」이 일어났다.

③정의의 검이
　　침략의 목우에 내려지리라!
　　불의를 소탕하리라!

우리 애국의 기개를 살려
해방투쟁의 불길을 높이리라!
……중략……
「조선아! 조선아!
너의 해방과 독립을 위하여
너의 민주 행복을 위하여
사격 사격ー」

　예를 들어본 이 세 부분에는 각기 민족해방을 통한 민족주체성의 확립을
강조하는 뜻이 담겨져 있다. 시 ①에는 일제강점하 이 땅의 궁핍상이 제시되
는 가운데 수탈자로서 일제에 대한 울분과 적개심이 분출되고 있다. "크나큰
창고, 넓다란 연장과 항구엔/산더미같이 쌀이 쌓여/현해탄을 바라고 있었으
니"와 같이 일제의 식량 수탈이 무자비하게 전개되기 시작함으로써 이 땅의
궁핍화를 더욱 부채질한 역사적 사실이 반영된 것이다. 실제로 일본은 1차대
전 후 농업 생산력이 크게 떨어지고 대규모 쌀 폭동이 일어남으로써 식민지
조선에서 식량 증산을 강행하여 식량의 안정된 공급을 이루어야 할 절박한
사정에 빠졌던 실정[15]이다. 그래서 조선 땅은 일본의 식량 생산 기지로 전락
하였으며 조선 민중들은 더욱 궁핍하여 인용시에서 보듯이 칡뿌리 등으로 연
명하는 경우가 많았던 것이다. ②부분에는 일제의 이 땅 강점과정과 그에 대
한 전민족적인 저항으로서 3·1운동이 제시되어 있다. 또한 ③부분에는 일제
의 침탈이라는 근원적인 모순과 불의를 쳐부수고 민족의 해방과 독립을 쟁취
하려는 혁명적 열정이 분출되고 있는 것이다.
　이렇게 볼 때 시 「백두산」은 민족해방을 위한 항일무장 투쟁을 통해서 이

---

15) 강만길, 『한국현대사』(창작과비평사, 1984), 94쪽. 이 때문에 '산미증산계획'이 발
　　효되어 조선 쌀의 일본 수출을 증가시켜 일본의 식량문제 해결에 도움을 주었지만
　　일본인에 의한 토지 겸병을 촉진하여 조선의 중소 지주와 자영농 그리고 빈농층을
　　몰락시켰다. 같은 책, 96쪽.

땅에 자주독립 국가를 건설하려는 민족해방사상과 민족주체사상이 그 뼈대를 이루고 있다고 하겠다. 실제로 이 시집의 결구가 "너, 세계야 들으라!/이 땅에 내 나라를 세우리라/내 나라를/민주의 나라를 세우리라!"라는 절규로서 마무리된다는 사실 자체가 민족주체사상[16]을 웅변해 주는 것이라고 하겠다.

한편 「백두산」에는 민족의 주체로서 민중이 역사를 이끌어가는 원동력이라는 점을 강조하는 민중적 세계관이 강력히 표출되어 있다.

> ① 일제가 짓밟은 이땅에
> 살아서 살 곳 없고
> 죽어서 누울 곳 없고
> 모두가 잃고 빼앗겼으니
> 물어보자 동포여!
> 가슴꺼지는 한숨으로
> 이 강 건너 이방의 거친 땅에
> 거지의 서러운 첫걸음 옮기던 그날—
> 그날부터 몇몇해 지났느뇨?
> ⋯⋯중략⋯⋯
> 빈민굴 어느 구석에선가
> 떼목에 치여 죽었다는 사나이를
> 거적에 싸서 방구석에 놓고
> 온 저녁 목놓아 울던 녀인의 사설도 끊치고
> 오뉴월 북어인양 벌거숭이 애들
> 뼈만 남은 젊은이들

16) 여기에서의 민족주체사상이 꼭 오늘날 북한에서 사회주의혁명과 공산주의 건설의 주인으로서 인민 대중을 강조하는 김일성 유일주체사상을 의미한다고 말하기는 어렵다. 김일성 유일주체사상이 강조하는 항일혁명전통이나 사회주의혁명보다도 여기에서는 민족주의에 기반을 두고 온 민족이 주체가 된 민족국가로서의 새 조국 건설을 강조하는 측면이 더 강하기 때문이다. 실상 김일성 유일주체사상이 북한 문학사에서 체계화되는 것은 1966년 이후의 일이라고 한다. 『정치사전』(사회과학출판사, 1973) 등 참조.

꼬부라진 늙은이들—

② 장백의 높고 낮은 고개고개에
　이 무덤이 첫 무덤이 아닌 줄이야
　우리 어찌 모르랴!
　침략의 피 서린 밤이
　이 나라에 칭칭 걸치었으니
　새날을 위해 싸우다 죽은이
　헤여보라 몇 만이나 되는고?
　어느 고개 어느 골짜기에
　어느 나무 어느 돌 밑에
　이름도 없이 그들이 묻히였노?

③「가마 속의 물은
　끓다가도 없어진다—
　원천이 없거니—
　허나 내물은 대하를 이룬다.
　동무들!
　우리는 대하가 되련다 바다가 되련다
　우리의 근간도 민중 속에,
　우리의 힘도 민중 속에 있다!
　민중과 혈연을 한가지 한
　빨치산임을 우리 잊었는가?
　우리 이것을 잊고
　어찌 대사를 이루랴!
　민중과의 분리—
　이것은 우리의 멸망
　이것을 일제들이 꾀한다

　인용한 이 세 부분에는 「백두산」의 민중적 세계관이 잘 집약되어 있다. 먼저 ①에는 당대 민중들의 궁핍한 참상이 날카롭게 제시돼 있다. "살아서 살

곳 없고/죽어서 누울 곳 없고/모두 다 잃고 빼앗겼으니"라거나 "가슴 꺼지는 한숨으로/이 강 건너 이방의 거친 땅에/거지의 서러운 첫걸음 옮기던 그날"과 같이 일제의 무자비한 식민지 수탈정책으로 인해 생존권이 박탈된 채 신음하거나, 그나마도 이 땅에서 살지 못하고 시베리아 등으로 유이민 길 떠난 민중들의 궁핍상[17]이 제시된 것이다. 이러한 민중 생존권에 대한 깊은 관심이 작품의 도처에서 예리하게 표출된 점에서 민중적 세계관이 엿보인다고 하겠다.

시 ②부분에서는 항일민족투쟁의 주체에 대한 인식이 드러나 있다. 그것은 어디까지나 "새날을 위해 싸우다 죽은이/헤여보라 몇 만이나 되는고?"라는 구절에서 보듯이 이 땅의 이름 없는 민중들인 것이다. "눌리우고 짓밟힌 이 거리에/반항의 함성 뒤울리거니/암담한 이 거리에 투쟁의 불길 세차거니/흰 옷 입은 무리 쓸어 나온다ㅡ/머리벗은 로인도 발벗은 여인도/벌거숭이 애들도"(6장 6절)와 같이 남녀노소 할 것 없이 이 땅의 온 민중들은 하나가 되어 항일투쟁의 대열에 열렬히 참가한 것이다.

특히 ③부분에는 이러한 민중적 세계관이 더욱 선명하게 드러난다. 그것은 항일투쟁뿐만 아니라 나아가서 모든 역사 전개의 주체가 민중이라는 점을 말해준다. 민중을 위한, 민중에 의한, 민중의 역사라고 하는 민중적인 세계관 또는 민중사관이 구체적으로 제시된 것이다. 실상 여기에서 민중적 세계관은 민족주체사상과 유리되는 것이 아니라는 점이 드러난다. "민중과의 분리ㅡ/이것은 우리의 멸망/이것을 일제들이 꾀한다"라는 구절 속에는 바로 민족해방의 길이 민중해방의 길로 연결되는 것이라는 확신이 담겨져 있는 것이다.

---

17) 이러한 당대 민중들의 궁핍상에 대해서는 1930년을 기준으로 하는 경우, "조선인 전체 인구 1,969만 명 중 약 80%인 1,556만 명이 농업인구였고 그 가운데 120만 명의 화전민을 제외한 절반 정도가 자기 소유를 가지지 못한 농촌빈민이었으며, 이 밖에 10만 명이 넘는 토막민과 그보다 훨씬 많은 공사장 막일꾼이 있었고 또 전체 남자 인구의 10%가 넘는 실업자가 있었던 식민지 시기 민중 생활의 현실은 곧 독립운동 전선의 경제 정책과 연결되지 않을 수 없었던 것이다"라는 강만길의 날카로운 지적이 있다. 강만길, 『일제시대 빈민생활사연구』(창작사, 1987) 18쪽.

민족주체사상은 바로 민중적 세계관에 기초해야만 한다는 역사 인식이 자리 잡고 있다는 점에서 주목할 만하다고 하겠다. 실상 이 작품에 빨치산투쟁의 고난상이 강조되고 김 대장의 영웅주의가 부각되는 것도 이러한 민족주체사상과 민중적 세계관의 매개고리를 확보하기 위한 방법적, 의도적 장치라고 풀이할 수 있으리라.

따라서 서사시 「백두산」은 민족주체사상과 민중적 세계관이 만주의 항일 빨치산 유격 활동이라는 서사적 사건 전개를 통해서 형상화된 작품이라고 볼 수 있다. 이것은 일제강점기의 문학이 프로문학적인 빈궁문학과 항일혁명 문학에 중심축을 두고 있었다는 사실과 밀접히 조응된다고 하겠다. '백두산= 민족=민중'이라는 등가 인식을 통해서 민족주체성을 확인하고 민중적 세계관을 확립하려는 중심 의도가 작품 자체의 예술성과 결합되어 민족문학의 한 성과를 거둔 데서 서사시 「백두산」의 의미가 드러나는 것이다.


## 5. 「백두산」이 지닌 결함

이렇게 본다면 서사시 「백두산」은 우리 문학사에서 흔치 않은 항일무장투쟁사를 형상화했다는 점에서 의미를 지닌다고 하겠다. 특히 남쪽의 문학사에서 이러한 항일무장투쟁 과정을 시로써 형상화한 작품이 거의 다루어져 오지 않았다는 점에서 특히 주목을 환기하는 것이 분명하다. 항일무장투쟁이 우리 민족운동사에서 중요한 위치를 차지하는 것이 분명하다고 할진대 그것을 형상화한 작품을 외면할 수는 없기 때문이다. 더구나 이 「백두산」은 북한 정권이 수립되기 이전의 전환기에 씌어진 작품이라는 점에서 일제강점기와 오늘날 분단시대를 이어주는 한 매개고리가 될 수도 있기 때문이다.

물론 이 「백두산」이 오늘날 북한문학의 한 원형이 되어 있다는 점을 부인하기는 어렵다. 그러나 「백두산」은 오늘날 북한의 작품들에서 발견되는 사회주의 이념의 경직성이나 김일성 찬양 일변도의 우매성과는 달리 어느 정도 예술성을 확보하고 있는 것이 사실이다. 항일민족의식과 민중의식을 두 가치 축으로 하면서 전형성·예술성을 견지하려 노력하였으며, 또 그 노력이 어느 정도 성과를 거둔 것으로 평가된다는 점에서 「백두산」은 작품 자체를 통해서 남·북한이 하나의 민족 공동체이며 운명공동체라는 점을 당위적 차원에서뿐 만 아니라 예술적 형식 또는 감성적 체험의 차원에서 확인시켜 준 노작으로 판단되기 때문이다.

「백두산」은 부분적인 면에서 서정성과 낭만성이 돋보이고 문체와 표현이 정제되어 예술성이 뛰어난 일면을 지니고 있다. 또한 부분부분 설화적 요소를 도입하거나 삽입가요를 활용하는 등 민족문학적 양식화의 문제에도 관심을 기울인 것이 사실이다. 아울러 꽃분이 일가의 삶이나 압록강·두만강·백두산 등 민중적 삶의 구체적 현장성을 확보한 것도 의미 있는 일이라고 하겠다. 무엇보다도 작품 전체의 구성이 비교적 짜임새를 지니고 있는 것과 사건 전개가 극적 긴박감을 지님으로써 시적 생동감을 불러일으키고 있는 것은 이 작품을 성공시키는 데 중요한 힘으로서 작용한다. 사상성과 예술성에 있어 어느 정도 성공한 한 예라는 점에서 해방공간에서의 한 시적 성과라고 할 것이다.

그렇지만 「백두산」은 주제의 형상화나 인물 형성에 있어서는 부족한 면이 발견된다. 아마도 이것은 주제를 지나치게 앞세운 데서 빚어진 무리의 결과라고 본다. 항일 무장투쟁의 당위성이나 민중의식의 제고를 강조하려니까 자연히 목적의식이 작중인물을 압도하여 작품이 지녀야 할 내면성의 깊이를 결여하게 된 형국이다. 특히 이러한 결점은 인물의 성격에서 쉽게 드러난다. 김대장의 경우에는 옛날이야기식의 신비성과 용맹성이 강조되어 오히려 희극적인 요소를 내포하게 된다. 축지법을 쓴다는 식의 허황함을 은근히 내비치면서 민중과의 연대감을 강조하기 위해 잡아 온 솟값을 물어주라든지, 밤새워 혼자 책을 읽는다든지 하는 등 인간미와 비범성을 함께 뒤섞는 데서 오는 불일치가 엿보이는 것이다. 영웅성 과장에 따른 허황성과 인간성 강조에 따른 진실미 사이에 간극과 모순이 발생하여 아이러니의 희극성을 연출하게 된 것으로 이른바 일종의 의도의 오류를 빚고 있다고 하겠다. 민중적 삶의 고통스러운 모습 속에서 성장하고 투쟁 속에서 성숙해가는 지도자의 모습이 아니라 천부적인 초인으로서 '조작된 영웅주의'의 일단이 의도적으로 제시되고 있다는 점에서 한계가 드러난다.

오히려 이 작품이 주는 감동이나 생동력은 철호나 꽃분이의 민중적인 생활 감각이나 투쟁성에서 비롯되는 요인이 크다. 이들의 고난에 찬 삶과 투쟁 과정이 민중적인 전형성을 지니고 있기 때문이다. 그렇지만 여기에서도 단점이 드러난다. 이들의 용맹성이나 애국주의, 동지애, 희생정신 등이 돋보이는 것은 사실이지만 이들에게서 '살아 있는' 인간미를 발견하기 어렵기 때문이다. 이들 사이에 암시된 연정이 좀 더 성숙된 면모로서 혁명적 로맨티시즘을 형성하고 비극적인 최후를 맞이하게 됐더라면 작품의 비장미가 더욱 고조됐을 것이 분명하다. 그런데도 오직 투쟁만을 위해 일직선으로 달려감으로써, 이념에 의해 조작되는 '자동인간형'으로 처리되고 마는 데서 아쉬움이 놓여진다는 말이다. 그것은 전형적인 사회주의 투사의 모습으로서는 성공적인 면이 있다고 하겠지만, 인간적 따뜻함과 진솔함에서 우러나는 살아 있는 인간성 창조라는 점에서는 실패라고 할 수 있다. 역사적 인간의 완성적인 모습도 실상은 실존적 인간의 구체성과 따뜻한 진실미, 그리고 생동감으로부터 우러나오는 것이기 때문이다. 실상 오늘날 북한문학이 강조하는 사회주의적 사실주의에 의거한 당성·인민성·노동 계급성의 원칙에 비추어 보더라도 이러한 「백두산」의 주제와 인물 설정은 부족한 것이라는 점이 자명하다고 하겠다.

그럼에도 불구하고 「백두산」은 민족의 수난 과정과 그에 대한 적극적인 투쟁 과정을 비교적 큰 스케일로 다룸으로써 해방공간의 전환기에 충격을 가했다는 점에서 의미가 놓여진다. 표면적으로 영웅담을 취급하고 있는 듯하지만, 내면적으로 민족적 수난과 고통의 극복 및 새 조국 건설을 향해 민중의 역동화가 절실하다는 점을 강조한 것은 주목할 만한 일이기 때문이다. 실제로 「백두산」은 다분히 오늘날 북한문학의 한 원형성을 지니고 있으며, 주제의 작위성이나 인물의 상투성을 지니고 있다는 문제점 또는 한계점을 내포하고 있는 것이 사실이다. 그러나 「백두산」은 분단의 장벽이 공고화되고 민족의 이질화가 심화돼 가는 이 땅의 비극 속에서 남북문학의 진정한 만남을 성취하기 위해서는 반드시 뛰어넘어야 할 한 봉우리가 아닐 수 없다.

이 점에서 「백두산」은 우리 문학사에서 현재 진행 중이며 미래완료형의 테마라고 할 수 있다. 통일의 그 날, 온 민족이 함께해서 자유롭고 평화롭게 사는 그날까지 이 땅에서 계속적으로 탐구되고 다양하게 씌어질 상징적인 한 테마인 것이다. 고은(高銀)의 진행 중인 서사시 「백두산」이 그 한 예라고 하겠다.

# 고은의『백두산』그 진행형 테마

## 1. 머리말

고은론(高銀論)을 전개한다는 일은 쉬운 작업이 아니다. 우선 그의 생애사적 족적의 파란만장함에 놀라게 되며, 방대한 저술체계와 양에 주눅들리고, 또한 호한한 사유의 넓이와 깊이에 압도당하기 때문이다. 특히 70~80년대 이 땅 민주화 투쟁의 한 선봉장으로 활약한 그의 투사적 이미지는 어느 면에서 위압적일 수도 있기 때문이다. 실상 그간 고은에 대한 논의는 많은 경우 이러한 우상화의 압력으로부터 쉽게 자유로울 수 없었는지도 모른다. 이 점에서 우리는 한 가지 분명히 해둘 필요가 있다. 그것은 고은이 처음부터 어떤 전범적 인물 또는 완성형 인물이 아니었다는 점이다. 그는 이 땅 역사의 폭풍 속에서 수난과 역경을 헤쳐가면서 조금씩 자신을 깨치고 종교와 문학, 사회와 역사 속으로 다가감으로써 그 대가적 풍모가 이루어지게 된 형성형 인물 또는 진행형 인물로서의 성격을 지닌다. 가문도, 학벌도, 크게 가진 것도 없는 한 인간으로서 여러 차례 자살 기도가 암시하듯이 죽음을 걸고 자신과 사회, 역사에 정면으로 맞닥뜨림으로써 운명의 극복, 존재의 초월을 성취하려 노력해온 시인이라는 뜻이다.

지금까지 고은의 시론은 초기시에 지나치게 비중이 주어져 온 감이 없지 않다. 물론 그가 불교에 처음 입문하고 젊은 날의 문학적 열정을 기울였던 초기시들이 나름대로 의미를 지니는 것은 사실이다. 그러나 시인 고은의 참 의미는 70년대 수난의 시대와 80년대 폭압의 시대에 더욱 달구어지고 벼리어짐으로써 이 땅 현대시의 한 순금 부분을 열어젖힌 데서 드러난다.

본고에서는 고은 민족문학의 집대성이라 할 『백두산』을 살펴보기로 한다. 남쪽 문학사에서 고은의 『백두산』은 항일무장투쟁을 다룬 최초의 민족서사시·민중서사시에 해당하기 때문이다.


## 2. 『백두산』의 서사적 구도

장편서사시집 『백두산』은 아직 진행 중인 작품으로서 역시 진행 중인 장편연작시집 『만인보』와 함께 짝을 이루는 대작이다. 『만인보』가 이 땅에서 살아온 온갖 사람들의 삶을 하나하나 총체적으로 묘사해가는 인간 탐구의 기록이라면, 『백두산』은 1900~1940년대 사이의 길고 험난한 민족해방투쟁의 역정이 파란만장하게 형상화되고 있는 역사적 웅전력의 작품이라고 하겠다. 그만큼 『만인보』와 더불어 『백두산』은 종과 횡, 날줄과 씨줄을 형성하는 고은문학사의 한 절정이자 완결판으로서의 상징적 의미를 지닌다.

『백두산』은 1980년 광주민중항쟁에 연루되어 남한산성 육군교도소에 수감됐던 그 절망의 시대에 착상되어 85년경부터 집필이 시작된 전 4부작 8권 예정의 작품으로 현재 제2부에 해당하는 4권이 간행되었다. 아직 진행 중인 작품이지만 현재까지의 내용이나 스케일 면에서만 보더라도 그 전모를 개략이나마 짐작할 수 있으며 근대시사 최대의 서사시로 평가될 수 있을 만큼 의욕적인 면모를 과시한다.

## 1) 『백두산』의 서사시적 성격

우리 민족에게 백두산이란 과연 무엇인가?

> 장군봉 망천후 사이 억겁 광풍이여
> 그 누구도 다스리지 못하는 광풍이여
> 조선 만리 무궁한 자손이 이것이다
> 보아라 우렁찬 천지 열여섯 봉우리마다
> 내 목숨 찢어 걸고
> 욕된 오늘 싸워 이 땅의 푸르른 날 찾아오리라
> ─ 「서시」 전문(『백두산』 1, 7쪽)

우리에게 백두산이란 민족혼과 기상이 서려 있는 민족역사의 발원지이며 동시에 신화적인 성소에 해당한다. 천지창조의 신화적인 공간으로서 백두산은 신령스러운 생명력의 상징이자 역사적 삶의 현장으로서의 의미를 지닌다. 그러기에 일제강점기에는 모진 역사의 수난과 시련 속에서 국난극복의 원천으로서 그 신비스러운 표상성을 더욱 강하게 지니게 되었으며 분단의 오늘에도 분단극복과 통일 염원의 상징으로서 지속적인 의미를 지니고 있다.

이 시의 중심내용은 구한말 외세 침탈기와 일제강점기로 이어지는 시기를 배경으로 전개된다. 그러나 이 서사시는 1980년대 어두운 군사 폭압 정치 아래에서 씌어짐으로써 일제강점기로부터 오늘날까지 계속되는 진정한 민족해방·민중해방·인간해방의 역사적 테마를 실현하고자 하는 문학적 응전방식으로서의 의미를 지닌다.

그렇다면 『백두산』의 서사시적 요건은 어떠한가? 일정한 질서를 지닌, 있을 수 있는 이야기를 바탕으로 한다는 점, 또 일제강점하 민족수난사와 항일투쟁이라는 역사적 사건을 내용으로 한다는 점, 1980년대 군사독재의 억압상황에서 민족·민중해방운동에 박차를 가하고자 하는 의도에서 집필되기 시작했다는 점 등에서 『백두산』은 근대서사시로서 하나의 전범적인 모습을 갖추고 있음이 분명하다. 구한말 이후 외세가 창궐하고 민족역사가 위난에 처했던 수난의 시대에 조국광복과 독립을 전취해 나아가려는 이 땅 민중들의 항일 민족·민중 투쟁의 모습이 파란만장하게 펼쳐짐으로써 민족·민중서사시의 한 전형성을 확보해가고 있는 데서 이 작품의 소중한 의미가 드러난다.

## 2) 『백두산』의 구성 내용과 주제

『백두산』의 서사적 구성 전개는 양반 태생인 한양아씨와 상머슴 출신인 추만길 부부 및 그 가족의 행적을 중심축으로 하여 구한말·일제강점하 이 땅 민중들의 고난에 찬 삶과 항일무장투쟁을 형상화하고 있다. 크게 보아 이 서사시는 의병전쟁 시기와 독립투쟁 시기로 양분해 볼 수 있으며, 다시 그 하위 구분은 이들 가족의 공간적 이동과정을 기준으로 하여 ①한양아씨와 추만길이 결합하여 도망치며 쫓기는 시기 ②삼지연 투쟁 시기 ③북간도 내두촌과 밀산 저항 시기 등으로 제2부까지를 정리할 수 있다. 다시 1·2권에 걸친 제1부의 서사적 내용은 의병투쟁을 중심으로, 3·4권의 제2부는 항일무장투쟁으로 초점이 이동된다.

먼저 제1부는 14개의 서사적 사건 전개에 입각한 소제목을 중심으로 짜여지는바, 그 서두는 한양아씨와 머슴 추만길 부부가 되는 과정의 이야기로부터 시작된다.

① 며칠 뒤 몰매맞아 죽을 머슴
　멍석말이로 죽을 머슴
　백마강 느린 물에 수장지낼 머슴
　바깥마당 별채 광에 꽁꽁 묶여 갇힌 머슴
　그 열명길 머슴 풀어낸 아씨

서슬 시퍼런 어머니 잠든 틈에 쇳대 훔쳐
잠긴 광문 따 묶인 머슴 풀어낸 아씨
그 길로 도망쳐온 아씨

— (1권, 17∼18쪽)

② 긴 겨울 부황나 죽어가는 사람 보고
　어허 북망산천
　헌 가마니때기 덮여 죽어가는 사람 보고
　조감사댁 일곱 머슴 중 혼자 나서서
　주인네 곳집 털어
　벼 열 가마 묵은 보리 열한 가마
　주린 창자에 몰래 나누어주니
　집집마다 굴뚝에 누런 연기 났다
　밥 한 그릇에
　입에 백일홍 핀다고
　입에서 양반 상놈 녹아야 한다고

— (1권, 19쪽)

③ 부여땅 낙향한 조감사 외동딸 한양아씨
　백마강 봄바람 명주바람에
　살구꽃인가
　그 봄 지나 목단꽃인가
　그런 아씨
　하늘 같은 아씨
　하룻밤에 불상놈 불상년 되었구나
　이 어인 일이냐

　그 머슴놈 내일 당장 요절낼 것이로되
　외동딸 한양아씨
　바로 이 한양아씨 대 날이라
　쉬쉬쉬 광 속에 가둔 머슴

혼례 마친 뒤 요절낼 판이었는데

— (1권, 18쪽)

인용 ①부분은 광에 갇힌 머슴을 아씨가 풀어내는 장면, ②부분은 머슴이 광에 갇힌 까닭, ③부분은 머슴과 아씨가 부부 되어 달아나는 사연을 제시한다. 서사시의 기본 축인 두 사람의 결합과정이 극적 긴박감 있게 형상화된 것이다. 그렇다면 시 전체의 한 핵심이 선명하게 암시된다. 바로 반계급 사회해방으로서 신분 해방이며 반봉건 민주해방으로서 인간해방이 그 한 핵심고리가 되는 것이다. 시 ②에서 "밥 한 그릇에/입에 백일홍 핀다고/입에서 양반 상놈 녹아야 한다고"하는 구절이 바로 그것이다. 양반 세도가 조 감사 딸인 한 양아씨와 천출 머슴 추만길이 결합한다는, 당대로서는 쉽게 생각하기 어려운 파격적 사건은 오랜 봉건 역사 속에서 짓눌려온 민중들의 한풀이이자 신분해방의 한 상징에 해당한다. 이들 부부의 탄생은 이미 『춘향전』에서 암시되었던 신분 이동 현상이 신분 해방으로 전화하는 한 상징적 사건이 되는 셈이다. 그렇다! 아씨와 머슴이라는 상·하 주·종의 고리를 과감히 끊어버리고 인간평등의 길로 나아가려는 신분 해방 운동의 한 구체적인 선언인 것이다. 봉건적인 사회제도의 대표적인 모순으로서 계급모순에 대한 고은 민중해방 정신의 한 선전포고가 이들의 결합으로 전형화된 것이다.

그렇지만 이들 부부의 결합은 바로 피나는 고행과 수난의 시작을 의미한다. 체제 모순에 대한 저항은 그 이상의 대가를 희생으로 필요로 하기 때문이다. 그래서 추만길은 심억만, 김일남, 유만길, 유만석 등으로 변성명하면서 조 감사 등이 보낸 왜놈 낭인패들의 추적을 피하게 된다. 이 쫓겨가는 길에서 이들은 의병 등 수많은 사람들과 만나면서 차츰 '세상과 나 둘 아닌 도리'를 깨치게 된다. 말하자면 사회화되고 역사화해감으로써 개인적 존재가 사회적 존재, 역사적 존재로서의 상승적 깨달음을 획득해가기 시작한다는 뜻이다. 이

고난의 도피 과정에서 바위굴 속에서 아이를 낳아 바우라 이름 짓고, 좀도둑질하다가 몰매 맞은 어린아이를 만나서 새로 네 식구가 되어 일가족을 형성한다.

제1부의 두 번째 부분은 백두산 삼지연으로부터 전개된다. 계속 쫓기던 이들 바우 가족은 왜놈들의 손이 못 미치는 백두산 삼지연 근처에 화전을 일구며 정착한다. 이때 사냥길에 추만길은 아라사 놈들에게, 청국 마적들에게 시달리다 탈출한 서필 노인을 구조하고 이분을 의붓아버지 겸 스승으로 삼아 혁명투쟁의식을 더욱 강고히 하게 된다. 서 노인은 이들 가족에게 역사의식을 일깨위줌으로써 이들이 혁명 가족으로 성장해갈 수 있도록 고양하고 뒷받침한다. 말하자면 백두산을 중심으로 하여 민족의식과 역사의식을 일깨우고, 수많은 유이민(流移民)들의 참상을 통해 민중의식을 제고하고자 하는 시인의 숨은 뜻을 반영하고 있는 것이다.

하늘에 상투 찌르고
장군봉 디디고 선 투만이
내 조상대대의 만고!
조선의 기쁨과 울음 먹어
역사의 만고!
그 울음 토해 울었다
아무리 엉엉 울음 끊어도 울음 토해 울었다
투만이 바람에 몸 날리며
이제까지의 투만이 아니다
마음 크게 뚫려
나라의 역사 다 보였다
서필노인이 투만이 대신 부르짖었다
여기서 비롯하나이다
대대로 망한 역사
만단 고생의 역사 다시 살려내어

망한 조선 다시 살려내어
여기서 비롯하나이다
여기서 어린아이의 나라
아침해의 나라 비롯하나이다
노인의 늙은 울음에 투만의 울음 뒤따랐다
바람 속에서 어린 바우 울지 않았다

— (1권, 157~8쪽)

서필 노인과 김투만으로 개명한 추만길, 그리고 그 아들 바우가 백두산 천지에서 액땜의식을 거행하면서 새로운 주인공 바우를 탄생시킨다. 이 천지의 식으로부터 김투만은 "우리식구 다섯이나 여섯/우리 집만으로는/나라없이/우리만으로는 우리가 안되오/이 나라 이어져오는 역사/힘차게 일으켜 세워야겠소"라고 다짐하면서 항일투쟁 대열, 민족해방 투쟁대열에 능동적으로 참여하게 된다. 이 무렵 의병들이 삼지연으로 몰려들게 되면서 '백두산 의병대'로 발전해가는바 여기에 김투만과 바우도 적극 참여한다. "이 벽지 궁민들의 이 일편단심!/여기에 어느 양반 척사론이 버금하느냐/그 양반들이야 제것 지키려고 들고 일어났거니/이 벽지 화전꾼 의병이야/무엇이 제나라였고 무엇이 제것이었더냐/하물며 이들이야 아침이슬 한가지로/싸움에 나가면 맨먼저 개죽음 아니더냐/허나 바로 그 개죽음이 쌓이고 쌓여/한나라가 엉겨붙지 않겠느냐"라는 이들의 절규 속에는 바로 민중사관으로서 고은의 역사의식이 선명하게 드러난다. 항일독립투쟁이야말로 민중 자신들이 주체가 될 때 비로소 참된 것이 될 수 있으며, 또 그래야만 한다는 당위적인 깨달음을 제시하고 있는 것이다. 역사 전개의 주체이자 추진력으로서 민중의, 민중에 의한, 민중을 위한 역사의 필연성과 당위성을 분명히 하고 있다는 뜻이다. 말하자면 이 부분은 고은의 역사의식의 뼈대로서 민족사상과 그 핵심으로서 민중사상이 함께 얽혀 제시된 곳이라 하겠다.

작품의 제2부는 북간도 내두촌으로 옮겨져서 전개된다. 거듭되는 의병투쟁으로 차츰 인명이 손실되고 물자가 궁핍화하여 삼지연의 의병운동은 붕괴된다. 때마침 북간도로 떠났던 바우의 전갈로 가족들은 삼지연을 버리고 새 삶을 찾아 북간도로 옮겨가는 것이다. 북간도란 어떠한 곳이던가? 한마디로 그곳은 두만강을 건너간 이 땅의 유이민들이 청나라 지주의 착취와 마적 떼의 약탈에 시달리면서 소작의 고된 삶을 영위하던 망명의 땅이자 개척의 땅에 해당한다. 그만큼 민족의 시련과 고통을 상징하는 장소라고 할 것이다. 이곳에서 김투만은 한때 평범한 농민의 삶을 갈망하기도 하나 아내의 단호한 설득으로 다시 독립투쟁의 길로 들어선다.

> 우리가 농사짓는 것으로 마칠 바에는
> 삼지연의 메밀밭으로 족할 것이요
> 우리가 삼지연을 두고 온 것은
> 오직 나라를 위한 것 아닙니까
> 어찌 바깥 남정네 뜻이
> 그렇게 함부로 잠겨
> 오동잎 지는 듯 하시는지요
> 단풍들지 마시오 단풍들지 마시오
> 부디 바우 아부지
> (…)
> 하지만 한 사람 한 사람 이렇게 되면
> 장차 조선은 없어져요
> 하고 오금박아
> 지아비의 한 생각을 단호히 끊어놓았다
>
> — (3권, 203~4쪽)

여기에서 우리가 읽을 수 있는 것은 민족해방·민중해방투쟁에 있어서는 남녀노소·빈부귀천 없이 모든 민족 구성원이 하나가 돼야 한다는 당위적 사실이다. 특히 한양아씨의 경우에는 조 대감의 딸에서 항일투사 김투만의 아내가 되기까지 이 작품의 밑바탕을 전개하는 정신적 매개고리이자 구조적 견인력으로 작용한다. 어쩌면 여기에서 우리는 고은 특유의 여성주의의 한 모습을 발견할 수 있을지도 모른다. 인류 역사가 남자들에 의해 전개되는 것 같지만 사실은 어머니로서 여성의 힘이 그 근본 동력이 된다는 뜻이다. "눈물이야 처음에는 어머니의 눈물이며/아득하기만 한 것은 아승지겁(阿僧祇劫)에는 눈물 한방울이/내 어머니인 줄 누가 모르랴"(시「병후(病後)」부분)라는 한 구절처럼 그것은 모든 것의 시원이자 원동력이 되기 때문이다. 이 땅의 험난한 역사 속에서 모성으로서의 여성이 그 극복과 추진의 원천이 됐다는 뜻이다. 실상 여기에는 남녀평등사상으로서 또 다른 인간해방의 정신이 자리 잡고 있는 것으로 풀이할 수 있을 것이다. (이 점은 뒤에「만인보」를 논하는 자리에서 다시 상론하기로 한다.)

이 무렵부터 항일무장독립투쟁이 본격적으로 전개되기 시작한다. 바우는 홍범도 장군의 정예의병대에 가담하여 다시 소만 국경 밀산으로 떠나가고 모든 가족들이 다 함께 항일투쟁 대열에 참여한다. 이 과정에서 일제의 만주 침탈이 시작되고 궁핍한 가운데 새로운 독립전쟁이 불붙기 시작한다. 국내 의병운동은 거의 소강상태에 접어들게 되고 북만주를 근거로 하는 항일독립투쟁이 본격화하게 되는 것이다. 홍범도 장군을 중심으로 한 대한독립단이 형성되고 상해 임시정부가 새로운 독립운동의 거점이 된다. 이때부터 바우 또한 부상을 당하는 가운데에도 투쟁의 불길을 더욱 점화해가게 된다. 이런 가운데 한양아씨이던 김투만의 아내, 바우의 어머니가 임종을 맞이한다. 좋은 환경에서 유복하게 태어났으면서도 머슴과 결혼하여 한평생을 쓰린 고난과 신산 속에서 살다가 한양아씨는 마침내 이역 땅에서 쓸쓸한 죽음을 맞이하게 된 것이다. 김투만에게 인간평등 사상을 점화하고, 다시 바우에게 민족사상·민중사상의 불길을 지펴주다가 비참하게 죽어간 이 한양아씨의 모습이야말로 기실은 이 땅 수난기에 있어 '민중의 어머니'로서 전형적 의미를 지닌다고 하겠다. 민족해방과 민중해방·인간해방의 매개고리로서 지속적으로 작용하면서 민족·민중 수난사의 한 상징성을 지니기 때문이다.

## 3. 통일지향 문학의 한 가능성

이렇게 본다면 『백두산』은 민족서사시·민중서사시로서의 성격을 분명하게 드러낸다. 민족의 파란만장한 수난사를 담고 있다는 점에서는 민족서사시가, 민중들의 고난에 찬 삶을 묘파하고 있다는 점에서는 민중서사시가 될 수 있기에 그러하다. 진행 중인 이 『백두산』을 총체적으로 평가하거나 문학사적으로 결론을 내기에는 아직 시기상조이다. 그러나 그 내용과 스케일 및 주제의 측면에서 『백두산』은 이제까지의 서사시에서 한 걸음 더 진전해 있는 것으로 받아들여진다. 신분이 다른 두 남녀의 극적인 사랑을 토대로 형성된 전위적 가족을 내세워서 민족해방·민중해방·인간해방이라는 근대사 최대의 핵심 테마를 방대한 스케일로 형상화한 것은 그 유례를 찾아보기 어렵기 때문이다. 김동환의 「국경의 밤」이나 「승천하는 청춘」, 또한 조기천의 「백두산」이나 신동엽의 「금강」, 그리고 신경림의 「남한강」, 김지하 「오적」 등에서 다루어졌던 여러 내용과 테마들이 하나로 통합되면서 보다 큰 스케일과 주제의식으로 상승돼감으로써 이 땅 서사시에 새로운 지평을 열어가고 있기 때문이다.

물론 부분적인 면에서 의식과 주제가 형식이나 표현을 압도하여 주제의식의 과잉을 드러낸다든지, 부분적 독자성과 전체구성이 서로 어긋나는 경우가 발견된다든지, 과도한 상황설정으로 인해 상황이 인물을 압도하거나 무갈등성으로 떨어지는 경우가 적지 않다. 또한 객관적인 상황과 사건이 보다 깊이 있고 내밀하게 검증되고 여과되지 못한 채 주관성으로 함몰되거나, 주제를 향해 사건이 치달음으로써 인물 성격이 자동인형화할 위험성도 적지 않음을 발견할 수 있다.

이러한 점들이 적극 보완돼간다면 서사시집『백두산』은 근대시사 최대의 문학사적 사건이 될 것이다. 무엇보다도 남쪽에서 전무하다 할 항일무장투쟁사를 문학적으로 형상화함으로써 분단극복을 통한 통일지향 문학의 큰 실마리를 열어갈 것으로 기대된다는 점에서 백두산은 이 땅 서사시의 한 분수령이자 새로운 이정표가 될 것이 분명하다.

# 제2부
# 문학과 사회 · 공동체의식

# 프로문학의 선구,
# 실종문인 조명희

## 머리말

> 나에게 자유(自由)를다고/나는 다만 마소가 되련다/그리하야, 이 넓
> 은땅우에 짓뚱거리며 몸부림하련다//나에게 먹을것을 다고/나는 다만
> 도야지가되련다/그리하야, 이 해ㅅ빗아래에 곤두박질하며 통곡하련다.
> ─「나에게」 전문

이처럼 일제강점하의 참담한 현실 속에서 인간적 생존권과 자유를 찾기 위
해 절규하던 포석(抱石) 조명희(趙明熙, 1894. 8. 10~1942. 2. 20), 그는 이 땅
근대문학 개척자의 한 사람이자 프로문학의 선구적 인물이었다. 그는 「김영
일(金英一)의 사(死)」(1920), 「파사(婆娑)」(1923) 등 현실의식을 담은 초창기
희곡을 창작하는 한편 창작시집 『봄잔듸밧위에』(1924)[1]를 간행하여 초기 시

---

1) 조명희, 『봄잔듸밧위에』(춘추각, 1924), 이하 이 시집을 텍스트로 하였으나 부분적
   으로 원 발표지 및 『포석 조명희 선집』(소련 사회과학원 동방도서출판사, 1959)을
   참조했다.

단 형성과정에 한 획을 그었으며, 「땅속으로」(1925), 「낙동강」(1927) 등 사실주의 계열의 창작을 발표하여 주목을 끈 바 있다. 특히 「낙동강」은 커다란 반향을 불러일으키면서 이 땅 사회주의 리얼리즘의 선도적인 작품으로 평가되었다. 특히 포석은 1928년 소련 망명 이후부터 1942년 작고하기까지 소련 거주 조선인 문학의 개척자로서 특이한 족적을 남기게 된다. 따라서 그는 사후에 "소련조선인 사회주의문학의 창시와 발전에 커다란 역할을 한 공적"2)으로 말미암아 소련작가동맹 내의 '조명희문학유산위원회'에 의해 『포석 조명희 선집』이 간행되는 등 특별한 대접을 받기도 하였다.

일제하에서 조명희에 관한 논의는 비교적 활발하였다.3) 특히 「낙동강」을 비롯한 일련의 프로문학 계열의 작품들은 찬·반 양론에도 불구하고 어느 정도 성과를 인정받은 것이 사실이라고 하겠다. 그러나 분단 이래에는 그다지 주목을 받지 못한 것으로 보인다. 그가 일찍이 소련으로 망명한 때문이기도 하지만, 분단상황에서 프로문학 계열 시인, 특히 월북 및 실종 시인들에 대한 금압 조치가 금기사항으로 작용했기 때문일 것이다. 무엇보다도 그에 대한 포괄적이면서도 본격적인 연구가 진행되지 못했던 것은 그의 작품 전체가 발굴되거나 정리되지 못한 데 기인한다고 하겠다. 그렇지만 최근 들어서 월북 문인에 대한 관심이 급격히 대두되면서 앞으로는 조명희에 대한 연구도 점차 본격화할 것으로 예상된다. 실상 납·월북 여부나 작가의 이념선택 자체가 인간적인 선악 판단이나 작품상의 우열판단에 기준이 될 수는 없다.4) 아울러

---

2) 황동민, 「작가 조명희」, 『포석 조명희 선집』, 14쪽.
3) 주요 논의는 김기진의 「시감이편(時感二篇)」(『조선지광』, 1927. 8)을 비롯하여 박영희, 한설야, 이기영, 윤기정, 조중곤 등에 의해 전개되었다. 분단 이래로는 백철, 조연현, 이재선, 유민영, 조동일 등의 문학사에서 단편적으로 다뤄진 바 있다. 최근 논의로는 유일하게 이강옥의 「조명희의 작품세계와 그 변모과정」(김윤식·정호웅 편, 『한국근대리얼리즘작가연구』, 문학과지성, 1988)이 발견되는데, 이 논문은 소설 중심의 개괄론적 성격을 지닌다. 북한문학사에서는 조명희가 이 땅 사회주의적 사실주의를 처음 개척한 선구적 공로자이며 기념비적 문인으로 높이 평가하고 있다. 『조선문학사』(과학백과사전출판사, 1980) 및 『조선문학사』(학우서방, 1964) 등 참조.

그러한 외재적 요소에 대한 불온시의 태도나 우상화의 압력은 다 함께 배제되어 마땅하리라 생각한다.

조명희는 동학 봉기가 일어난 1894년 충북 진천에서 한학자의 아들로 태어났다.[5] 선비였던 그의 부친이 그가 네 살 되던 해에 별세했기 때문에 그는 주로 어머니 슬하에서 성장했다. 그렇지만 어린 명희에게 큰 영향을 끼친 것은 큰형 공희(公熙)였다. 역시 한학자였던 그는 일제의 침탈에 항거하여 지리산에 은거하는 등 지사적 삶을 살았다. 그로 인해서 명희는 어린 시절부터 자연히 일제에 대한 저항의식을 키워가게 된 것으로 이해된다.

그의 생애는 대략 세 시기로 구분된다. 첫째는 향리에서 서당을 다니다가 상경, 중앙고보를 마치고 일본에 건너가 동양대학 동양철학과에 다니기까지의 수학기이다. 두 번째 시기는 1923년 봄 귀국하여 적로(笛蘆) 및 포석이라는 필명으로 시집을 간행하고 소설을 창작하는 문단 활동기, 그리고 세 번째 시기는 소련의 연해주로 망명한 1928년부터 소련 조선인 문학의 초석을 마련하다가 작고한 1942년까지의 망명기가 그것이다. 수학기는 대체로 생활고와 자아발견 과정에서의 방황으로 점철된다. 그는 한때 영웅의 길을 꿈꾸고 북경사관학교 입학을 꿈꿨으나 실패하고는 문학의 길로 접어든다. 이 무렵 민태원 번역의 『레미제라블』을 읽고 가난하고 힘없는 사람들의 고통스러운 삶에 관심을 갖게 된다. 실제로 그는 이 무렵 동경행을 시도하며 나무장수·금광노동 등 실제 노동 체험을 하면서 노동하는 삶의 어려움을 겪기도 한다. 1919년 3월의 독립운동에 향리 진천에서 적극 참여하다가 몇 개월간 구금되기도 한다. 그는 1919년 겨울에 친구의 도움으로 동경에 건너가서 대학에 적을 두지만 학비 문제로 시달리게 되며 이때 노동과 문학의 길 사이에서 방황을 거듭한다. 그러나 이 무렵 김우진(金祐鎭) 등과 함께 극예술협회에 관여하

---

4) 임헌영, 「분단으로 매몰된 작가와 작품」, 『분단시대』(학민사, 1988), 12쪽.

5) 이하 생애에 관한 것은 조명희, 「생활기록의 단편」(『조선지광』, 1927. 3) 및 황동민의 앞글, 그리고 기타 자료를 종합한 것이다.

여「김영일의 사」등 회곡을 창작하고 순회공연을 갖기도 한 바 있다. 실상 이 시기가 문학 입문 시기이며, 자아발견을 위한 방황기에 해당한다. 빈곤과 애상에 시달리면서 자아와 세계 및 문학에 관해 눈을 뜨기 시작한 것이다. 두 번째 시기인 문학 활동기는 1923년 봄 귀국하면서 문단에 발을 들여놓는 데서 시작된다. 그는 1925년 카프 결성에 참여,[6] 열악한 식민지 현실과 그 속에서의 참담한 삶을 통해서 항일 저항의식을 심화해가면서 "근로인민의 기아와 고통을 없애기 위해서 자본주의사회의 착취제도를 청산하려는 신념에 도달"[7]하게 된다. 이른바 힘의 예술로서 문학을 "새 현실을 창조하기 위하여 움직이는 노동계급의 믿음직한 사상적 무기로 삼을 것을 결의함"[8]으로써 마르크스레닌주의 세계관을 형성하는 것이다. 실상 시집『봄잔듸밧위에』에 보이는 인간혐오와 현실저주 등 부정적 세계인식이 그 발현이 아닐 수 없으리라. 이 시집 발간 후에 그는 첫 소설「땅속으로」등을 발표하는 한편 한설야, 이기영 등과 함께 카프의 지도적 인물[9]로 활약하게 된다. 이른바 이 무렵부터 고리끼류의 사회주의적 사실주의를 창작방법론으로 하여「R에게」,「낙동강」등 노동운동과 혁명운동에 복무하는 내용의 작품을 주로 발표하면서 대중과 연계된 항일운동가 또는 혁명 투사의 길로 접어든다. 그러다가 일경에 의한 신변위협으로 1928년 소련 연해주로 망명하게 된다. 저항시「짓밟힌 고려」등 항일시와 장편소설『만주빨찌산』[10] 등을 집필하기도 한다. 그는 한때 해삼위 부근 조선인소학교 교원을 지내기도 했으나 주로 소련작가동맹 원동지도부에서 활동하면서 소련 조선인 문학 편집위원 일을 하였다. 그러던 중에

---

6) 리기영,「포석 조명희에 대하여」,『포석 조명희 선집』, 525쪽.

7) 황동민, 앞글, 9쪽.

8) 황동민, 앞글, 10쪽.

9) 한설야,「정열의 시인 조명희」,『포석 조명희 선집』, 545쪽.

10) 이『만주빨찌산』은 홍범도 등 만주에서의 항일 빨찌산들의 활약상을 리얼하게 묘파한 소설인데, 2,000매가량 집필한 후 끝을 맺지 못했다고 하며 전해지지 않고 있다. 황동민, 앞글, 12~13쪽.

그는 그의 재능이 절정에 도달하던 시기인 1942년 2월 20일에 급서하고 만다. 따라서 그의 작품은 끝내 햇빛을 보지 못한 장편소설 2편을 포함해서 10여 편의 단편소설 및 한 권의 희곡집과 시집 등 100여 편의 시, 그리고 수필 및 단편이 있다. 그러던 중에 앞에서 언급한 바 있는 『포석 조명희 선집』이 간행되었는데 여기에는 황동민의 「작가 조명희」 소개를 비롯하여 제1부 「봄 잔디밧위에」 등 시와, 제2부 「낙동강」 등 소설과 수필·희곡, 제3부 「시월의 노래」 등 망명 시편, 제4부 평론·소품·서한 및 부록으로 이기영·한설야·강태수 등의 「조명희에 대한 회상기」가 수록되어 있다.

본고에서는 조명희의 시와 시론을 집중적으로 살펴보기로 한다.


## 1. 방황과 애상의 노래

조명희의 작품활동은 동경유학 시절에 발표한 희곡 「김영일(金英一)의 사(死)」에서부터 시작된다. 1920년 동경에서 쓰여진 이 작품은 극예술협회의 고국순회공연(1921. 7. 9.~8. 18)에서 상연되며, 1923년에는 작품집으로도 간행된 바 있다. 가난한 소작인 출신 유학생이 겪는 궁핍과 갈등을 그린 이 작품은 조명희 전체 작품에서 입지점적 성격을 지닌다.

그의 시는 동경 시절부터 쓰여졌으나, 그것이 발표되기 시작한 것은 1923년 귀국한 이후 『개벽』과 『조선지광』, 『폐허이후』 등을 통해서부터이다. 그의 시는 잡지에 발표될 때는 말미에다 탈고 일자를 밝혀놓았으나, 시집에서는 그것을 삭제하였다. 대표작이라 할 수 있는 「봄잔듸밧위에」는 『개벽』(1924. 4)지에 발표되었는데 이 무렵에는 적로(笛蘆)라는 필명을 사용하기도 하였다. 1924년 그의 유일한 시집인 『봄잔듸밧위에』에는 그가 그때까지 부분적으로 발표했던 시들과 미발표작이 함께 묶여 모두 43편이 수록되어 있다. 이후 그가 1928년 7월 소련으로 망명하기까지 발표된 작품들과 망명 후 소련에서 쓰여진 작품들은 1959년의『포석 조명희 선집』에 수록되어 있다.

시집의 표기체계는 국한혼용으로 되어 있으며, 띄어쓰기는 규칙적으로 되어 있지 않다. 다만 이 무렵 발견된 다른 시집, 예컨대『진달래꽃』의 경우처럼 한자가 많이 사용된 것은 관념적인 내용인 경우가 많다. 또한 극히 부분적으로 띄어쓰기가 되어 있음에 비추어 시어의 정서적 기능에 조명희가 특히 주목한 것 같지는 않다. 그러나 1959년의『포석 조명희 선집』에서는 현대어 표기와 띄어쓰기가 지켜져 있고, 원래 한자는 괄호 속에 묶여져 있는 것이 특징이다.

그러면 구체적으로 작품을 살펴보기로 한다.


① 저녁 서풍(西風)굿웁시부는밤
　들새도보금자리에꿈꿀때에
　나는누구를차저
　어두운벌판에터벅어리노.

　그욕(辱)되고도쓰린사랑의미광(微光)상을차지랴고
　너를만나랴고
　그흠하고도흠한길을
　홀홀히달녀지처(피곤(疲困))왓다.

　석양(夕陽)빗탈길위에
　피뭉친가슴안고쓰러져
　인생고독(人生孤獨)의비가(悲歌)를부르지젓스며
　약한풀대(초경(草莖))에도기대랴는 피곤한양(羊)의모양으로
　깨여진빗돌 의지하여
　상한발만지며울기도하엿섯다
　구차히사랑을으드랴고 너를만나랴고.

　저녁서풍(西風)굿웁시부러오고
　벳장이우는밤

나는누구를차저
어두운벌판에헤매이노.

ー「누구를 차저」전문


② 성근낙목형해(落木形骸)새이
　등(燈)불은냉막(冷寞)의꿈으로빗처
　너의언가슴속으로쉬여나오는한숨갓치
　지면(地面)을슷쳐가는바람에 구르는입
　사르르굴러 또사르르
　스러져가는세상 외로운자(者)의녁시언가

　아아황금(黃金)의 면영(面影)은자최도읍다
　지금은가을이다 찬밤이다
　빠이올린의떠는소리로굴러온이마음은
　시드른풀속버레의꿈갓다
　바람의부닥치는외입소리에도혼(魂)이사러지랴든다

ー「떠러지는 가을」전문


　조명희 초기 시의 특징은 이들이 방황의 심사 또는 애상의 정감을 노래하고 있다는 점이다. 동경유학 초기에 쓰여진 이 두 편의 작품에는 젊은 날의 방황과 애상이 짙게 드러나 있다. 이들 이외에도 많은 작품들이 삶의 고달픔과 그 비애, 그리고 센티멘털리즘으로 가득 차 있음은 물론이다.

　먼저 시 ①은 이러한 방황의 심사를 잘 보여준다. "저녁 서풍/어두운 벌판/약한 풀대/베짱이 우는 소리" 등과 같은 가을의 시적 상관물들에는 을씨년스러운 젊음의 내면 풍경이 제시되어 있다. 아울러 "밤/석양/고독/울음/헤매임" 등의 하강적 체언과 "쓰린/어두운/험한/피뭉친/피곤한/깨어진/우는" 등과 같은 부정적 어사 속에는 비관적인 생의 인식이 담겨져 있다고 하겠다. 특히 "어두운벌판에 터벅어리노/흠한길을/홀홀히달녀지처왓다/상한발만지며울기도하였섯다/나는누구를차저/어두운벌판에헤매이노"라고 하는 핵심구절은 이 시가 방황과 고달픔, 그리고 애상의 정서를 기반으로 하고 있음을 잘 말해준다.

시 ②도 마찬가지이다. 여기에는 애상의 정서가 더욱 두드러진다고 할 것이다. "낙목형해(落木形骸)/냉막(冷寞)의 꿈/언 가슴/구르는 잎/시들은 풀/벌레의 찬 밤/바이올린의 떠는 소리/바람이 부닥치는 나뭇잎소리" 등의 가을 이미지들과 "스러져가는/자최도읍다/사러지라는다"와 같은 하강 시어들에는 가을의 애상적인 정감이 짙게 드러난다. 그러면서 "지면을 슷쳐가는바람에 구른입=스러져가는세상 외로운자(者)의녁시언가", "빠이올린의떠는소리로 굴러온이마음은/시드른풀속버레의꿈갓다"라고 하는 두 비유적인 구절을 통해서 방황과 애상으로서의 젊은 날의 내면 풍경을 적절히 제시하고 있는 것이다. 이러한 방황과 애상의 정감은 초기 시의 정서를 관류하는 중요한 특질이 된다.

그런데 여기에서 한 가지 지적할 것은 그의 시에도 이 땅 초기 시단 형성과 정에서 흔히 범람하던 모호한 관념과 애매한 신비주의[11]가 착색되어 있다는 점이다. "애인아! 웃지를마러라/돌길에상한나의발을 보아다고/너의웃음이너무도무정하구나//그 검은 상의(喪衣)의자(姿)로눈물흘린얼굴로맞아주소서/그때나는당신의치마자락을부뜰고입대어/피눈물을쏟으며쓰러지리이나"(「루(淚)의신(神)이며」에서)라는 시나 "알수없는신비(神祕)의 금자탑(金字塔)이/흰구름위에놉히소사/가없는회색(灰色)안개속에감최여잇서/그꼭닥이위에요염(妖艶)의애인(愛人)이/초록색(草綠色)고흔면사(面沙)를가리고/나의어린영혼(靈魂)을도라보아손짓하다"(「고독(孤獨)의가을」에서)라는 시의 한 예에서 볼 수 있듯이 초기 시단 형성기 특유의 감상적 분위기와 애매모호한 감상과

---

11) 조명희 자신은 이러한 신비주의가 탐골을 탐독한 데서 연유한 것으로 이해한다.
「생활기록의 단편」, 『조선지광』(1927. 3), 11쪽.

관념이 가득차 있는 것이다. 이러한 사실은 이 무렵만 해도 조명희가 자아의 각성이나 예술적인 성숙을 이루고 있지 못하다는 단적인 증거가 될 것이 분명하다.

## 2. 현실적인 절망과 부정정신

조명희 시의 또 다른 특징은 현실에 대한 절망과 부정정신이 드러난다는 점이다. 식민지의 한 지식인으로서 적지 동경에서 느낄 수밖에 없는 여러 가지 현실적인 절망감과 함께 그에 대한 항거의지와 부정정신이 표출되는 것이다.

① 세상에서부(富)를구(求)하느니
　가을의썩은낙엽(落葉)을줏지
　그것이교활의보수(報酬)로온다더라.

　세상에서명예(名譽)를 구(求)하너니
　사막(沙漠)길위에모래탑(塔)을쌋지
　그것이아첨(阿諂)의보수(報酬)로온다더라.

　세상에서이해(理解)를으드랴느니
　눈보라벌판에홀로도라가지
　그들돌갓흔야인(野人)압헤 구차히입을버리느니.

　그러면 고적(孤寂)한동무야
　연옥(煉獄)에신음자(呻吟者)야
　안어라 너의가슴을.

　냉(冷)가슴을안고 가자가자
　저 저문사막(沙漠)의길로 저별밋흐로.

그별에게말을정하다가
별이말읍거든
그때홀로쓰러지자 홀로사러지자.

―「별밋흐로」 전문

② 순실(純實)이읍는 이나라에
압픔과 눈물이 어대잇스며
눈물이읍는 이백성에게
사랑과 의(義)가 어대잇스랴.
주(主)여! 비노니 이땅에
비를주소서 불비를주소서!
타는불속에서나
순실(純實)의뼈를 차자볼가
썩은잿덤이위에서나
사랑의씨를 차자볼가.

―「불비를 주소서」 전문

③ 온저자 사람이 다 나를 사괴랴하야도,
진실로 나는 원치를아니하오
다만 침묵을 가지고오는 벗님만이,
어서 나를 차저오소서.
온세상 사람이 다 나를 사랑한다하야도,
참으로 나는 원치를아니하오
다만 침묵을 가지고오는 님만이,
어서 나를 차저오소서.

그리하야 우리의세계는 침묵으로잠급시다
다만 압픈마음만이 침묵가운데 귀기우리며…….

―「온 저자ㅅ사람이」 전문

인용한 이 세 편의 시에는 이러한 절망감과 항거의지가 잘 나타나 있다.

먼저 시 ①에서 현실은 '사막'과 '눈보라벌판' 및 '연옥'으로 표상된다. 그러기에 현실에서의 삶은 교활과 아첨 및 비정이 판치는 것으로 받아들여진다. 현실에서 얻을 수 있는 부귀와 영화, 명예와 이해란 온갖 추악한 탐욕이나 위선의 결과라는 데 대한 분노와 저주가 담겨져 있는 것이다. 따라서 그러한 추악하고 비정한 세상을 살아가는 인간의 모습은 '연옥의 신음자'이며, '고독자'로서 파악된다. 이러한 절망으로부터 벗어나고자 하는 유일한 소망이 별에 대한 지향으로 표상되지만 그것도 역시 기대할 만한 것은 되지 못한다. 따라서 "별이 말이 업거든/그때홀로쓰러지자 홀로사러지자"라고 하는 가느다란 소망을 간직할 뿐인 것이다. 이렇게 본다면 이 시에는 현실에 대한 절망감과 함께 일종의 반항적인 패배의식이 밑바탕에 흐르고 있음을 알게 된다.

시 ②에는 순수와 진실, 사랑과 의리가 없는 세상 현실에 대한 절망감과 함께 그에 대한 분노가 표출되어 있다. 이 시에서 현실의 세계상은 순수와 진실, 사랑과 의가 없는 모습으로 파악된다. 그러기에 거기에는 인간적인 진실과 고뇌도 존재할 수가 없다. 바로 여기에서 절망적인 현실에 대한 분노와 저주가 폭발한다. "주(主)여! 비노니 이땅에/비를주소서 불비를주소서!"라는 구절이 바로 그것이다. 이 구절 속에는 현실에 대한 절망에 따른 참담한 분노와 저항의지가 담겨 있는 것이다. 실상 이러한 분노와 저주 속에는 세계에 대한 부정정신이 내포되어 있다고 하겠다. 그렇지만 여기에서도 삶에 대한 안타까운 미련과 소망이 담겨 있음을 볼 수 있다. "타는불속에서나/순실(純實)의뼈를 차자볼가/썩은잿덤이위에서나/사랑의씨를 차자볼가"라는 결구가 그것이다. 여기에는 '순실의뼈', '사랑의씨'처럼 뼈와 씨가 표상하는 보다 이념적인 삶 또는 정신적인 견고 지향성이 담겨져 있음을 보게 된다. 이렇게 본다면 이 시에는 현실의 모순과 부조리에 대한 참담한 절망과 함께 부정을 통한 소생의 안간힘이 내포되어 있다고 하겠다.

시 ③의 뼈대를 이루는 것도 세상에 대한 절망이며 부정정신의 발현이다. 여기에서의 부정정신은 세상 사람들에 대한 거부와 침묵의 방식으로 제시된다. "온세상 사람이 다 나를 사랑한다하야도/참으로 나는 원치를아니하오"와 "다만 침묵을 가지고오는 님만이/어서 나를 차저오소서/그리하야 우리의세계는 침묵으로잠급시다"라는 구절의 대응 속에는 거부와 침묵으로서의 부정정신이 선명히 드러난다고 할 것이다. 실상 이러한 부정정신의 발현은 조명희 자신이 말하듯이 보헤미안적인 것에서부터 반항의 길[12]로 나아가는 도정을 의미하는지도 모른다. 아울러 자아의 발견과 부정적인 세계관이 형성되기 시작하는 한 징표일 수도 있으리라. 실상 "우는것은못난이의일/다만참아감도어리석은일/우슬수는물론업다/그러면 너는 엇지하랴나노?/너는?/− ."(「번뇌(煩惱)」전문)이라는 시에서처럼, 울 수도 없고 참기만 할 수도 없으며 웃을 수도 없는 현실 상황에서 끝내 저항의 길로 나아갈 수밖에 없다는 깨달음이 말줄임표 "− ."[13]으로 나타난 것으로 풀이되기 때문이다.


## 3. 인간혐오와 모순의 발견


① 바둑이는 거짓이업나니
　　그는 실혼이를볼때 실타고짓으며
　　정든이를볼때 조타고가로뛰나니
　　바둑이는 이다지도 마음의거짓이업나니라.

　　그러나 인간은 어이함인지

---

12) 조명희, 윗글, 10쪽.
13) 황동민은 이 말없음표를, 시인이 사람들에게 불공평하고 추악한 현실이 빚어낸 불행과 고통을 제거하기 위해서 '일어날' 것을 호소했다고 풀이한다. 『포석 조명회 선집』, 96쪽 주해.

미운이를볼때 웃으며 손잡고
귀여운이를볼때 짐짓이 빼나니,
바둑아 너는 왜
이몹슬인간을 배반치안느뇨.

바둑이는 거짓이업나니라
그러나 이몹슬인간에게는 거짓이잇나니.
-「바둑이는 거짓이업나니」 전문

② 동무여
　우리가만일 개(犬)이어던
　개인체하자
　속이지말고 개인체하자!
　그러고땅에업드려 땅을핥자
　혀의피가 땅속으로 흐르도록,
　땅의말이 나올때까지.......

　동무여 불상한 동무여
　그러고도 마음이만일 우리를속이거던
　해를향하야 외오처부르라
　「이마음의씨를 영영히태울수잇너냐」고
　발을옴기지말자 석상(石像)이될때까지.
-「동무여」 전문

③ 어느술좌석(座席)끝헤
　엽헤안진동무들이
　엇지그리되지안코밉던지
　주먹을쥐고이러스며
　「필리스틴」의세상 더러운 세상!
　이되지않은속중(俗衆)! 하고
　싸호기까지하엿다

혼자도라올때

「너나 내나 다갓치불상한인간(人間)

그불상한인간(人間)을내가왜학대(虐待)하였노?」하여

알수업는비애(悲哀)가가슴에터질듯.

— 「스핑스의 비애(悲哀)」 전문

　조명희의 시에는 극단적인 인간혐오가 직설적으로 제시되어 관심을 끈다. 인용한 세 편의 시에는 이러한 인간혐오와 함께 연민의 정이 드러나 있는 것이다.

　먼저 시 ①은 인간과 강아지가 직접적으로 대조됨으로써 통렬한 인간 고발이 펼쳐진다. 이 시에서 바둑이는 진실과 순수, 정직과 의리의 표상성을 지니는 데 비해서 인간은 그렇지 못한 것으로 나타난다. 마치 인간은 거짓과 위선, 배반과 악덕의 존재로서 파악되는 것이다. 실상 인간이 강아지와 대비된다는 것 자체가 인간에게는 모욕스러운 일이 아닐 수 없다. 그렇지만 실상 그만도 못한 인간이 횡행하는 것이 인간계의 실상일진대는 어찌해볼 도리가 없을 것이다. 이러한 인간과 강아지의 대비 속에는 극단적인 인간혐오와 부정정신이 반영되어 있음은 물론이다.

　따라서 시 ②에는 인간을 개와 등가로서 파악함으로써 극단적인 인간 부정과 자아비판을 도출하게 된다. "동무여/우리가 만일 개(犬)이어던/개인체하자/속이지말고 개인체하자"라는 구절 속에는 인간이 인간 노릇을 제대로 하지 못하는 현실에 대한 신랄한 비판과 함께 자기 해체의 몸부림이 들어 있다. 어쩌면 이 구절에는 위선과 거짓에 익숙해져 있는 인간에 대한 혐오를 통해서 위선에 찌들어 살고 있는 자기 자신에 대한 통렬한 비판을 던지고 있는지도 모른다. 실상 "속이지 말고 개인체하자!/그리고땅에업드려 땅을핥자/혀의피가 땅속으로흐르도록"이라는 구절 속에는 인간에게뿐만 아니라 자신에게 향한 분노와 비판이 담겨져 있는 것으로 이해되기 때문이다. 아울러 이 시에 그러한 불쌍한 인간에게 대한 연민의 정이 표출되어 있음은 물론이다. 극단적인 혐오와 부정이 마침내 인간적 연민을 불러일으키는 동시에 모순을 통한 인간발견의 단서가 되는 것이다.

시 ③에는 이러한 극단적인 인간 부정과 혐오가 인간발견으로 이행되는 모습이 구체적으로 제시되어 있다. 그것은 고단한 세상에서 서로 부대끼며 살아가는 데서 파생되는, 어쩔 수 없는 인간혐오이며 자기부정의 한 양상이다. 그러므로 저주와 분노 속에서 "너나 내나 다 갓치불상한인간(人間)"이라는 인간발견 내지 자아발견이 이루어지게 된다. 아울러 여기에는 자기연민과 비애의 정서가 수반하게 되는 것이다. 실상 「스핑스의 비애」라는 제목 자체가 이러한 모순상으로서의 인간발견을 제시한 것임은 물론이다.

이러한 모순의 존재로서의 인간발견과 그에 따른 비애의 정서는 시집 『봄 잔듸밧위에』에서 지속적인 모티브로 작용한다. "이세상에 왜 낫이잇고밤이 또잇슬가/형(兄)아 아오야 이것이 웬일이냐/한편에는 슬히 울고 한편에는 비웃음이/오오 무서운현상(現像)/무서운 모순"(「영원(永遠)의 애소(哀訴)」에서)이나 "나는 인간(人間)을/사랑하여왓다 또한미워하야왓다/도야지가 도야지 노릇하고 여호가여호짓함이/무엇이죄악(罪惡)이리오 무엇이그리 미우리오"(「생(生)의 광무(狂舞)」에서)라는 경우가 그 한 예증이 된다. 특히 "원숭이가 색기를나앗습니다/원숭이가색기를귀여합니다/그러나 나는/슯어합니다/「너는 왜, 그런모욕(侮辱)의탈을쓰고또나서……」하고"(「원숭이가색기를나앗습니다」에서)라고 하는 시에서는 원숭이가 인간의 대리 자아로서 등장하여 모순상으로서의 인간의 모습을 풍자하고 있음을 본다. 이렇게 본다면 조명희의 시는 극단적인 인간혐오와 자기부정을 통해서 인간과 자신을 발견하려는 안간힘을 담고 있는 것으로 이해된다. 그러기에 "나에게 자유(自由)를다고/나에게 먹을것을다고"(「나에게」에서)라고 하는 생존권과 자유권을 동시에 요구하게 되는 것이다.

이러한 인간혐오와 자기부정을 통한 인간의 새로운 발견은 마침내 새생명으로서의 아기에 대한 예찬과 동경으로 이어진다.

> 오오어린아기여 人間以上의아달이여!
> 너는人間이아니다
> 누가너에게人間이란 일홈을붓첫나뇨
> 그런모욕(侮辱)의말을…….
> 너는선악(善惡)을초월(超越)한우주생명(宇宙生命)의현상(顯像)이다
> 너는모든아름다운것보다아름다운이다.
> 네가이런말을하더라
> 「할머니바보! 어머니바보!」
> 이을마나 귀여운욕설(辱說)이며 질거운음악(音樂)이뇨?
> 너는또한발가숭이몸으로
> 망아지갓치날뛸때에
> 그보드러운옥(玉)으로맨드러낸듯한 굴고 고흔 곡선(曲線)의흐름
> 바람에안긴어린남기
> 자연(自然)의리듬에춤추는것갓허라
> 엔젤의무도(舞蹈)갓허라
> 그러면
> 어린풀삭아! 신(神)의자(子)야!
>
> ―「어린아기」 전문

이 시에서 어린아기는 인간 이상의 존재, 즉 '신(神)의 자(子)'로서 찬양된다. 어린아기는 "선악을초월한우주생명의현상"이며, "모든아름다운것보다 아름다운이"로 떠받들어지는 존재이다. 오로지 그것은 순수한 것의 표상이며, 진실과 인간 이상의 구현으로서 의미를 지닌다. 실상 조명희의 시에는 이러한 어린아기 또는 새 생명에 대한 예찬과 동경이 지속적으로 나타나고 있음을 볼 수 있다. "보라 영원히 그 아기는/터지려는 지구의 심장을/부드러운 손으로 꿰매어 주며/넘어지려는 생명의 바퀴를/작은 팔로 뻗치고 서서/머나

먼 나라의 길을/어여쁜 손으로 가리켜 주나니"(「어린아기」부분)라는 또 다른 작품에서도 볼 수 있듯이 새 생명과 순수의 표상으로서 어린아기는 조명회 시의 한 상징체계를 이루고 있는 것이다. 이러한 어린아기 동경과 예찬은 현실적 절망이나 인간적 모순상을 극복하기 위한 안간힘의 한 변형이면서 동시에 자기구원의 몸부림이라 할 수 있겠다.


## 4. 대지적 삶과 생명사상의 한 모습

고국에 돌아온 이후 조명회의 작품은 보다 성숙된 면모를 보여준다. 이 무렵에 그의 작품은 주로 대지에 뿌리내린 삶 또는 대지적 생명력에 대한 집중적인 관심을 표출한다.


① 내가 이잔듸밧위에 뛰노닐적에
　우리어머니가 이모양을 보아주실수웁슬가?

　어린아기가 어머니젓가슴에안겨 어리광함갓치
　내가 이잔듸밧위에 짓둥그를적에
　우리어머니가 이모양을 참으로보아주실수웁슬가?

　밋칠듯한마음을 견데지못하여
　「엄마! 엄마!」소리를 내엿더니
　땅이「우애!」하고 한울이「우애!」하옴애
　어나것이 나의어머니인지 알수웁서라.
　　　　　　　　　　　　　　—「봄잔듸밧위에」전문


② 잔듸밧헤 어린풀삭이
　북그리는얼골을 남모르게내노아
　가만히웃더이다

저 크나큰 봄을.
작은새의 고요한울음이
가는바람을 아로삭이고
가지로흘러 이내가슴에숨여들제
한울은맑고요 아지랑이는고웁고요

―「봄」 전문

③ 어머니 좀드러주서요
    저 황혼(黃昏)의이약이를
    숨사이에 어둠이엿보아들고
    개천물소리는더한층 가느러젓나이다.
    나무나무들도 다기도(祈禱)를드릴때입니다.

    어머니 좀드러주서요
    손잡고 귀기우려주서요
    저 담아래 밤나무에
    아람떠러지는소리가들닙니다
    「똑」하고 땅으로떠러집니다
    宇宙가 새아달나앗다고 긔별합니다
    燈불을 켜가주고 오서요
    새손님마지러 공손히거러가십시다.
    ―「경이(驚異)」

④ 가을이되였다 마을의동무여
    저 너른들로 향하야나가자
    논틀길을밟바가며 노래부르새
    모―든 이삭들은
    다북다북고개를숙이며
    「땅의어머니여!
    우리는다시 그대에게로도라가노라」한다
    동무여! 고개숙여라 기도하자

저 모든이삭들과한가지…….

— 「성숙(成熟)의 축복(祝福)」 전문

인용한 시편들은 배경 면에서 봄과 가을로 대비되지만, 그 주제는 공통점을 지닌다. 그것은 대지의 생명력에 대한 깨달음과 찬탄이며 새 생명에 대한 경건한 희망의 표출이라 하겠다. 크게 보아 이 시들은 대지의 노래이자 모성의 노래이고, 생명의 노래이자 아가의 찬송인 것이다.

먼저 시 ①은 시집의 표제시로서 전체시의 성격과 지향점을 암시하는 면을 지닌다. 이 시의 핵심은 어머니로서의 대지와 거기에 뿌리를 두고 살아가는 인간의 생명력에 대한 찬탄에 놓여진다. 이 시에서 대지적 생명력은 '어머니의 젖가슴'과 '봄잔디밭'을 안고 있는 '하늘과 땅'으로 표상된다. 마치 어머니의 젖가슴에 안겨 있는 어린 아가처럼 '나'는 잔디밭에 안겨 있고, 잔디밭은 다시 하늘과 땅의 화응 속에 안겨 있는 형국인 것이다. 따라서 이 시는 대지사상이 바로 생명사상으로 연결되어 있으며, 이 점에서 대지적 생명력에 대한 경이와 찬탄을 노래하고 있는 것으로 보인다. 대지에 뿌리박은 삶의 건강하면서도 싱싱한 생명력이 봄 잔디밭 위를 뒹구는 심정으로 분출된 것이다. 특히 "밋칠듯한마음을 견데지못하여/「엄마! 엄마!」소리를내었더니/땅이「우애!」하고 한울이「우애!」하음에/어나것이 나의어머니인지 알수 읍서라"라는 마지막 연에는 하늘과 땅이 함께 어우러지면서 그 속에서 한 생명으로 태어난 잔디풀들과 나의 생명적 교감이 환희로서 제시되었다고 하겠다. 그것은 대지적 생명력의 위대성에 대한 찬탄이며, 생명의 경지에 대한 깨달음이 분명하다.

시 ②에는 이러한 새생명의 환희와 그 대지와의 교감이 잘 나타나 있다. 그것은 새로 태어난 잔디밭의 어린 풀싹이 엄청난 대지적 생명력으로서의 '크나큰 봄을 가만히 웃는' 모습으로 제시된다. 아울러 새 울음소리와 바람, 하늘과 아지랑이가 함께 조응을 이루면서 대지의 노래, 생명의 노래를 연주하는 것이다. 실상 이러한 건강한 대지적 생명력의 발견과 그에 대한 확신이야말로 조명희의 시가 삶의 문학으로 뿌리내리는 데 중요한 힘으로 작용한다.

시 ③에도 대지적 생명력에 대한 외경심이 표출돼 있다. 이 시의 배경은 가을날의 황혼 무렵이고, 시적 사건은 밤나무에 아람 떨어지는 모습이다. 그리고 전체적인 시상 전개는 어머니에 대한 하소연 형식으로 짜여져 있다. 따라서 이 시는 어머니와 나의 관계를 외연으로 하고 아람과 우주의 관계를 내포로 하면서, 새 생명 탄생에 대한 경이와 함께 그 엄청난 대지적 생명력과 우주의 질서에 대한 외경심을 형상화하고 있다. "저 담아래 밤나무에/아람떠러지는소리가들닙니다/「똑」하고땅으로떠러집니다/우주(宇宙)가새아달나앗다고 긔별합니다/등(燈)불을 켜가주고 오셔요/새손님마지러 공손히거러가십니다"라는 이 시의 결구 속에는 우주의 조화로서 발현되는 대지적 생명력에 대한 경이와 외경심이 담겨져 있는 것이다.

시 ④에서도 마찬가지이다. '어머니'로서의 논과 들에 열매 맺은 이삭에 대한 경건한 생명 예찬과 함께 '땅의 어머니', 즉 대지적 생명력에 대한 외경심이 표출된 것이다. 모성사상으로서의 대지사상과 생명사상이 발현되었다고 하겠다. 아울러 이 시에는 "저 너른들로 향하여 나가자/논틀길을밟바가며 노래부르새/동무여! 고개숙여라기도하자/저 모든 이삭들과한가지……."라는 구절처럼 대지적 생명력과 공동체 의식에 기반을 둔, 새로운 이상을 향해 나아가고자 하는 힘찬 전진의 의지가 표출되어 주목된다. 실상 이 시가 시집의 서두에 제시됐다는 사실 자체가 이 방면으로서의 지향성을 시사하는 것일 수도 있으리라.

이렇게 본다면 이들 시편에는 대지에 뿌리박은 삶, 또는 새생명에의 외경심(畏敬心)을 통해서 대지사상 또는 생명사상을 강조하고자 하는 뜻이 담겨 있다고 하겠다. 어머니로서의 대지는 모든 생명의 원천이자 목숨의 고향에 해당한다. 이러한 대지는 노동하는 삶의 현장이며, 새로운 이상을 향해 나아가게 하는 전진의 바탕이다. 따라서 이러한 대지사상과 생명사상에의 경도야 말로 조명희의 시가 삶의 문학, 민족의식과 역사의식의 문학으로 나아가게 하는 저력으로서 작용하는 것이다. 실상 이러한 시적 건강성의 획득은 조명희가 바람직한 시란 과연 무엇이며, 어떠한 세계인식을 가져야 할 것인가를 확실하게 깨닫기 시작한 결과로서 나타나게 된 것으로 이해된다. 실상 이러한 대지적 생명력에 기반을 둔 시적 건강성과 미래지향성은 「오뇌의 무도」 또는 「사(死)의 예찬(禮讚)」 등 아서구풍의 퇴폐적 시상과 분위기가 범람하던 초기 시단에 있어서 값진 것이 아닐 수 없다. 비슷한 시기에 발간된 「해파리의 노래」 등에 비해 본다면 이 「봄잔듸밧위에」는 훨씬 시 정신의 성숙도가 돋보인다고 할 것이다.

## 5. 「짓밟힌 고려」와 「낙동강」의 의미

조명희가 망명지 소련에서 쓴 산문시 「짓밟힌 고려」에는 그의 사회주의적 리얼리즘 성향이 압축되어 있어서 주목된다. 1928년 가을에 발표된 이 작품은 당대 일제강점하 조선과 조선 민족의 참상을 사회주의적 리얼리즘의 각도에서 묘파함으로써 이때부터 그의 문학이 "소련에 거주하는 조선사람들의 정신생활에서 가장 생기 있는 한 부분"[14]으로 자리하는 데 결정적인 역할을 하였다. 실상 이 작품에는 그동안 그의 희곡이나 시, 그리고 「낙동강」 등을 관류하던 내용과 사상들이 요약적으로 함축되어 있는 것으로 보인다. 특히 「낙동강」[15]과 이 작품은 직접·간접적인 내용과 주제 상의 공통점이 드러난다. 그만큼 조명희 문학에서 핵심적인 위치를 차지한다고 할 것이다.

---

14) 황동민, 「작가 조명희」, 『포석 조명희 선집』, 11쪽.
15) 북한문학사에서는 이 작품을 조명희의 전 작품 중에서 사상예술적으로 가장 우수한 작품이며, 사회주의적 사실주의 창작방법을 처음 구현한 기념비적 작품으로 높이 평가한다. 『조선문학사』(학우서방, 1964), 135쪽.

일본 제국주의 무지한 발이 고려의 땅을 짓밟은지도 벌써 오래다.

그놈들은 군대와 경찰과 법률과 감옥으로 온 고려의 땅을 얽어 놓았다.

칭칭 얽어 놓았다— 온 고려 대중의 입을, 눈을, 귀를, 손과 발을,

그리고 그놈들은 공장과 상점과 강산과 토지를 모조리 삼키며 노예와 노예의 떼를 몰아 채찍질 아래에 피와 살을 사정없이 긁어먹는다.

보라! 농촌에는 땅을 잃고 밥을 잃은 무리가 북으로 북으로, 남으로 남으로, 나날이 쫓기어 가지 않는가?

뼈품을 팔아도 먹지 못하는 그 사회이다. 도시에는 집도, 밥도 없는, 무리가 죽으러가는 양의 떼같이 이리저리 몰리지 않는가?

그러나 채찍은 오히려 더 그네의 머리 우에 떨어진다—

순사에게 눈부라린 죄로, 지주에게 소작료 감해달란 죄로, 자본주에게 품값 올려달란 죄로.

그리고 또 일본제국주의에 반발한 죄로, 프로레타리아트를 위하여 씨워가며 일한 죄로!

주림과 학대에 시달리여 빼빼마른 그네의 몸뚱이 우에는 모진 채찍이 던지여진다.


어린 「복남」이는 저의 홀어머니가 진고개 일본부르죠아놈에게 종노릇하느라고, 한 도시 안, 가깝기 지척이었건만 벌써 보름이나 만나지 못하여 보고 싶어서, 보고 싶어서 울다가 날땅에 쓰러지여 잠들었다.

젊은 「순이」는 산같이 믿던 저의 남편이 품팔이하러 일본 간 뒤에 사(四)년이나 소식이 없다고, 「강고꾸배야」에서 죽었는가 보다고, 감독하는 일본놈에게 총살당하였나보다고, 지금 일본관리의 집에 밥솥에 불을 지펴 주며 한숨 끝에 눈물짓는다.

아니다, 이것은 아직도 둘째다!

기운 씩씩하고 일 잘하던 인쇄 직공 공산당원 「성룡」의 늙은 어머니는 어느 날 아침결에 경찰서 문턱에서 매맞아 죽어 나오는 아들의 시체를 부둥켜안고 쓰러졌다— 그는 지금 꿈에도 자기아들의 이름을 부르며 운다.

아니다. 또 있다.—

십년이나 두고 보지 못하던 자기 아들이 정치범 미결감 삼년 동안에 옷 한 벌, 밥 한 그릇 들이지 못하고 마지막으로 얼굴이나 한번 보겠다고 천리밖에서 달려와 공판정으로 기여들다가 무지한 간수놈의 발길에 채워 땅에 자빠져 구르며 하늘을 치여다 보며 탄식하는 흰 머리의 노인도 있다.

이것 뿐이냐? 아니다.

온 고려 프로레타리아동무— 몇 천의 동무는 그놈들의 악독한 주먹에 맞어죽고 병들고 쇠사슬에 매여 감옥으로 갔다.

그놈들은 이와같이 우리의 형과 아우를, 아니 온 고려 프로레타리아트를 박해하려든다.

고려의 프로레타리아트! 그들에게는 오직 주림과 죽음이 있을 뿐이다. 주림과 죽음!

그러나 우리는 낙심치 않는다. 우리의 힘을 믿기 때문에—

우리의 뼈만 남은 주먹에는 원쑤를 쳐 꺼꾸려뜨리려는 거룩한 싸움의 힘이 숨어 있음을 믿기 때문에.

옳도다, 다만 이 싸움이 있을 뿐이다—

칼을 칼로 잡고 피를 피로 씻으려는 싸움이— 힘 세인 프로레타리아트의 새 기대를 높이 세우려는 거룩한 싸움이!

그리고 우리는 또 믿는다—

주림의 골짜기, 죽음의 산을 넘어 그러나 굳건한 걸음으로 걸어 나아가는 온 세계 프로레타리아트의 상하고 피묻힌 몇 억만의 손과 손들이.

저— 동쪽 하늘에서 붉은 피로 물들인 태양을 떠받치며 올릴 것을 거룩한 프로레타리아트의 새날이 올 것을 굳게 믿고 나아간다!

　　　　　　　　　　　　　　　　　　　　　　— 「짓밟힌 고려」 전문

일종의 산문시인 이 작품에는 일본 제국주의 침탈에 따른 참담한 현실상과 함께 그에 대한 저항의지가 강력하게 나타나 있다. 모두 27행의 산문형식으로 짜여진 이 시는 대략 내용상 세 부분으로 나눌 수 있다. 첫 행 "일본제국주의~"에서 10행 "주림과 학대에 시달리어~"까지가 첫 단락이고, "어린 복남이는~"부터 20행 "고려의 프로레타리아트~"까지가 둘째 단락, 그리고 나머지 "그러나~"에서 27행 끝의 "새날이 올 것을 굳게 믿고 나아간다!"까지가 그 셋째 단락이다. 그러고 보면 '기·서·결'이라는 논리적 구성양식을 취하고 있음을 발견할 수 있다.

먼저 첫 단락에는 일본 제국주의의 야만적인 침탈과 무자비한 폭압상이 제시돼 있다. 그것은 '시슬'과 '채찍'으로 표상된다. "그 놈들은 군대와 경찰과 법률과 감옥으로 고려의 땅을 얽어 놓았다/칭칭 얽어놓았다— 온 고려 대중의 입을, 눈을, 귀를, 손과 발을"이나 "그리고 그놈들은 공장과 상점과 광산과 토지를 모조리 삼키며 노예와 노예의 떼를 몰아 채찍질 아래에 피와 살을 사정없이 긁어 먹는다"라는 구절처럼 이러한 일제의 폭압적 유린과 무자비한 수탈상이 생생하게 제시되어 있는 것이다. 또한 여기에는 민족의 궁핍상이 '집도 밥도 없음'으로 묘파되면서 주림과 학대로 인해 한민족이 노예로 전락하는 모습을 드러낸다. 그러기에 기아와 빈곤으로 뒤덮인 조국을 떠나 북간도로 유랑해가는 유이민의 비참상을 제시하게 된다. "뼈품을 팔아도 먹지 못하는 그 사회/주림과 학대에 시달려 빼빼 마른 그네의 몸뚱이 우에는 모진 채찍이 던지여진다"라는 구절과 같이 일제의 침탈로 인해 생존권마저 위협당하는 현실의 참담함과 함께 식민지의 구조적 모순 및 원천적 불합리를 통렬하게 비판하고 있는 것이다. 이러한 주림과 학대로 점철된 현실상의 고발 속에는 일제에 대한 강한 분노와 적개심이 충만해 있음이 물론이라 하겠다.

둘째 단락에는 일제의 폭압과 수탈에 시달리는 민중의 참상이 구체적으로 제시되어 있다. 여기서의 구체적인 화소는 네 가지인데, 이것은 다섯째에서 민족적 현실로 통합된다. 화소 ①은 가난 때문에 일본 부르주아에게 종노릇하는 홀어머니와 떨어져 지내야만 하는 어린 복남이의 가련한 사연이다. 화소 ②는 노동자로 전락하여 품팔러 일본 간 남편을 기다리면서 일본관리 집에 식모살이하는 순이의 한숨과 눈물로 얼룩진 사연이다. 화소 ③은 왜경의 고문 끝에 죽어 나온 아들 성룡을 보고 졸도한 나머지 환각 속에 미쳐버린 한 어머니의 억울한 삶이며, 화소 ④는 옥에 갇힌 정치범 아들 때문에 천 리 길을 달려왔다가 간수에게 수모와 고초를 당하는 노인의 비참한 탄식이다. 또한 화소 ⑤는 이러한 억울한 투옥과 고문, 죽음에 시달리는 사연들이 당대 조선 민족이 처한 공동의 현실이라는 고통스러운 현실 인식을 담고 있다. 오직 '주림'과 '죽음'만이 횡행하고 있는 당대 일제강점하 조선 민족의 참상이 생생하게 제시되어 있다는 점에서 이 단락의 의미가 드러난다. 실상 이런 종류의 프롤레타리아트 시들이 흔히 빠지기 쉬운 관념적 추상성과 도식성을 어느 정도 극복할 수 있던 요인은 이 시가 이러한 구체성과 현장성을 지닌 데서 비롯됐다고 할 것이다. 특히 이 단락에서 항일저항의식과 함께 계급해방의식이 표출된 것은 주목을 요한다. 이것은 조명희가 당대 민족의 진로가 반일 민족해방투쟁과 반계급 인간해방투쟁에서 열릴 수 있음을 확신한 결과로서 이해되기 때문이다.

따라서 셋째 단락에서는 강력한 투쟁 정신이 표출된다. 그것은 일제강점하의 식민지 현실 타도의지이며, 계급타파에 의한 민중해방 투쟁으로 요약할 수 있다. "원쑤를 쳐 꺼꾸러뜨리려는 거룩한 싸움/칼을 칼로 잡고 피를 피로 씻으려는 싸움"이란 바로 항일투쟁 정신의 반영이며, 민족해방 또는 민족해방 의지의 발현인 것이다. 특히 여기에서 당대 식민지의 참상을 '주림의 골짜기' 또는 '죽음의 산'으로 파악한 것은 조명희의 날카로운 현실 인식을 표상한 것이라는 점에서 주목을 환기한다. 그것은 마치 심훈(沈薰)이 당대 현실을 '유형의 땅', '죽음의 시대'로 파악한[16] 것과 근원적 유사성을 지닌다는 점에서 프로문학파들의 현실 인식을 첨예하게 반영한 것으로 이해된다. 이 마지막

---

16) 김재홍, 『한국현대시인연구』(일지사, 1986), 118쪽.

단락이 "거룩한 프롤레타리아트의 새날이 올 것"에 대한 기다림과 갈망으로 결구를 맺은 것으로 미루어볼 때 이 시가 사회주의 리얼리즘을 제창한 것임에 분명하다. 그것은 일제강점의 식민지 현실타도와 계급해방이 결코 분리될 수 없다는 사실을 강조한 것이라고 하겠다. 이렇게 본다면 이 시는 항일투쟁과 계급투쟁을 통해서 반외세 민족해방의식과 반봉건 인간해방의식 및 계급해방의식을 통합적으로 형상화한 20년대 이 땅 프로시의 한 전형이자 두드러진 성과라고 할 것이다. 당대 민중의 궁핍상과 민족의 비참상을 구체적인 현장성을 살려 묘파하고, 그것이 일제의 침탈에 의한 구조적인 결과이기 때문에 그에 대한 타도를 통해서 참된 민족해방 내지 민중해방의 길이 열릴 수 있다는 확고한 신념과 투쟁 정신이 표출됐다는 점에서 이 시가 강한 설득력을 지닌다고 하겠다.

이러한 「짓밟힌 고려」는 실상 그가 망명 전해에 발표한 소설 「낙동강」과 여러 가지 점에서 연관된다. 내용과 주제 면에서 「짓밟힌 고려」는 「낙동강」과 여러 가지 유사성을 지니고 있는 것으로 판단되기 때문이다.

「낙동강」은 낙동강이 굽이쳐 바다로 흘러가기 직전의 평야 지대 구포벌에서 펼쳐지는 주인공 박성운의 혁명적 인생을 묘사한 작품이다. 그 내용 전개는 의외로 단순하다. 강나루에서 박성운이 병보석으로 출감하여 고향마을로 돌아오는 장면으로부터 시작된다. 이 박성운이 낙동강 어부의 손자이며 농민의 아들로서, 고난 끝에 농업학교를 졸업하고는 3·1 독립운동에 참여·투옥됐다가 풀려난다. 그 사이 어머니는 죽고, 아버지는 몰락하여 성운과 함께 간도로 유랑을 떠난다. 그러나 그곳에서도 뿌리내리지 못하고 아버지마저 잃고는, 성운은 독립운동가·사회주의자가 되어 고향으로 돌아온다. 그는 '대중 속으로'를 외치며 노동에 종사하면서 노동야학과 소작조합 운동을 전개한다. 동척과 대지주의 수탈에 반발하다가 해산명령을 받고 있을 때 갈밭사건이 일어난다. 수많은 목숨의 터전이라 할 갈밭을 일본인이 강탈하자 농민봉기가 일어나고, 이에 성운이 체포되어 모진 고문 끝에 와병하게 된 것이다. 한편 성운은 천민들의 신분해방 운동인 형평운동에도 동조하다가 백정의 딸인 로사를 만나 사랑하게 되며, 같이 노동운동에 매진하게 된다. 그러다가 다시 처음으로 사건이 연결되어 감옥에서 보석되어 나온 성운이 끝내 죽게 되고, 로사는 새로운 투쟁의 출발을 위해 성운이 밟았던 길을 찾아 떠난다는 결말로 짜여진 것이다.

따라서 이 작품에는 일제의 수탈로 인한 농촌의 궁핍화 현상과 북간도로의 유이민화 현상이 전체 작품의 밑바탕을 이루고 있다. 또한 항일 독립투쟁과 함께 계급투쟁으로서의 민족해방·민중해방 정신이 핵심을 이루며, 아울러 형평운동이 상징하듯이 반봉건 인간해방운동을 함께 표출하고 있는 것이다. 따라서 전체적인 면에서 이 작품은 반외세 항일투쟁으로서의 민족해방과 반봉건 근대화 운동으로서의 인간해방, 그리고 반불평등 사회운동으로서의 계급해방을 목표로 하고 있음을 알 수 있다. 이 점에서 이 작품은 이른바 신경향파의 자연발생적 저항성이 목적의식을 지니게 되는 본격적인 프로문학의 대표적인 한 작품이라고 하겠다. 특히 이 소설이 근대자본주의와 계급분화과정을 설명하면서 계급적인 몰락으로서 당대 조선의 현실을 파악하고 계급투쟁을 강하게 부각시킨 것[17]은 주목할 만한 일이 아닐 수 없다. 바로 이러한 소설 「낙동강」의 기본내용과 핵심주제가 시 「짓밟힌 고려」에 집약적으로 형상화된 것으로 해석된다는 말이다.

결국 「짓밟힌 고려」는 민족해방으로서의 독립투쟁과 인간해방으로서의 계급투쟁이라는 이념을 주제로 하면서 당대 민족이 처한 참상과 그에 대한 분노를 리얼리즘적인 각도에서 묘파한 시라고 하겠다. 이러한 리얼리즘적인 경향은 이후 망명지 소련에서의 정치적 현실과 접합되면서 사회주의적 리얼리즘의 길로 더욱 본격화하게 된다.

---

17) 백철, 『국문학전사』(신구문화사, 1976), 355쪽.

① 우리의 손이 망치를 잡았고/우리의 발은 바퀴를 굴린다/우리의 어깨엔 총이 매여 있고/우리의 머리우엔 새 태양과 함께 과학이 빛난다.

② 굴뚝의 연기도 구름이 되어 날으거던/쇠깎는 소리도 하늘우에 용솟음쳐 구르거던/하물며 로력의 용사들이야/힘오른 팔뚝을 내지 않으랴?/돌려라 바퀴를! 쳐라, 망치로!

③ 우리는 녀자 돌격대이니/돌격대답게 일하여 보자!/붉은 수건햇빛에 흔들리며/검은 팔뚝들이 창날같이 번득인다

시 ①은 「10월의 노래」, ②는 「볼쉐비크의 봄」, 그리고 ③은 「여자돌격대」의 한 부분이다. 이들 시에서 공통적으로 드러나는 것은 활기찬 노동의 사상이며 공동체 의식이라 할 수 있다. 크게는 사회주의 사회건설을 향한 혁명의지의 발현이라고도 하겠다. 그렇지만 이런 구호시들은 그 자체가 생명력을 지니기보다는 이데올로기 전파의 목적성 내지 상투성을 지니게 됨으로써 문학성이 아닌 선동선전성, 즉 아지프로시로 떨어지고 만 것으로 판단된다. 실상 이러한 시들은 조명희가 이 무렵에는 사회주의적 리얼리즘이란 개인적인 인간구원이나 관념적인 인간해방에 목표를 두는 것이 아니라 사회주의혁명을 위한 현실적인 투쟁에 목표를 둔다.[18] 그러기에 독자를 편안하게 해주는 것이 아니라 사회주의적 충동을 주고 생산적인 동요를 일으키는 데 주안점이 놓여진다. 이 점에서 「짓밟힌 고려」에서부터 조명희는 확고하게 사회주의적 사실주의를 지향하게 된 것으로 이해된다.

---

18) Stepharn Kohl, 여균동 역, 『리얼리즘의 역사와 이론』역(한밭출판사, 1982), 151~155쪽.

## 6. 시론의 한 검토

비록 많지는 않으나 조명희는 시집 『봄잔듸밧위에』의 「머릿말」을 비롯한 여러 단평들을 통해서 나름대로의 시론을 틈틈이 개진하여 관심을 환기한다. 실상 프로문학 계열의 많은 작가·시인들이 소설이나 시 또는 희곡이나 평론 등 입체적인 활동을 펼쳐 보여주는 경우가 많았던 것이 사실이다. 그와 거의 동년배인 이기영(李箕永)이 소설가이자 극작가였고, 한설야가 소설가 겸 평론가이며, 다소 후배인 송영이나 임화·김남천 등이 여러 장르에 손댄 것은 잘 알려진 바이다.

조명희는 희곡·시·소설에 모두 손을 대었고 각기 어느 정도 성과를 거둔 바 있지만, 평론 활동은 미미한 편이다. 그중에서 시론이라 할 만한 것으로는 전기한 「머릿말」과 「조선의 노래를 개혁하자」, 「<로력자의 고향>에 실린 시들에 대하여」와 「<씨비리아철도행>에 대하여」, 그리고 「힘의 예술을, 힘의 예술가를」 등이 비교적 알맹이가 있는 것이라고 하겠다.

먼저 시집의 「머릿말」에는 시가 언어예술이기 때문에 아름다워야 한다는 점을 강조하는 내용이 담겨 있다. 사회주의를 지향한 그가 시인을 언어의 창조자로 이해하고, 그 예술성을 운위한 것은 특기할 만하다고 할 것이다. 아울러 그는 내용과 형식의 일치와 조화를 주장한다. 다만 신흥하는 예술에는 "곱게 분발너는 형식에만 기우러지지 않코 씩씩하고 기운찬 내용을 요구할 것"처럼 사상성에 비중을 두어야 함을 제시했다. 그렇지만 궁극적으로 최고의 예술은 "진선미(眞善美)가 다 합치(合致)될 것이며 안팟읍시 다 일치조화(一致調和)될 것"19)과 같이 사상성과 예술성의 조화를 강조하고 있는 것이다. 그런데 이 머리말에서 주목할 것은 다음과 같은 진술이다.

---

19) 조명희 「서문」, 『봄잔듸밧위에』(춘추각, 1924), 5쪽.

한울빗이 다르고 땅모양이 다른 곳곳에 거기에 나는 한폭이의 풀과 한마리의 새가 곳을 따라 다를 것이다. 그것은 다 그곳의 자연(自然)과 조화(調和)되어 나온 까닭이다. 한마리의 새와 한 시인의 울음소리가 곳 그땅 지령(地靈)의 울음소리라 할 수 있다……중략……우리는 뽀드레르가 될수 읍스며 타고어도 될 수 읍다. 우리는 우리여야 할 것이다. 우리는 남의것만 쓸대읍시 흉내내지 마를 것이다. 붉은 장미(薔薇)가 웃더니 당신의 레이쓰가 웃더니 하는 서인(西人)의 노래만 옴기려 하지 말고, 우리는 몬져 산(山)빗탈길 도라들며 지개목발 뚜다리어 노래하는 초동(樵童)에게 향하야 드르라……중략……이리저리 나뷔끼는 실버들 가지를 보라. 조선혼(朝鮮魂)의 울음소리를 거기서 들을 수 있다.[20]

여기에서 그가 강조하는 것은 조선혼의 울음소리가 담긴 시, 즉 민족적 주체성에 입각하여 생활상을 노래해야 한다는 점이다. 부연하면 민족적 형식에 의한 민중적 생활감정의 형상화에 힘써야 한다는 말이 되겠다. 이러한 조명희의 시관은 허황된 서구 취향성의 모방에 급급하던 당대 초기 시단 형성과정에서의 일반 풍조에 대한 비판이자 자기반성으로서 의미를 지닌다. 이 점에서 그는 비교적 건강하고 바람직한 시관을 갖고 있었던 것으로 판단된다.

한편 기타의 시론은 다음과 같이 정리할 수 있다.

1) 새로운 시대의 시는 민족적인 형식에다가 사회주의적 내용을 담아야 한다. 봉건적인 숙명론이나 귀족취미 또는 센티멘탈리즘을 배격한다.[21]
2) 시의 언어는 이데아가 건전하고 사건에 충실한, 힘 있고 씽씽한 말이 돼야 한다. 정치표어 나열식이나 사이비 지식의 말, 건조한 개념적인 말이나 번역 투의 말, 상투적인 말을 배격한다. 또한 한문 투와

---

20) 조명희, 윗글, 6~8쪽.
21) 조명희, 「조선의 노래들을 개혁하자」, 『포석 조명희 선집』, 488~492쪽.

낡은 관용구를 배제한다.22)

　　3) 새로운 문학은 무산대중의 이익을 옹호하고 그들의 계급적 해방을 지향하는 혁신적 특성과 사회적 가능을 가져야 한다. 그러기 위해서 대중의 힘으로 일제 식민지 통치의 질곡을 타파해야 하며, 그 억센 힘으로 자라고 있는 대중에게 문학은 복무해야 한다.23)

　　4) 정치적인 투쟁성이나 사상성을 중시하되 그에 걸맞는 표현기교나 형식을 찾아내야만 한다. 현실에 기반을 둔 사실들을 문제의식과 혁명사상을 가지고 사실적이면서도 감동적으로 표현해야 한다.

이렇게 본다면 조명희의 문학관은 기본적으로 사회주의적 리얼리즘에 그 토대를 두고 있는 것이 확실하다. 그러나 시에 있어서는 사상성과 함께 예술성이 확보돼야 한다는 점을 강조하고 있어서 주목된다. 따라서 조명희의 시관은 사회주의적 사실주의 문예관과 민족주의적 형식미학에 뼈대를 두고 있다고 하겠다. 특히 그가 사회주의 이념성을 강조하면서도 그것만을 강조하여 일종의 정치표어 나열식에 떨어져서 "말의 아름다운 음악이 되지 못하고 양철통 두드리는 소란한 소리"24)가 나는 작품들을 비판한 것은 자못 의미심장한 일면을 지닌다. 비록 그의 시가 이러한 자신의 시관을 효과적으로 형상화하고 있지 못한 것이 사실이라 하더라도, 적어도 나름대로 온당한 시론을 확립하고 있는 것은 평가할 만한 일이라 할 것이다. 무엇보다도 초기 시단 형성 과정에서의 감상 편향성과 애매한 신비주의에 물든 시들을 비판하면서 그와 동시에 프로시들의 내용편향성과 관념적 상투성에 대한 반성을 함께 제시한 점은 충분히 의의 있는 일로 판단되기 때문이다.

---

22) 조명희, 「시 <씨베리아철도행>에 대하여」, 『포석 조명희 선집』, 512쪽 등.
23) 조명희, 「<힘>의 예술을, <힘>의 예술가를」, 『조선지광』(1927. 1).
24) 조명희, 「<로력자의 고향>에 실린 시들에 대하여」『포석 조명희 선집』, 498쪽.

## 맺음말

조명희는 이른바 월북 문인[25]이 아니었음에도 불구하고 그와 그의 문학은 남쪽에서 지금까지 거의 실종상태에 놓여 있었던 것이 사실이다. 그렇지만 앞에서 살펴본 것처럼 조명희가 초창기 우리 근대문학의 한 개척자였으며 프로문학의 선구자였다는 사실은 부정할 수 없으리라. 그가 선구한 사회주의적 사실주의 창작방법론은 당대 문학에서뿐만 아니라 이후 이 땅 문학사에서 독보적인 위치를 차지한다고 해도 과언이 아닐 것이다.

그의 초기 시는 당대의 어두운 식민지 현실에서 방황하는 젊은이들의 심정을 주로 하여 반항심리와 부정정신을 표출하였다. 그러면서 그의 시는 생존권마저 위협받는 일제강점하의 참담한 현실 세계와 부딪치면서 차츰 대지적 생명력과 역사적 삶의 문제에 눈떠가기 시작하였다. 그 결과 그는 문학이 당대 현실과 날카롭게 대응하여야 하며, 그것의 구조적 모순과 불합리를 타개하기 위해서는 능동적인 민족해방과 인간해방 투쟁의 길로 나아가야 한다는 사실을 자각하였다. 따라서 그는 사회개혁과 실천으로서의 사회주의적 리얼리즘의 길을 선택하고 그에 입각하여 창작 활동을 전개해 가게 된 것이다. 그의 여러 작품에서 드러나는 날카로운 응전력과 투쟁정신은 일제강점하 이 땅 문학이 나아가야 할 하나의 역사적 방향성이자 시대적 당위성을 지니고 있었다 할 것이다.

그렇지만 그의 시에 드러나는 약점 또한 간과할 수 없다. 먼저 그의 초기 시가 주로 그렇지만 그의 시에는 방황과 애상의 퇴폐적 정조가 짙게 깔려 있다는 점을 지적할 수 있다. 그의 시에는 이 땅 초기 시단을 풍미하던 과도한 감

---

25) 임헌영은 남·월북문인이라는 명칭이 냉전체제에 의한 독재권력의 신원조회 냄새가 풍길 뿐 아니라 피해의식까지도 암시하여 올바른 문학사연구를 가로막고 있다는 점에서 과도기적인 표현으로 '분단으로 매몰된 문학인'이란 명칭을 쓸 것을 주장한다. 임헌영, 앞글, 11~12쪽.

상주의와 부박한 관념 편향성, 그리고 몽환적인 신비주의가 미만해 있는 것으로 판단되기 때문이다. 다음에는 그가 내용과 형식의 조화론이나 민족적 주체성 및 시의 언어적 쓰임새에 대한 관심을 강조했음에도 불구하고 실제 작품상에 있어서는 현격한 괴리를 보여주었다는 점이다. 특히 후기 시에 접어들어 사회주의 리얼리즘을 창작방법론으로 채택했지만 그에 입각하여 체계적이고 깊이 있는 작품상의 실천을 보여주지 못한 것은 커다란 아쉬움이 아닐 수 없다. 무엇보다 그가 그 어느 장르에 전념하여 깊이 있는 성과를 거두지 못한 것이 아쉬움으로 남는다. 근대문학사 초유의 희곡작가이자 목적의식기의 프로문학을 선도한 소설가로서, 또한 신시사상 제일 먼저 창작시집을 펴낸 시인의 한 사람으로서 그의 활동영역은 가히 주목할 만하다. 그러나 그는 장르 선택에 있어 뚜렷한 특성이나 방향성을 확보하지는 못했던 것으로 보인다. 특히 시의 경우에는 그 체계적인 깊이나 성숙도가 부족했다고 할 것이다.

그럼에도 불구하고 조명희는 이 땅에서부터 문학이 현실적인 응전력을 가져야 하며 역사적 삶에 이바지해야 한다는 점을 강조함으로써 이 땅 문학사에 뚜렷한 방향성을 제시한 것으로 판단된다. 그는 어느 면에서 여성 편향성이나 기교주의에 함몰되어 있던 1920년대 초기 시단 형성과정에서 리얼리즘시의 길을 열어놓음으로써 확고한 문학사적 위치를 정립한 것이다. 아울러 그는 우리의 협소했던 문학 영역을 망명지 소련에까지 확장해감으로써 이후 소련에서의 우리 문학 성장과 발전에 초석을 놓았다는 점에서 중요한 의미를 지닌다. 그것은 민족문학으로서의 우리 문학의 새로운 지평이 열릴 수 있다는 사실을 암시해 줄 수 있기 때문이다.

무엇보다도 그의 문학은 오늘날 분단상황하에서 전환기적 갈등을 겪고 있는 이 땅의 현실과 문학에 삶의 문학, 민족문학 및 역사의 문학에 대한 폭넓은 시사를 던져주리라는 점에서 의미를 지닌다고 하겠다.

# 농민시의 개척자, 박아지

## 머리말

시인 박아지(朴芽枝, 본명 박일(朴一), 1905~?), 그는 카프 맹원의 한 사람으로서 농촌의 피폐상과 농민들의 척박한 삶을 집중적으로 형상화한 개성적인 프로시인에 해당한다.

그는 카프 계열의 많은 시인들이 주로 공장근로자들과 도시 빈민의 문제를 다루어온 데 비해서 농촌과 농민 문제를 다양하고 깊이 있게 천착함으로써 카프시의 저변을 확대하고 심화하는 데 기여하였다. 실상 이러한 박아지의 농촌 및 농민시 탐구는 당대 조선인의 대다수가 농업종사 인구였었다는 점[1]에 비추어 올바른 방향성을 지닌 것이라 할 수 있다. 특히 1920~30년대 이 땅의 농민들은 일제의 식민지 수탈과 봉건착취로 인하여 가일층 빈궁한 처지에 떨어져 신음하고 있었으며, 이에 맞서서 암태도소작쟁의(1924. 4 3)·무안농민투쟁(1925. 8)·단천농민폭동(1930. 7) 등 대규모 항일반제 농민투쟁운동

---

1) 박아지의 농민시가 주로 쓰여진 1920년대 후반 농업종사 인구수는 1928년 말 기준 약 1천5백만 명으로 전체 인구 1천9백만의 약 80%에 이를 정도로 높은 비중을 차지한다. 강만길, 『한국현대사』(창작과비평사, 1984), 100쪽.

을 벌여가고 있었던 점에 비추어 박아지의 이러한 농민시 운동은 역사적 당위성을 지니고 있다고도 할 것이다. 무엇보다도 이 시기 우리 시의 주요한 경향이 농촌·농민을 다루고 있음에도 불구하고 목가적이고 풍경화적인 서정을 노래하는 데 그쳤던 점을 유의해 본다면, 박아지가 그의 시 속에 농민들의 궁핍한 삶을 집중적으로 다루면서 그렇게 만든 불의한 힘으로서의 일제 지배집단과 그 구조적 모순에 저항하고 투쟁해 나아가려 노력했던 사실은 의미 있는 일이 아닐 수 없다. 그럼에도 불구하고 그와 그의 시에 대한 탐구는 일제하는 물론 오늘날까지 이 땅에서 전혀 진척되고 있지 못해온 것이 사실[2]이다. 물론 그가 이른바 월북시인이기 때문에 그동안 제대로 연구되기 어려웠던 사정에 연유하기도 하지만, 그의 시가 흙의 사상 내지 농민 생활을 주로 형상화했기 때문에 과격한 계급투쟁시 또는 선동선전시들의 그늘에 가려져 온 것도 그 한 이유라고 하겠다. 따라서 노동자·농민운동을 중심축으로 전개돼온 이 땅의 항일민족운동과 프로문학운동의 의미와 문제점을 올바로 구명하기 위해서라도 박아지의 시는 좀 더 깊이 있게 탐구될 필요가 있는 것으로 생각한다.

박아지는 1905년 함경북도 명천에서 출생하여 일본의 동양대학을 수학한 것으로 알려졌다. 그는 1927년 초 귀국하여 『조선문단』지에 「농부의 선물」 (1927, 3)을 발표하면서 작품활동을 시작하였으며, 이 무렵 카프에 가담한 것으로 보인다. 이후 그는 박세영(朴世永)·이찬(李燦) 등과 주로 교류하면서 소년잡지 『별나라』의 편집에도 가담하였으며, 주로 「농부의 시름」, 「농가구곡 (農歌九曲)」, 「농군행진곡(農軍行進曲)」 등 농촌·농민에 관한 연작시를 발표하였다. 이 밖에 몇 편의 단평[3]을 발표한 것 이외에는 특별한 사항이 발견되

---

2) 박아지 시에 대한 유일한 평가는 안함광(安含光)에 의해서 단편적·부정적으로 이루어졌다. 즉 안함광은 농민문학문제를 논하면서 박아지의 시가 향토적일 뿐 당대 시대적 환경과 동떨어져 있기 때문에 별 의미가 없음을 지적하고 있다(「농민문학문제재론·2」, 『조선일보』(1931. 10. 22). 그러나 이 비판은 박아지 시를 총체적으로 살펴본 결과가 아니라는 점에서 올바른 평가가 되지 못한다.

3) 「신춘시단개평(新春詩壇槪評)」(동아일보, 1936. 1. 18), 『이찬시집(李燦詩集) <분향

지 않는다. 해방 후에 그는 프로예맹과 문학가 동맹의 중앙위원을[4] 역임하는 등 좌파계열의 문학 노선을 분명히 하는 한편 시작 생활 20년 만에 첫시집 『심화(心火)』(우리문학사, 1946)를 간행하기도 한다. 이 무렵 그는 조선 문학가 동맹에서 주도권을 상실한 박세영·송영·이찬 등과 함께 제2차 월북파로서 평소의 신념을 좇아 북으로 넘어가게 된다. 북에서 그의 활동은 그다지 활발한 것으로 보이지는 않는다.[5] 다만 『조선문학사』 등에서 20년대의 선구적 프롤레타리아 시인으로서 그 문학사적 의의를 인정받을 정도인 것이다. 따라서 본고에선 해방 전 그의 농민시[6]를 중심으로 그의 시 세계를 살펴보고자 한다.

## 1. 농민들의 삶 또는 농촌 지향성

박아지라는 필명에서도 쉽게 느낄 수 있듯이 박아지의 시는 소박한 농민들의 삶 또는 농촌의 정경을 주로 형상화하고 있다. 목가적인 풍경이나 정물화

---

(焚香)>을 읽고」, 『동아일보』(1938. 9. 1) 등.

4) 권영민, 「해방직후의 문인월북과 그 문학사적 위상」, 『한국민족문학론 연구』(민음사, 1988), 377~398쪽.

5) 월북 이후 그의 활동은 시 「그이 가시는 곳엔 전변이 온다」가 문학사류에서 언급돼 있을 정도뿐이다. 정홍교·박종원·류만, 『조선문학개관·II』(사회과학출판사, 1986), 182쪽. 한편 『조선문학사(1926~1945)』, (과학백과사전출판사, 1981)에서는 시 「나의 노래」, 「나는 떠날수 없소」가 높이 평가되어 있다(469쪽, 465쪽). 이하 시 인용은 발표지와 함께 김성운의 『카프시전집·I, II』(시대평론, 1988)을 참조하였다.

6) 이 밖에 1920년대 후반 30년대 초반의 농민시로는 김창술의 「매벌(賣罰)」, 조포석의 「농민의 시」, 최서해의 「시골소년의 노래」, 방인희의 「추수」, 김해강의 「농촌으로」, 유도순의 「농촌」, 이상화의 「비를 다고」, 정노풍의 「농촌의 가을」, 석영해의 「농부의 노래」, 김조규의 「가을의 탄식」, 송순일의 「농촌애상」, 함동욱의 「농촌행진곡」, 이석순의 「초동의 고향풍경」, 김소영의 「흙한줌쥐고」, 정상규의 「보리타작한 날」, 박영준의 「소작인의 딸」 등이 주목할 만하다. 그러나 박아지의 경우처럼 농민들의 삶을 지속적으로 다룬 경우는 별로 발견되지 않는다. 이 점에서 박아지를 농민시의 선구라고 불러볼 수 있다고 하겠다. 이러한 농민시에 나타난 유랑민의 삶에 관해서는 윤영천이 『한국의 유민시』(실천문학사, 1987)에서 다룬 바 있다.

된 농민들의 삶이 아니라 살아 숨 쉬는 흙의 사상 또는 농민 생활의 모습을 집중적으로 탐구하고 있는 것이다.

① 한 날 할아버지로부터 물려받은 이 선물을
　　우리는 언제나언제나닛지않고 귀해합니다
　　석양알에 유난히빗나는 내ㅅ물의흐름과같이
　　우리의피-ㅅ속에 귀한흙냄새가 흐르고있는 이 선물을……

　　장엄한 적막에 잠들고잇는 이넓은벌판우에
　　평화한깃붐과 경건한마음이 떠돌고있는 석양이면
　　우리는 호미를 엇개에걸고
　　꾸밈없는 오막살이에 도라듭니다.
　　우리에게 다시없이 친근한땅을 잠시떠나서……
　　할아버지의 땀냄새가 흙냄새와같이 고요히떠도는듯한땅!
　　안개에쌓여 그윽히울려오는 저므는종소리!
　　맑은한울에 가없이떠도라가는 예조리(雲雀)소리까지도
　　우리 농부만이 받을수있는 아름다운선물입니다.
　　　　　　　　　　　　　　　　　　　　－「농부의 선물」[7) 전문

② 이사람들아 나가지안으려나?
　　저시언한넓은벌에 나가지안으려나?
　　푸른생명들이 휘얼헐피여오르는 저넓은벌에
　　아츰햇빛이 맑은공기를 찌두르고 시언허비치는 저넓은벌에
　　오오, 나가지안으려나? 이사람들아 어서나가지안으려나?

　　미지근한님의 품을 떠나 호미메고내다르라
　　탐탐한 오막사리를버리고 큰숨을쉬이며 내다르라
　　우리발압헤펼처잇는 끗업는땅의품속으로

---

7) 『조선문단』(1927. 3).

휠휠타오르는 자연의무한한 사랑의 품속으로
모든 푸른생명들이 힘껏부르는 자연의노래속으로
오오 나가지안으려나 발맞춰나가지안으려나?
─「나가지안으려나?」8) 전문

③ 날세가 웨이러케 음침한가
장마나지지 안으려는지
큰물이아직은 안낫건마는
작년도이맘때에 큰물이나서 말못할흉년을 지우더니
글세 웬일기가 아리음침할가?

벼이삭이몰속나와 사멕을한창밧는이때에
사흘만날세가 조왓스면 큰흉년은안지렷만은─
어제갓흔조흔볏치 다만이틀이라도 더쪼엿스면
오오, 큰흉년은 안지련만은─
─「농부의 시름」9) 전문

　박아지 시의 바탕을 이루고 있는 것은 흙의 사상 또는 노동의 사상이라고
할 수 있다. 그만큼 농촌과 흙, 그리고 농부의 노동하는 삶이 집중적으로 다루
어지고 있기 때문이다. 그의 시에서 흙과 노동은 모든 생명의 근원이자 창조
의 터전이고, 동시에 희망과 사랑 및 평화의 표상으로서의 의미를 지니는 것
이다.

　먼저 박아지의 데뷔작에 해당하는 시 ①은 그의 시가 기본적으로 흙 또는
농촌 생활에서 출발하고 있음을 보여준다. 이 시에서 핵심을 이루고 있는 것
은 핏속에 흐르고 있는 흙냄새와 땀 냄새라고 할 수 있다. 그것은 조상으로부
터 연면히 흘러온 농민으로서의 삶이며 노동하는 삶에 대한 자부심에 해당한

---

8) 『조선지광』 72호(1927. 10).
9) 『조선지광』 72호(1927. 10).

다. 실상 이 시에서 넓은 벌판으로서의 농토는 "평화한 깃붐"과 "경건한 마음"이 떠돌고 있는 소중한 삶의 터전이자 생명의 근원일 수밖에 없다. 그곳은 "할아버지의 땀 냄새가 흙냄새와 같이 고요히 떠도는 듯한 땅!"과 같이 현실적인 삶의 터전이면서 동시에 조상의 혼이 어린 상징적인 장소이기도 한 것이다. 그러기에 이 땅을 일구고 대지와 하나가 되어 살아가는 농민의 삶은 행복하기 그지없는 모습이다. 아울러 "안개에 쌓여 그윽히 울려오는 저므는 종소리!"와 "맑은 한울에 가없이 떠도라가는 예조리소리"와 같은 자연의 음악소리까지 들을 수 있는 것은 농촌 생활의 보람이기도 한 것이다. 노동하는 기쁨과 자연의 음악이 어울려서 농부에게 보람찬 선물이 되고 있다는 말이다.

시 ②에서는 이러한 농촌 생활의 활기로운 모습이 더 힘차게 묘사돼 있다. 그것은 농사짓는 일에의 능동적인 참여이면서 권유에 해당한다. 여기에서 들판은 신선한 생명이 피어오르는 대자연의 모습이자 사랑과 용서가 담긴 어머니의 품속과 같은 의미를 지닌다. 이러한 생명과 사랑의 터전으로서 넓은 벌에 "호미메고 내다르라/오오 나가지 안으려나 발맞춰나가지 안으려나?"와 같이 노동에의 힘찬 의지를 드러내는 것이다. "넓은 벌/푸른 생명/호미메고/자연의 노래"라는 구절 속에는 대지에 대한 가없는 신뢰와 함께 노동사상이 담겨 있는 것이다.

시 ③은 농민의 삶을 다루고 있으면서도 앞의 시들과는 사뭇 다르다. 앞의 시들이 대지에 대한 믿음과 노동에 대한 찬탄을 일방적으로 노래하고 있음에 비추어 이 시는 농민의 시름과 한탄을 표출하고 있기 때문이다. 여기에서 표면적으로 드러나는 것은 홍수에 대한 걱정·근심이며, 그로 인한 흉년에의 두려움이다. "작년도 이맘때에 큰물이 나서 말못할 흉년을 지우더니"처럼 오랫동안 가뭄과 한발에 시달려온 이 땅 농촌과 농민들의 고통스러운 삶의 역사가 속 깊이 음각되어 있는 것[10]이다. 각양 각종의 수탈과 착취에 시달리는 가

---

10) 이러한 점에서 박아지의 시를 단순한 목가시·향토시로 파악하여 부정적 평가를 내

운데 다시 천재에 무방비로 노출돼온 이 땅 농민들의 고달프고 한스러운 삶의 내력이 심층 속에 담겨 있는 것이다.

이렇게 볼 때 박아지의 시는 기본적으로 흙에서의 농민들의 삶에 뿌리를 두고 있다고 하겠다. 흙에서의 농민 생활을 긍정적으로 노래하는 가운데 그 속에서의 삶의 어려움을 함께 드러냄으로써 농민시로서의 성격을 지닌다는 말이다. 그것은 목가적인 풍경으로서의 농촌 모습이나 정물화된 농민들의 삶이 아니다. 피폐화해가는 농촌과 궁핍을 더해가는 농민들의 삶에 생명의 숨결을 불어넣고자 하는 능동적인 흙의 사상이고 노동의지인 것이다.


## 2. 흙의 사상, 노동의 의지

박아지의 시는 농촌문제나 농민들의 삶을 다루는 것에서 한 걸음 더 나아가서 흙의 사상 또는 노동의지를 추구하고 있어서 관심을 끈다. 흙과 노동행위의 결합에 의해서 생명을 창조함으로써 대지사상과 노동의 사상을 형성하고 있는 것이다.

> ① <1연>
> 우리는 우리의힘과 정성을다하야 땅을파자
> 한줌흙이우리의생명을 축여주는기름의 원천임을닛지말자
> 이황무디를 개척하고 여윈땅을살지게하자
> 그리하야 새로운창조와 자유로운생산을 약속하자
> 이러함이 우리의 생명을 새롭게함이오 힘과사랑과평화를 비춰줌이다

---

렸던 안함광의 앞에서의 비판이 피상적인 인상론에 불과하다는 점을 확인할 수 있다. 그의 시는 다양하고 구체성 있게 당대 현실을 파헤치고 있다는 점에서 특히 그러하다.

<2연>

땅파는사람이나 나무와풀을비는사람이나 소치는아이들이어!

우리는 우리의마음과힘을다하여 땅을파고 나무와풀을비고 소릴치자

그리고 영롱한던등빗이 유련히비치는 좀먹어가는저자의살림을 부러워말자

곰팡내나는 인습이짜내인 호화로운향락의살림을 꿈꾸지말자

우리는 오즉우리의마음과 자유로창조하고생산하자

그리하야 이창조와생산가운데 우리의 희망을굿게뻐치고

이희망으로 우리의생명을 새롭게하자

우리는 새로운생명을 사랑하고 사랑가운데 평화를 찾자

                                           — 「농가구곡(農歌九曲)(一)」[11] 부분

② <7연>

누가 만일에— 그대들은 무엇을알며 무엇을 소유하얏는가?— 하고 뭇는다면

우리는— 자연과 사랑과 평화를압니다 그리고 새로운 생명과 희망을 가젓슬뿐입니다— 고 대답하리라

우리의마음이 무한한 자연의심려에서 새로운생명과 희망과 사랑과 평화를 차젓슴으로

<8연>

내가말하기를……내마음이어! 영원히 흙에서 떠나지말라

사람의얼굴을 윤택케하는 기름과곡식과 모든것이 흙에서 나고 소와말과양이먹는풀이 흙에서나고 새가 놀애하고 깃들이는 수풀과 나비가 춤추는 꼿이 흙에서나도다

그리하야 끗업시위대한 자연의예술은 흙에서나고 흙에서 살아지고 다시흙에서 새로워지도다

내마음이어! 흙을꺼안고 흙을사랑하고 흙을놀애하라, 그리하여 흙에게껴안키라

---

11) 『중외일보』(1927. 12. 24).

우리는 우리의힘과 정성을다하야 땅을파자

한줌흙이우리의생명을 축여주는기름의 원천임을 닛지마자

이황무디를 개척하고 여윈땅을살지게하자

그리하야새로운창조와 자유로운생산을 약속하자

이러함이 우리의생명을새롭게 함이오 힘과사랑과 평화를비춰줌이다

……하략……

—「농가구곡(農歌九曲)(三)」 12) 부분

　이 인용시들이 강조하는 것은 흙에 대한 신뢰의 정신이며 노동에의 의지이다. 흙은 생명의 터전이면서 창조의 원천이고 희망의 표상인 것이다.

　먼저 시 ①에는 흙이 창조와 생산의 터전이기에 그것은 생명을 낳는 원천이고 삶에 희망을 불러일으키는 힘이 된다는 깨달음이 드러나 있다. 온갖 인습과 향락을 떨치고, "우리의 마음과 힘을 다하여 땅을 파고 나무와 풀을 비고 소를 치자"처럼 창조적인 노동행위 속에서 삶의 보람과 가치가 얻어지고 희망이 발견될 수 있다는 확신이 제시돼 있는 것이다. 또한 이러한 희망의 발견이야말로 생명을 새롭게 하고 참된 사랑과 평화로 나아가는 원동력이 될 수 있다는 뜻이 내포되어 있는 것이다. 흙과 노동은 창조와 생산의 원천이고 희망을 갖게 하는 힘이 되며, 희망은 다시 생명을 새롭게 함으로써 마침내 사랑과 평화의 길로 나아갈 수 있게 한다는 흙의 사상 또는 노동사상이 드러나 있다는 말이다. 노동사상이란 무엇인가? 그것은 노동에 의하여 자연을 사람들의 지향과 요구대로 변모시킴으로써 자연을 개조하고 변혁하는 동시에 사회발전을 촉진시킬 수 있다는 생각을 말한다. 나아가서 노동의 가치와 의미를 소중하게 생각하고 실천적인 노동행위를 수행함으로써 자신의 삶과 인간생활을 향상시키고 자연과 세계를 개조해 나아가려는 생각을 노동사상13)이라고 부를 수 있으리라. 실상 이 시에서 흙과 노동이 창조와 생산의 근원이며

---

12)『중외일보』(1927. 12. 27).

13) 북한사회과학원철학연구소편,『철학사전』(도서출판 힘, 1988), 125~126쪽.

사랑과 평화의 원천이 될 수 있다는 생각이야말로 이러한 노동사상의 한 모습이라 할 수 있는 것이다. 아울러 느낌표와 명령형 어미의 반복적인 사용 속에는 이러한 흙을 향한 애정과 함께 노동에의 의지가 힘차게 표출되어 있다고 하겠다.

　시 ②에는 이러한 흙의 사상 또는 노동사상이 더욱 구체적으로 나타난다. 특히 8연에는 이러한 흙의 사상과 노동사상이 집약적으로 제시돼 있다. "사람의 얼굴을 윤택케 하는 기름과 곡식과 모든 것이 흙에서 나고/소와 말과 양이 먹는 풀이 흙에서 나고 새가 놀애하고 깃들이는 수풀과 나비가 춤추는 꽃이 흙에서 나도다/그리하야 꿋업시 위대한 자연의 예술은 흙에서 나고 흙에서 살어지고 다시 흙에서 새로워지도다"라는 구절들이 그것이다. 흙은 지상 위의 모든 생명들의 원천이고 존재의 터전이며, 생·노·병·사가 순환하는 거대한 어머니라 할 수 있다. 그야말로 흙은 지상 위의 온갖 창조력과 생명력의 밑바탕이자 원동력인 것이라는 데 대한 깨달음과 함께 그에 대한 찬탄과 흠모 및 외경의 마음이 표출돼 있는 것이다. 그러기에 흙이 표상하는 대자연은 생명과 희망, 그리고 사랑과 평화의 상징에 해당한다. 바로 여기에서 "내마음이어! 영원히 흙에서 떠나지 말라/흙을 껴안고 흙을 사랑하고 흙을 놀애하고, 그리하여 흙에 껴안키라"라고 하는 흙의 정신 또는 대지사상이 발현되는 것이다. 흙의 사상은 바로 생명사상이고, 그러기에 사랑과 평화의 사상으로 연결됨으로써 시인 특유의 대지사상을 형성하게 된다는 말이다. 실제로 모두 아홉 연으로 구성된 연작시 「농가구곡(農歌九曲)」은 시 전체가 이러한 흙의 사상과 노동의지가 얼크러진 내용으로 전개된다는 점에서 관심을 끈다. 당대의 많은 전원시들이 대체로 목가적인 풍정이나 서정적인 소재 또는 배경으로써 농촌이나 자연을 노래한 데 비해서 박아지의 시는 대부분이 농민의 생활을 집중적으로 또 구체적으로 탐구하고 있다는 점이 개성을 지닌다는 말이다. 비록 그의 농민시에 흙의 생활에 대한 도식적인 찬탄이 엿보이고 관념성이 두드러지는 것이 약점이긴 하지만 전체적인 지향성이나 방향감각은 올바른 면을 지니고 있는 것이다. 이른바 농민 문학론이 대두[14]하기 전에, 특히 30년대 들어서서 계몽적인 농민운동으로서 브나로드운동[15]이 펼쳐지기 전에 농촌과 농민들의 삶에 관심을 갖고 집중적으로 탐구하기 시작한 것은 의미 있는 일이 아닐 수 없기 때문이다.


## 3. 농촌의 궁핍상과 계급적 각성

이러한 흙의 사상 또는 노동의지는 일제강점으로 인한 식민지체제의 구조적인 모순과 현실적인 농촌의 궁핍한 삶에 부딪히면서 계급적인 각성으로 나아가게 된다. 농민들의 피폐한 삶과 그렇게 만든 힘으로서의 일제에 대한 적개심이 계급의식을 분출하게 된 것이라고 하겠다.


 ① 진달래 꽃이 피고 시내ㅅ가 버들이 푸르렀소
  꽃이야 피나마나 버들이야 푸르나마나
  내시름 없을진대 애탈 일이 있겠소마는
  오실 때니 오시노라 실비는 보슬보슬
  땅이 있어야 갈지를 않소
  씨앗이 있어야 심지를 않소.

  강남 제비 돌아오고 시내ㅅ가 금짠디 속잎 났소
  제비야 오나마나 짠디야 쌌나마나
  내설음 없을진대 눈물질이 있겠소마는
  우실 때니 우시노라 두견새 소리소리

---

14) 뒤에 논의하겠지만 이러한 농민문학론이 본격화된 것은 1931년 『조선일보』 지면에서 전개된 안함광과 백철의 논쟁에서부터라고 하겠다.
15) 프로문학파의 농민문학론과 대척적인 입장에서 민족주의문학 진영에서 이광수의 「흙」, 심훈의 「상록수」 등과 같은 브나로도운동이 펼쳐진다.

이 땅을 떠나서 어디로 가겠소
이 겨레를 떠나서 어찌나 가겠소.

봄 이슬에 듣는 쌌은 살찔즉도 하건마는
나 많은 처녀라고 묏나물 캐러도 못간다니
누구인들 가고 싶으리까마는
굶주려 우는 어린동생들 어찌나 하리까?

온 누리에 봄이 왔으니
내맘에도 봄이온줄 봄마음이 온줄!
여보서요 버들피리 불지도 마러요
나물바구니 차기도 전에 식량이 벌써 겨워가요.
　　　　　　　　　 ─「춘궁이제(春窮二題)」[16] 전문

② <1연>
　동무여! 우리는 농군이다
　땅을파고 씨를뿌리고
　곡식을것고 쌀을씻는
　오오 우리는 농군이다

　풀을매고 나무를 비고
　소를치고 양을먹인다
　그러나 이모든것은
　하나도 우리의 것이 아니다

　<2연>
　푸르른 생명이 훨훨
　피어올르는 넓은벌에
　압흐로압흐로 나아갈때

16)『심화(心火)』(우리문학사, 1946), 288~289쪽.

우리의 압헨 희망이빗나고
우리의 가슴엔 깃븜이 뛰였다.

오오 그러나 그것은 꿈이엇다
거둔 곡식과 찌은쌀이
하나도 우리의 손에안들어왔다
우리는 헐벗고 굼주린다
이것이 이사회의 썩은제도가
나아준 불행의 하나이다

- 「농군행진곡(農軍行進曲)(二)」[17] 전문

③ ……전략……
　마을 뒤 낮은언덕에 사시장청 풀은 솔숨혼
　악착한 낫끗헤 껍질을 벗기우고
　불탄자최와도갓치 말낫소
　조흔경치라고 그러케까지 위하는 솔숨흘
　그들은 잔인하게도 말여버렷소
　산직이의…… 과……도
　그들은 용감히 무시할 수 잇섯소
　그것은 죽음을각오한사람의 마지막 발악이엿겟지
　그러나 창백하게 부러올은 어머니들의 소나무껍질을 삼고잇는 광
　경을 생각하여보우
　　　X
　봄이슬에 살진 냉이나 고사리를
　정성스레 깨끗이 골느든 누나들의 바구니는
　주린개의 창자와갓치
　쓰고단것을 가릴겨를도 업시
　먹고 죽지않는풀이면 다캐여담소
　　　X

────────────────
17) 『중외일보』(1928. 1. 9).

입맛을 도치든 이른봄 뫼ㅅ나물이

오히려 목숨을 끌고가는 양식이될줄이야 아침해빨이 아직도 자욱

한 아즈랑이속의 아즉일때

산골시내에 풀뿌리를 씨서가지고

바구니속엔 새알만한 된장에찍어

밤을 지낸 비인 창자를 채워보려고

어느새 청춘을 일허버린 누나들의 얼골빗!

X

이것은나의 고향뿐이 아니우

이것을보고 헛되이 탄식하며

살곳을차저 떠나겟다는 많은사람들 그것도 그릇된생각 안이겟수

이것을보고 내가 엇더케 도라갈수잇겟수

그들과 나는 살곳을 차저떠나기전에

힘을모아살어갈 방법을 생각하여야겟수 살어갈방법! 이것을 생각

할때

그대여 나는 떠날수 업소

이광경을보고 참아 내몸만피할수는업수

— 「나는떠날수업소」[18] 부분


    박아지의 시가 흙의 사상 또는 노동의지를 그 출발점으로 하고 있음은 이미 살펴본 바이다. 그렇지만 이러한 흙의 사상과 노동의지는 당대 일제강점하의 참담한 현실상과 맞부딪히면서 절망과 비탄을 겪게 된다. 일본의 조선에 대한 악랄한 식민지농업정책으로 말미암아 대부분의 당대 농민들이 빈궁과 기아에 시달릴 수밖에 없었던 구조적 모순과 부조리가 제시된 것이다. 즉일제의 대토지 소유제 촉진정책으로 인해서 소작 농민이 급증하게 되고, 그소작제가 지주의 이익을 보호하는 방향으로 나아감으로써 소작조건이 계속악화되게 했으며, 이 때문에 지주를 제외한 조선 농민 전체가 빈궁에 처할 수

---

18) 『형상(形象)』(1934. 3).

밖에 없었던 것19)이다. 바로 인용시들에는 이러한 1920~30년대 이 땅 농촌의 궁핍상과 농민들의 고통스러운 삶이 생생하게 제시돼 있다.

먼저 시 ①에는 춘궁에 시달리는 농민들의 삶이 구체적으로 묘파돼 있다. 이 시는 새봄에 되살아나는 자연과 생물들의 모습이 묘사되는 가운데 농민들의 고통스러운 삶을 대비함으로써 아이러니로서 그 궁핍상을 강조한다. 첫 연에서는 먼저 진달래꽃과 버들을 통해서 새봄의 환희를 제시한다. 그러면서도 '시름'과 '실비'를 함께 병치하면서 농민들의 수심을 암시적으로 드러낸다. 그러기에 "땅이 있어야 갈지를 않소/씨앗이 있어야 심지를 않소"라고 하는 절규와 비판이 돌출할 수 있게 된다. 농민들의 시름과 비탄이 바로 이처럼 농토의 상실과 씨앗의 박탈당함에 기인하는 것으로 제시돼 있는 것이다. 일제의 식민지농업정책에 따른 농토강탈과 식량 수탈을 고발한 것이라고 하겠다. 둘째 연에서도 전개 방법이 첫 연과 비슷하다. '제비'와 '잔디'로서 봄을 나타내고, 두견새울음 소리를 설움과 눈물에 병치시키고 있는 것이다. 특히 여기에서는 궁핍으로 인한 농민들의 이농 현상과 유이민화 문제가 다루어져 관심을 환기한다. "이땅을 떠나서 어디로 가겠소/이 겨레를 떠나서 어찌나 가겠소"가 그것이다. 봄이 돌아와서 마땅히 농사일을 시작해야 하건만, 농토가 없고 뿌릴 씨앗조차 없기 때문에 어쩔 수 없이 이농하여 도시 빈민으로 흘러가거나 화전민이 되고, 아니면 걸인이 되거나 해외로 유이민을 떠날 수밖에 없었던 당대의 비참한 농촌상20)이 그대로 반영된 것이다. 그렇지만 이 시에서는 그러한 이농을 거부하고 그냥 이 땅에서 살아가고자 하는 운명개척 의지 또는 현실극복 의지를 보여주고 있다. 땅을 떠나서는 살 수 없는 농민의 흙에 대한 본능적이면서도 끈

---

19) 강만길, 『일제시대 빈민생활사연구)』(창작사, 1987), 68~69쪽.

20) 실제로 "대략적인 통계만 하더라도 해마다 15만 명 이상의 농촌인구가 이농했지만 해외의 노동시장에 나가기도 상당한 제약이 있었고 국내의 공사장에의 취업도 제한이 있었으므로 화전민이 되거나 도시지역의 품팔이꾼으로 되는 수가 많았다.…… 1927년의 걸인 수는 전국적으로 약 5만 명을 상회했으며 빈곤으로 인한 자살자·변사자의 수도 계속 증가해갔다"라는 지적이 있다. 강만길(姜萬吉), 윗책, 108~113쪽.

질긴 애착을 드러내면서 동시에 조국 땅에 대한 뜨거운 애정을 드러내고 있다고 하겠다. 따라서 셋째 연에서는 춘궁기의 고통이 더욱 애절하게 묘파되고 있다. "굶주려우는 어린동생을 어찌나하리까?"라는 하소연이 그것이다. 이러한 춘궁의 고통은 실상 이 땅의 거의 모든 농민들에게 해당하는 것이라는 점에서 일제강점하 농민들의 비참한 생활상을 제시한 한 전형이 된다.

> 초목의 뿌리나 잎새로 연명하는 사람이 얼마나 되는가 <보풀>을 먹는 사람이 23,062호에 112,362명을 비롯하여 소나무껍질, 머름, 칡 뿌리 등 30여 종으로 살아가는 사람이 약 17만 호에 71만 3천 명인즉 총인구의 6할이다.[21]

> 장수지방 계북면 임평리에서는 세민들이 궁한 나머지 이곳의 심곡 산에서 나는 백토(白土)를 식용으로 하며 이 때문에 마을사람 다수가 변비에 걸린 실례이다.[22]

이 짤막한 두 인용문은 1920~30년대 이 땅 농민들의 식생활의 참상을 적나라하게 제시해준 한 예가 된다고 할 것이다. 초근목피는 물론 심지어는 백토(白土)까지 먹을 수밖에 없던 식민지 치하의 참상을 춘궁을 제재로 하여 고발한 데서 이 시의 의미가 드러난다고 하겠다.

시 ②에서는 그러한 농촌의 피폐상 또는 농민의 궁핍한 생활이 다름 아니라 잘못된 식민통치구조에서 연유하며 일제의 수탈에서 비롯된다는 점을 강조하고 있어서 관심을 끈다. "땅을 파고 씨를 뿌리고/곡식을 것고 쌀을 씻으며", "풀을 매고 나무를 비고/소를 치고 양을 먹이지만", 그 생산자인 농민들에게는 하나도 돌아오지 않는 모순된 사회구조와 부조리한 현실 제도에 연유

---

21) 『동아일보』, 1924년 10월 21일자(호남지방 특파원 국기열 기자 발신), 강만길, 윗책, 82쪽 재인용.
22) 윗책, 85쪽 재인용.

한다는 점을 날카롭게 비판하고 있는 것이다. 이 작품에 명시적으로 드러나 있지는 않지만 그것은 대체로 대토지소유제의 모순, 농민들의 영세화한 토지소유의 불균형성, 소작제도의 지주 중심주의에 따른 불합리성, 일본 자본의 침입과 수탈로 인한 농촌경제의 파탄이라고 하는 식민지하의 제도적 모순 및 불합리와 맞물려 있음이 분명하다. "거둔 곡식과 찌은 쌀이/하나도 우리이 손에 안들어왔다/우리는 헐벗고 굶주린다/이것이 이 사회의 썩은 제도가/나아준 불행의 하나이다"라는 결구에는 바로 이러한 일제의 식민통치라는 근원적 모순과 함께 그로부터 파생한 식민지 치하의 제반 부조리에 대한 강력한 부정과 비판이 담겨져 있다고 할 수 있기 때문이다.

시 ③에는 앞에서 지적한 농촌의 피폐상과 농민들의 비참한 생활상이 더욱 구체적이며 사실적으로 묘파되어 있다. 여기에는 하나의 이야기가 담겨져 있는 게 특징이다. 생활난으로 인해서 새로운 생활에 대한 기대를 가지고 시의 화자는 농촌으로 돌아왔지만, 오히려 그가 만난 농촌은 더욱 피폐하고 궁핍해진 모습일 뿐이다. 푸르던 솔숲은 처참한 궁핍으로 인해 껍질을 벗기고 말았으며, 어머니들은 창백하게 부어오른 채 소나무 껍질을 삶고 있는 것이다. 또한 청춘을 잃어버린 누이들은 "주린 개의 창자와 같이/쓰고 단 것을 가릴 겨를도 업시/먹고 죽지 안는 풀이면 다캐여 담소"처럼 기아에 허덕이며 풀뿌리 나물을 찾아 산골 시내를 찾아 헤매는 참경인 것이다. 그래서 많은 농민들이 농촌을 떠나 삶을 찾아 어디론가 흘러가는데,[23] 이것을 보고 시의 화자는 새삼 농촌을 떠날 수 없으며 떠나서도 안 된다는 사회적·계급적·민족적 자각을 갖게 되며, 그래서 "힘을 모아 살어갈 방법을 생각하여야겟수/살어갈 방법!/이것을 생각할 때/그대여 나는 떠날수 업소"라고 절규하게 된다는 내용으

---

23) 1925년 1년간 이농인구는 15만 명 이상이었고 1928년 화전민만 120만 명이었으며, 1930년대에 만주 유이민이 100만·연해주 50만이나 되었고, 해마다 약 10만 명 정도가 일본노동시장으로 흘러갔으며 걸인만 해도 16만 명이나 됐다고 한다.
강만길, 『한국현대사』, 100~101쪽.

로 짜여진 것이다. 그렇게 본다면 이 시는 일제강점하 농민들의 비참한 생활을 보편적 모습으로 전형화하는 가운데 계급적인 자각을 이루어가는 과정을 제시한 작품이라고 하겠다. 실상 이러한 궁핍상은 일제의 식민통치에 따른 착취와 수탈이 필연적으로 야기할 수밖에 없는 모순이며 불합리에 기인하는 것24)이다. 일종의 민족모순과 계급모순이 서로 맞물려 빚어낸 참상이라고도 하겠다. 그렇지만 이 시는 이러한 제반 모순과 불합리에 맞서고자 하는 극복의지 또는 저항의지를 보여준다는 점에서 관심을 끈다. 여기에서 그러한 저항의지의 매개고리로서 작용하는 것은 일종의 계급적 각성이라고 할 것이다. "힘을 모아 살어갈 방법을 생각하여야겟수"라는 구절 속에는 바로 이러한 착취자 또는 수탈자로서의 지배계급에 대한 투쟁을 통해서 모순의 현실을 타파해내고자 하는 계급적 저항의식이 담겨 있는 것으로 풀이할 수 있기 때문이다. 처참한 농촌 현실을 외면하고 다시 삶을 찾아 떠나려다가, 그것이 잘못된 것임을 깨닫고 적극적인 현실개조를 위해 나설 것을 다짐하는 모습 속에는 운명개척을 향한 능동적인 자세와 함께 현실을 타개해 나아가려는 저항의 의지가 뜨겁게 분출되고 있다고 할 수 있는 것이다.

이처럼 박아지의 시는 농촌의 피폐상과 농민들의 궁핍한 생활상을 날카롭게 묘파하면서 그 근본 원인이 일제의 강점과 식민통치에 연유한다는 점을 계급적 각성 과정과 결부시킨 데서 그 독자성을 지닌다고 하겠다.

---

24) "식민지의 농업구조 전체가 식민모국에의 값싼 식량을 공급하기에 적합하도록 짜여졌기 때문에 곡가는 풍·흉년을 막론하고 최저가격을 맴돌았고, 따라서 조선 농민은 자작농·자소작농·소작농 등을 막론하고 적자영농에 허덕이지 않을 수 없었으며……중략……결국 파산해서 이른바 <야반도주>를 하지 않을 수 없게 되고 그렇게 되면 유랑민이 되거나 화전민이 되며, 도시로 나가서 품팔이꾼이 되거나 심한 경우 걸인으로 전락하지 않을 수 없었다." 강만길, 윗책, 58~59쪽.

## 4. 농민투쟁과 노농연대의식

박아지의 시가 식민지 치하의 민족모순과 계급모순으로 인한 농민들의 빈궁한 삶을 다루고 있음은 이미 살펴본 바이다. 그의 시는 여기에서 한 걸음 더 나아가 소작쟁의를 비롯한 농민들의 계급투쟁과 노농연대투쟁을 취급하고 있어서 프로파 농민시인의 모습을 확실하게 보여준다.

① <4연>
　　엇절줄몰르든 농군들은
　　농민강좌에 모혀든다
　　첫날밤에 다섯사람
　　다음밤에 열사람
　　스무사람 마흔사람
　　농민의떼가 모혀든다

　　그들은 농군이다
　　우리의 동지다
　　새날의 일군이다
　　XX의 투사다

　　<5연>
　　농군들은 자기를알엇다
　　뿌르죠아의 배ㅅ장을 알엇다
　　그리고 XX을 알엇다
　　의분에타는 불길이나붓긴다

　　동지들아 XX기빨을
　　놉히 날리어라
　　XX를 놉히불르라
　　진리의싸홈터에 나아가자
　　　　　　　　 ― 「농군행진곡(農軍行進曲)(一)」25) 부분

② <3연>
　우리의 피땀은 검은흙속에
　한방울 한방울식 쥐어박고
　거둔열매가 이것인가?
　오오 불행에우는 동무들아!
　헐벗고 굶주려서 울고만잇슬려나?
　동무여! 아직도 인종할것인가?
　이것을보고도 참을것인가?
　우리는 참을대로 참고
　소와말가티 노력하였다
　그래도 먹을것이업고 입을것이업는
　썩은이XX를 그냥둘것인가?

　<4연>
　오오 크게소리쳐 외치노니
　동무들아! 모히라
　펄펄날리는
　XX기빨의 아래로
　소리치며 모혀오라

　썩어진 이XX를
　불살러버리고
　밝은 새날을 약속하는
　진리의싸홈터에 모혀오라
　……중략……

　<6연>
　동무들아 못보는가?
　공장에서 몰려나오는
　얼굴창백한 사람들을……

---

25) 이하 김성윤편, 『카프시전집』Ⅰ권(시대평론사, 1988) 인용.

우리의 동지다
손을 잡어라

동지여 압흐로압흐로 나아가자
XX XX이 휘날리고
XXX 놉히부르는
진리의싸흠터로 나아가자
행진곡에 발을마추어

<7연>
우리는 오래동안
썩은 도덕에 짓밟히고
호화로운 인습에시달렷다
갑싼눈물에 속임을 밧고
거짓동정에 어리석엇다

동무들아! 굿세어라
두팔을 뽑내며 나아가자
XX의 가면을 박탈하고
XXXX의 정체를 폭로하자

<8연>
동지여! 우리는이리하야
우리를찾고 우리를살리자
푸로레타리아의 행복을위하야
참사람의 XXX에 몰려나아가자

새날이밝는 그때까지
압흐로압흐로 나아가자
　　　　　　　　　　―「농군행진곡(農軍行進曲)(三)」부분

박아지의 시가 당대의 궁핍한 농민들의 생활상에 대한 집중적이면서도 날카로운 관심을 드러냈다는 것은 살펴본 바 있다. 그의 시는 그만큼 당대 현실에 대해 비판적·부정적 시각을 지니고 있었다는 말이 될 것이다. 그런데 더욱 관심을 끄는 것은 그의 시가 여기에서 한 걸음 더 나아가 반제항일운동으로서의 계급의식을 고취하고 계급투쟁을 선동하고 있다는 점이다. 즉 계급투쟁으로서의 농민운동을 주창하면서 현실개조에의 열정과 의지를 분출하고 있는 것이다. 일련의 연작시「농군행진곡」이 바로 그러한 내용을 담고 있다.

먼저 시 ①은 자연발생적인 투쟁단계로부터 미약하나마 목적의식적인 계급투쟁형태로 이행하는 20년대 농민운동26)의 모습을 잘 반영하고 있다. 다시 말해서 분산적인 투쟁형태로부터 조직적인 투쟁형태로 이행하고 있는 모습을 드러내 준 것이다. 그것은 이 시에서 농민의 계급적 각성을 촉구하기 위한 교육사업으로서 소작인조합의 농민강좌27)로 나타나 있다. "엇절줄 몰르든 농민들은/농민강좌에 모혀든다/농민의 떼가 모혀든다"라는 구절이 그러한 교육사업이 펼쳐지는 모습을 묘사한 것이다. 바로 여기에서 농민들의 계급적 각성 과정을 담고 있는 것이다. 그러기에 '의분에 타는 불길'로서 항일적 개심과 계급의식은 'XX기빨' 밑에 'XX의 투사'로서 농민들을 결집하게 만들고, 마침내 '진리의 싸홈터'로 나아가게 하는 것이다. 이렇게 본다면 이 시는 농민들이 계급적 자아 각성을 통해서 계급의식을 형성하고 마침내 계급투쟁

---

26) 리종현, 「1920년대 전반기 농민들의 처지와 농민운동의 성장」, 김경일 편역, 『북한학계의 노동운동연구』(창작과비평사, 1989), 298쪽.

27) 이재화 편역, 『한국근대민족해방운동사·Ⅰ』(백산서당, 1986)에 따르면 1925년 진도소작쟁의를 조직·지도한 소작인조합에서는 농민대중 속에서 "……토지 소유권은 인정할 수 없다. 국가가 이를 승인하는 것은 부당하다. 국가가 토지소유권을 인정하고 있기 때문에 무산자는 영구히 무산자이고 빈곤하다.……이 같은 생활을 조장한 것은 일본인이다. 조선인 지주는 일본인과 결탁했다. 우리는 이를 배격하지 않으면 안 된다"라고 선전하면서, 농민의 계급적 각성을 촉구하는 데 막대한 역할을 했다고 한다. 한편 이 소작쟁의는 일본 토지회사와 대지주 및 조선인 악질지주에게 대항하여 전개됐다 한다. 107쪽.

의 길로 나아간다는 선동선전시의 면모[28])를 지니게 된다고 하겠다.

한편 시 ②는 보다 적극적으로 계급의식을 고취하고 계급투쟁의 대열로 나아갈 것을 선동하는 내용을 담고 있다. 이 시에서 선명하게 대립되는 것은 부르주아 세계관과 프롤레타리아트 세계관이다. 다시 말해서 화해와 타협, 인내와 양보를 미덕으로 하는 부르주아 세계관을 과감히 배척하고 대립과 투쟁, 반역과 세계개조를 목표로 하는 프로적 세계관이 날카롭게 충돌하고 있는 것이다. 물론 이 시가 강조하는 것은 프로적 세계관이며 계급투쟁의 고취·선동임에 분명하다. "우리는 오래동안/썩은 도덕에 짓밟히고/호화로운 인습에 시달렷다/갑싼 눈물에 속임을 밧고/거짓 동정에 어리석엇다"라는 구절 속에는 이른바 이러한 부르주아 세계관의 기만성과 허구성을 일거에 매도함으로써 그에 대한 적개심을 일깨우는 것과 동시에 계급의식을 적극 고취하고자 하는 의도가 담겨져 있기 때문이다. 무엇보다도 피땀 흘려 거둔 열매임에도 불구하고 그것은 하나도 농민의 차지가 되지 못하고, 오히려 '헐벗고 굶주려서 울고만 잇는' 비참한 모습을 통해서 당대 사회의 계급모순을 부각시키고 있는 것이다. 특히 "참을 대로 참고/소와 말가티 노력하였다"라는 구절에는 농민을 소와 말로서 치환·은유함으로써 수탈자에 대한 분노와 적개심을 직접적으로 유발하고 있다고 하겠다. 따라서 매연에 "헐벗고 굶주려서 울고만 잇슬려나? 동무여/아직도 인종할 것인가?/이것을 보고도 참을 것인가?/썩은 이 XX를 그냥 둘 것인가?"를 반복함으로써 울분을 자극하여 계급투쟁 의욕을 점화해 나설 것을 선동하고 있는 것이다. 또한 후반부에선 "XX기빨의 아래로/소리치며 모혀오라/진리의 싸홈터에 모혀오라/손을 잡어라/진리의 싸홈터

---

28) 여기에서 계급적 자아 각성의 과정이 보다 구체적인 현장성과 실천적인 운동성을 매개로 하지 않고 성급히 계급투쟁으로 나아가고자 하는 작위성을 보여주는 것은 부정적인 면이 아닐 수 없다. 이 점은 「명랑한 삶」에서 노동 현실에 밀착된 상황적 진실성을 결핍이 시적 형상력의 약화를 초래했다고 보는 윤영천(尹永川)의 비판과 궤를 같이한다고 할 수 있다. 『한국의 유민시(流民詩)』(실천문학사, 1987), 76쪽.

로 나아가자/압흐로 압흐로 나아가자"와 같이 명령형과 청유형을 계속 반복
하여 투쟁대열에 떨쳐나설 것을 적극 고무·추동하고 있다고 하겠다. 아울러
이 시는 노동자·농민·연대 투쟁을 강조하여 관심을 끈다. "동무들아 못보는
가?/공장에서 몰려나오는/얼굴 창백한 사람들은/우리의 동지다/손을 잡어라"
라고 하는 구절이 그것이다. 실제로 1920년대 말~1930년대 초 반일농민운
동에서는 농민들이 일제의 식민주의정책과 그 통치집단들을 직접 반대하며
정치적 투쟁을 벌이는 것과 함께 노동운동과 결합됨으로써[29] 노농동맹의 현
실적 전제 조건을 성숙시키고 있었기 때문이다. 실상 농민운동은 노동운동과
결합됨으로써 보다 강력한 투쟁력을 발휘할 것이 분명한 것도 그 이유가 된
다. "묻노니 어디서 출구를 구할 것이며 어떠한 수단으로써 농민의 운명을 개
선할 수 있겠는가? 소농민은 노동운동에 합류하여 사회주의 제도를 위한, 토
지를 다른 생산수단들(제조소·공장·기계·기타)과 마찬가지로 사회적 소유로
전환시키기 위한 노동자 투쟁을 방조함으로써만 자본의 압박으로부터 벗어
날 수 있다"는 레닌의 말[30]이 이러한 노농동맹의 중요성을 강조한 것이라고
하겠다. 이렇게 볼 때 박아지의 시는 이 「농군행진곡」에 이르러서 계급적 세
계관을 확립하는 것과 함께 자연발생적인 투쟁단계로부터 차츰 목적의식적
인 계급투쟁단계로 이행하게 된 것이 분명하다. 아울러 이러한 문제는 1930
년대 들어서서 안함광(安含光)과 백철(白鐵) 사이에 벌어지는 농민문학 논
쟁[31]이 이미 박아지의 이러한 농민시에서 그 실마리가 엿보이고 있었음을 알

---

29) 김경일 편역, 앞책, 322~323쪽.

30) 김경일 편역, 앞책, 295쪽 재인용.

31) 안함광과 백철 사이에 벌어진 이 논쟁은 안함광이 「빈농계급에 대한 푸로레타리아
이데올로기의 주입」(「농민문학문제에 대한 일고찰」, 『조선일보』, 1931. 8. 13)으
로 농민문학을 지도하여 프로화 할 것을 주장한 데 대해 백철이 "자발적으로 그
영향하에 드러오는 것" 또는 "농민은 계급투쟁에 있어 하나의 동맹군"임을 강조
한(「농민문학문제, 『조선일보』 1931. 10. 10) 내용이다. 이 논쟁은 백철의 논리적
우세로 귀결됐지만 결과적으로 농민문학에 대한 관심을 제고시키는 데 역할을 했
다고 하겠다. 김윤식, 『한국근대문예비평사연구』(일지사, 1976), 80~84쪽 참조.

수 있다. 그만큼 1920년대 후반 박아지의 농민시는 농민의 계급적 각성으로 부터 계급투쟁 및 노농동맹의 문제까지 함께 포괄적으로 제시하고 있다는 점에서 주목할 필요가 있음이 분명하다.


## 5. 새 조국 건설 의지와 좌절의 행로

박아지의 시는 해방을 맞으면서 새 조국을 건설하고자 하는 힘찬 의지를 표출한다. 친일잔재를 청산하는 것과 함께 새로운 역사에의 동참 의지를 집중적으로 형상화하고 있는 것이다. 그러면서도 진정한 해방의 날이 이루어지고 있지 못한 당대 현실에 대한 분노와 좌절감을 드러내고 있는 것이다.


① 붓을 꺾이고 호미를 잡어
오늘이 있기를 기다리며 기다리며
어둠 속에서 빛을 차즈려
묵묵히 다만 묵묵히
인고(忍苦)와 땀으로 아로사긴 십년(十年)!

아아! 기다리던 오늘의 감격!
산과 내와 풀과 나무와 새와 버레가
모오두 새로운 반기고 다정하여
벼이삭과 나물쌌이 이다지도 신비로운 순간.

이 하늘이 한고작 높고
이 땅이 가지록 넓고
그리고 태양(太陽)이 이렇게도 아름답고
이 겨레가 이다지도 위대한 줄이야
아아! 동무들아
이 순간같이 벅차게 느껴본 적이 있는가.

홍분한 얼굴에 눈물이 어리우고
쥐어진 주먹이 가늘게 떨리어
심장이 터지도록 외치고 싶은 충동
아아! 동무들아
우리에게는 또 한번 끊어야할 쇠사슬이 남았구나
태양(太陽)을 못보던 어둠속 우리들이
빛을 반기며 땅우에 솟는다
동무들아
희망에 뛰는 가슴을 가만가만 달래이며
힘차고 묵직한 첫발을 대지(大地)가 울리도록 옮기어보자.
                                              ─「칩복(蟄伏)」[32] 전문

② 민족을 팔어 배 불리던 자
  동포를 짓밟고 지위를 자랑하던 무리
  인재는 임의 성스런 이름까지 팔어

  형제를 속이려 하고
  저들의 영화를 보존하려
  또 다시 남의 힘만을 등에 대고.

  하도 하도 눌리고 짓밟히며
  뼈에 사모치도록 갈망하던
  눈물이 앞을 가리나이다

  뭉치려고 몸부림치는 하도한 겨레
  형제를 팔어먹던자여 물러가라
  그리고 삼천만이여 뭉치라

  목메여 외치는 소리

---

32) 이하 시는 시집 『심화(心火)』에서 인용한다.

피 덧게 부르짖는 소리
임이여! 들으시나니까 들이시나니까?

뭉쳐라 외치시는
임의 참 뜻
모르는 겨레가 아니외다

조국을 사랑하시기에
민족을 아끼시기에
해외 풍상 설혼이요 또 몇해

검던 머리 희신 줄
아! 어찌 모르오리까
아아! 인민의 자유 인민의 권리.

어떤 무리만의 자유오리까
어떤 계급만의 권리오리까
임이어! 바르게 보소서 보소서.

민족을 팔은 황금의 아지랑이
동포를 짓밟은 지위의 무지개
임의 이름을 팔은 기만의 구름.

어지러운 이것들이
인민의 소리로부터 임의 귀를 가리며
임의 총명을 가리려 합니다.

노동자 농민 근로하는 하도한 겨레
진정으로 갈망하고 외치는 소리
임이여! 들으시나니까 들으시나니까?

— 「들으시나니까」 전문

③ 그대의 맑은 눈에
　이슬이 맺혀 방울방울
　그 무슨 설음인가야.

　그대의 고은 눈썹
　수심이 어리어 깊고 깊어
　그 무슨 시름인가야.

　그대의 꼭 담은 입
　말 없이도 내가슴 울리네
　진정이 얽히인 탓이겠지야.

　소박한 나의 글은
　그대를 위로할줄 모르네
　아! 이 붓을 꺾어버릴가야.

　눈물이길래 가슴에 스며들고
　수심으로 해 소리없이 노래하네
　소리없는 노래는 노래가 아닌가야.

　　　　　　　　　　　　　－「심화(心火)」 전문

　해방이 되면서 박아지는 다시 구카프 계열의 프로예맹에 관여하면서 문학운동을 펼쳐나간다. 아울러 문학가 동맹에도 참여하면서 그 기관지인 『우리문학』에서 발간한 해방기념시집 『횃불』(1946. 4)에 「노들강」, 「심화(心火)」 등 다섯 편의 시를 발표하고 첫시집 『심화』(우리문학사, 1946. 3)를 비로소 펴내게 된다. 따라서 시집 『심화』에는 해방을 맞이한 감격을 드러내는 가운데 새 조국 건설을 위한 노력으로써 친일잔재청산을 부르짖고 새로운 싸움을 전개해 나아갈 것을 역설하게 된다.

　먼저 시 ①에는 일제하의 참담한 고통을 드러내면서 해방의 감격과 새로운 싸움을 향한 힘찬 의지를 표출한다. 여기에서 일제강점기는 "어둠 속에서 빛을 차즈려/인고(忍苦)와 땀으로 아로새긴" 암흑의 세월이며 '붓을 꺾이고 호미를 잡던' 절망의 시대로서 묘사되고 있다. 그러기에 시 제목 자체가 「칩복(蟄伏)」으로 되어있는 것이다. 그러한 어둠의 세월이 고통스럽고 절망적이기에 해방의 감격은 더욱 크고 신선한 것일 수밖에 없다. 그것은 생명의 환희이며 신비의 체험이기도 할 것이다. 마치 "그날이 오면 그날이 오면은/삼각산(三角山)이 일어나 더덩실 춤이라도 추고/한강(漢江)물이 뒤집혀 용솟음칠 그날이/이 목숨이 끊지기 전에 와주기만 하량이면/나는 밤하늘에 날으는 까마귀같이/종로의 인경을 머리로 드리받아 울리 오리다//그날이 와서 그날이 와서/우렁찬 그 소리를 한번이라도 듣기만 하면/그 자리에 꺼꾸러져도 눈을 감겠소이다"(심훈, 「그날이 오면」 중에서)라는 시구처럼 비극적 황홀 체험 그 자체에 해당한다고 하겠다. 그렇지만 시의 화자는 그러한 감격 속에서 새로운 싸움이 목전에 다가오고 있음을 직감하게 된다. "아아! 동무들아! 우리에게는 또 한 번 끊어야 할 쇠사슬이 남았구나"라는 구절이 그것이다. 실상 잠시 주춤했던 각양의 매국노 친일파들이 다시 살아나고 혼란이 들끓는 당시 상황에서 이 민족이 풀어나가야 할 제반 문제가 산적해 있었을 것이 틀림없기 때문이다.[33] "도적이 버리고 간 옛땅만 바라볼 뿐인 무수한 농민들/예나 다름없는 영산강 오백리 서러운 가람이요"(여상현, 「영산강」 중에서)라는 한 시구에서 보듯이 해방의 감격은 궁핍과 혼란상을 가중시키는 가운데 표류하고 있었던 것이다. 바로 이러한 '또 한번 끊어야 할 사슬'이란 새 조국을 건설하는 데 방해가 되는 각양의 친일잔재와 봉건유제들일 것이 분명하다. 또한 좌파 문인인 그로서는 우익민족주의 진영을 새로운 싸움의 한 대상으로 설정했을 수도 있을 것이다.

---

33) 이러한 해방공간에 있어서 시적 좌절의 모습은 윤영천의 「귀향이민의 삶과 그 시적 형상화」에 잘 나타나 있다. 앞책, 178~200쪽.

시 ②에는 이러한 '나라만들기'로서의 새로운 싸움의 내용들이 구체적으로 제시되어 있다. 그것은 첫째, 친일매국노들에 대한 비판과 매도로서 나타난다. "뭉치려고 몸부림치는 하도한 겨레/형제를 팔아먹던 자여 물러가라"라는 구절이 그것이다. 광복으로 말미암아 일시 죽어 있던 친일파들이 해방의 혼란상을 틈타서 새롭게 발호하기 시작한 데 대한 매도와 응징 의지를 분출하고 있는 것이다. 두 번째는 외세 추종세력에 대한 항거와 비판이다. "형제를 속이려 하고/저들의 영화를 보존하여/또 다시 남의 힘만을 등에 대고"라는 구절 속에는 이 땅에 새롭게 진주해 온 외세로서 미군에 대한 거부와 비판을 담고 있는 것으로 보인다. 세 번째의 시는 계급주의 사상으로 민족이 뭉쳐야만 한다는 계급사상·민족사상을 제시하고 있다고 하겠다. "노동자 농민 근로하는 하도한 겨레/인민/계급" 등의 어사와 "뭉쳐라! 외치시는 님의 참뜻" 등의 구절이 그러한 면을 반영하고 있는 것이다. 이렇게 본다면 이 시는 해방공간의 대립과 갈등 속에서 박아지 나름의 이념 노선을 확연하게 제시한 작품으로 이해된다.

시 ③은 해방공간의 혼란상에서 느낄 수밖에 없는 시름과 근심 또는 좌절과 비애를 노래하고 있다. 『심화』라는 표제를 시집 제목으로 한 것 자체가 이러한 나라 만들기의 어려움과 그 과정에 있어서 느낄 수밖에 없던 울분을 토로하고자 의도한 것이라고 할 수 있으리라. 해방은 이루었지만 나름대로 꿈꾸던 올바른 민족국가의 건설이 제대로 진척되지 못하고 대립과 갈등만이 격화된 당대 현실에 대한 좌절감과 분노를 '마음의 불길'로서 형상화면서 "아! 이 붓을 꺾어버릴가야"라고 절규하게 되는 것이다.

실상 시집 『심화』에는 "일구사오년(一九四五年)− 나는 터가 되려오/새해 − 그대는 주추를 마련하오"(「해방의 첫해를 보내며」 중에서)라는 새 조국 건설의 의지와 함께 "펄럭이는 씩씩한 깃발 아래/거짓도 없이 힘을 뭉쳐/천둥같이 외치는 아우성소리/달린다 오직 새나라 새나라로−"(「그날의 데모」 중에서)라고 하는 힘찬 새날에의 열망이 분출되고 있으면서도 동시에 "믿었기에 분하고 고이었기에 가엾다지/꼬을을 눈압에 두고 꺼꾸러진 런러와 같은 가엾은 인간이여/비참한 패부자여!"(「돌아선 그대를 조상함」 중에서)와 같이 시대 현실에 대한 깊은 절망과 분노를 표출하고 있기 때문이다.

이렇게 볼 때 해방공간에서 박아지의 시는 새 조국 건설에 대한 꿈과 열망을 담고 있으면서도 그렇게 뜻대로만 전개되지는 않는 당대 현실에 대한 절망과 분노를 담고 있다고 하겠다. 이것이 바로 그로 하여금 계급주의 노선으로 더욱 치닫게 하고, 마침내 북으로 넘어가게 하는 요인으로 작용한다고 하겠다. 마치 "빼앗겼던 땅에서 농사지으려는 것이 헛된 꿈"(이용악, 「하늘만곱구나」 중에서)이라고 탄식하는 것과 같이 혼란만을 거듭하고 있던 당대 현실에 대한 절망 끝에 자신의 원래 이념을 좇아 북쪽으로 삶과 문학의 행로를 찾아간 것이라는 말이다.


## 맺음말

지금까지 살펴본 것처럼 박아지의 시는 당대의 일반적인 프로시들과는 달리 피폐한 농촌과 농민들의 삶을 집중적으로 탐구한 데서 개성이 드러난다. 카프 계열 시인 중에서 유일한 농민시인으로서의 독자성을 지닌다고 하겠다. 물론 그가 실제 농민은 아니었다고 하더라도 그의 시가 추구한 농민들의 척박한 삶의 문제는 당대 조선의 상황에선 긴절한 일이 아닐 수 없었기 때문이다. 국민문학파는 애초에 농민문학에 관심이 없었고 카프 역시 교조주의에 매달려서 농민문학을 경시하던 상황34)에서 카프시인 박아지가 농민들의 삶을 흙의 사상·노동사상의 각도에서 집중적으로 천착해 들어간 것은 나름대로의 시사적 의미와 위치를 지니는 것이라고 하겠다. 그의 시는 풍경화적인 농

---

34) 최원식, 「농민문학론을 위하여」, 『한국문학의 현단계·Ⅲ』(창작과비평, 1984), 61쪽.

촌, 목가적인 농민 생활이 아니라 일제강점하에서 고통과 울분으로 가득찬 농민의 삶을 집중적으로 탐구한 데서 의미를 지닌다는 말이다. 또한 카프시인들이 대부분 노동자·도시빈민들의 삶을 다룬 데 비해 그는 이 땅에서 거의 대부분을 차지하던 농민들의 삶을 지속적으로 노래한 데서 개성적인 위치를 지닌다고 할 수 있기 때문이다.

그렇지만 그의 시는 몇 가지 점에서 문제점 또는 한계성을 지니고 있는 것도 사실이다. 먼저 그의 시에는 현실 인식이 다분히 피상적이고 관념적인 측면이 내포돼 있는 점을 지적할 수 있다. 농민의 궁핍한 삶에 대한 탐구가 식민지 전체구조의 모순상황과 보다 깊이 있게 매개되지 못하였을 뿐 아니라 민족운동사의 총체적인 맥락과도 탄력 있게 조우하고 있지 못한 면이 단점이라는 뜻이다. 다음으로는 문학이 그 자체로서 어떻게 당대의 모순상황과 맞서서 사회학적 기능을 잘 수행해낼 수 있을 것인가에 대한 날카로운 성찰이 부족한 점이다. 그의 시에는 각종의 느낌표·물음표 및 '하자', '하라' 등의 영탄과 구호가 범람하는 데 비해 리얼리티가 현저히 부족한 면이 발견되기 때문이다. 세 번째로는 계급 심리와 계급의식, 그리고 계급투쟁으로 나아가는 과정이 구체적 현장성과 실천적 운동성을 담보로 하고 있지 못한 점을 들 수 있다. 농촌문제를 집중적으로 다루고 있으면서도 지식인 주체의 관념성으로 인해서 시적 전개에 비약과 부박성이 엿보이기 때문이다. 계급의식과 목적의식이 경직성과 교조적인 틀을 벗어나지 못하고 있는 데서 농민들의 구체적 삶이 보다 생생하게 묘파되고 있지 못하다는 뜻이다. 이렇게 볼 때 박아지의 농민시는 당대적 상황에서 비교적 의미 있는 방향성을 지니고 있었음에도 불구하고, 구체적 현장성의 깊이와 실천적 운동성의 사실성을 확보하지 못한 점에서 그 한계가 드러난다고 하겠다.

결국 일제강점기에 프로진영이나 민족주의 진영에서 농민 소설이 대단히 활발하게 쓰여졌음에도 불구하고 농민시의 경우는 영성하기 짝이 없었던 데 비추어 박아지의 농민시 개척이 갖는 시사적 의미가 독특한 것으로 인정된다는 말이다. 그의 시가 많은 문제점과 한계를 지니고 있는 것은 분명하다. 그렇지만 총인구의 8할 이상이 농민이었던 당대 상황에서 그가 지속적으로 보여준 농촌의 삶 또는 농민의 사상은 나름대로의 의미를 지닐 것이 분명하기 때문이다. 오늘날 이 땅에서 활발히 탐구되고 있는 농민시의 한 원형성이 그의 20년대 시에서 그 단서를 찾아볼 수 있다는 점에서 그의 시사적 위치가 드러난다고 하겠다.

# 계급적 민족의식의 시, 정노풍

## 머리말

시인이면서 평론가로 더욱 알려졌던 정노풍(鄭蘆風), 그는 1920년대 후반에 계급문학과 민족문학의 중간입장에서 '계급적 민족의식'이라는 독자적인 문학론을 주장하면서 그에 걸맞은 시를 창작하려고 노력한 개성파 시인의 한 사람이다.

그는 양주동, 염상섭, 김영진 등과 함께 이른바 절충파로 불리우면서 문학활동을 전개하였다. 이들의 주장은 대략 민족주의와 계급주의 문학의 제휴를 주장하면서 크게 보아 민족주의문학 안에 계급주의 문학을 포괄시키는 논리라고 할 수 있다. 어느 면에서 이러한 논리는 반외세 민족해방운동과 반계급 사회해방운동을 동시에 추진해 나아가지 않으면 안 되었던 당대의 민족운동과 문학운동에 있어서 하나의 이상적인 측면을 제시한 것이라고 평가할 수 있다. 그렇지만 이러한 주장은 체계적이고 심도 있는 논리 전개가 부족하였고, 그 논리에 부합하는 작품상의 실천이 뒤따르지 못했기 때문에 뚜렷한 문학운동으로 뿌리내리는 데는 실패한 것으로 판단된다.

그러나 좀 더 면밀하게 살펴보면 양주동의 경우에 비해서 정노풍의 경우에는 그 이론과 실제에 있어서 보다 실속 있는 성과를 거둔 것으로 받아들여진다. 그는 실상 시집 한 권 남기지 못했고, 그간 시사에서나 비평사에 있어서 양주동에 가려 제대로 주목받지 못했던 게[1] 사실이다. 그렇지만 그의 시와 시론을 자세히 검토해 보면 그의 시와 시론은 당대 우리 문학이 나아가야 할 바람직한 한 방향을 감지하고 있었으며, 나름대로 작품상에 성과를 거두고 있는 것으로 판단된다는 점에서 앞으로 본격적인 연구가 진행될 필요가 있다고 할 것이다. 본고에서는 시를 중점적으로 살펴보기로 한다.[2]

## 1. 실향의식과 어둠의 현실인식

정노풍의 시는 고향 상실에서 오는 비관적인 현실 인식에 그 기초를 두고 있는 것으로 보인다. 그의 시는 '신이 숨은 시대' 또는 '님이 침묵하는 시대'로서의 일제강점하에서 많은 시들이 그러했던 것처럼 실향의식과 비관적 현실 인식을 바탕으로 하고 있는 것이다.

① 뜨거운 여름낮엔 음달에앉아
　　불끈쥔 주먹으로 섬짝을치며

---

1) 정노풍의 비평에 관해서 언급한 것으로는, 임화의 「노풍시평(蘆風詩評)에 항의함」(『조선일보』, 1930. 5. 15)을 비롯하여, 백철의 『국문학전사』, 김윤식의 『한국근대문예비평사연구』 및 조동일의 『한국문학사·5』 등이 있으며, 민요시에 관해서 박경수의 「한국근대민요시연구」(부산대 박사학위논문, 1988)에서 일부가 발견된다.
2) 기타 그의 주요 평론에는 다음 같은 것들이 있다.
「변증의 세계와 정감 및 상상의 세계」(『조선일보』, 1928. 1. 27~2. 1), 「예술의 시대상과 전통상」(『백치(白雉)』 2호, 1928. 7), 「조선문학건설의 이론적 기초」(『조선일보』, 1929. 10. 23~11. 10), 「기사론단개관(己巳論壇槪觀)」(『조선일보』, 1929. 12. 21~27), 「기사시단전망(己巳詩壇展望)」(『동아일보』, 1929. 12. 7~22), 「현대시의 탄력적요구」(『조선일보』, 1930. 1. 4~18), 「신춘창작개평(新春創作槪評)」(『조선일보』, 1930. 2. 11~19), 「전체성과 특수성의 전망」(『조선일보』, 1930. 3. 11~22), 「신진문인발굴난」(『매일신보』, 1930. 4. 14~17)

이결에(겨레 : 필자주)의 시름을 오가는열에
고이고이 토정튼 그리운옛날
아아 맑은 그자춰야 어대가찾아오리

달밝은 밤에는 무리지어
냉돌 귀퉁이에 둘러앉으면
험악한 세상일에 가슴저리고
여윈두볼을 강개에 태우든
아아 한밤중오막집의 잊지못할꿈자리

새ㅅ닭은 울고또울고
흐르는 눈물방울 멎을줄 모르고
새날이 밝아와도 열정은 안깔앉아
주먹으로 책상을 꽝꽝치면서
끙끙흐늑이든 아아그리운 옛보금자리

가슴에 손얹고 눈감으니
옛시절은 눈앞에 고이삼삼
아아 그리울손 옛날이여 잃어진꿈일런가
꿈에라도 그옛동무들 다시금맞나
옛군호 소리치고싶건만 소리치고싶건만

— 「애회(哀懷)」[3] 전문


② 내고향차저 그리든이내 예도라왓건만
　　옛내고향어디로가고 날몰라보나
　　영산재고개고개 푸른송림잔디마당
　　볏센여름날 정자밋차저 고히안즈면
　　오가는흰옷자락 살살바람에 날렷건만
　　갈래갈래찌저진 그네얼골여 이웬일인가

---

3) 1927. 12. 30. 작, 『신생(新生)』 3권5호(1929. 5). 이하 시 인용은 원문대로 표기한다.

……중략……

넓다란큰길 전차달리고 자동차간다

바다우큰륜은 짐풀고짐싣고 오고가고

아아외말소리 외노래가락 게다소리 이고장에찻건만

아아 넷고장산우에서 떨고 날몰라보고

아아 지금은 헛된꿈인가

다사로운 내품은 어디로갔나

—「넷내고향」4) 부분

정노풍 시의 중요한 한 모티프는 실향의식이라 할 수 있다. 그만큼 여러 시편에서 고향을 잃고 비탄과 실의에 잠긴 모습이 드러나 있기 때문이다. 실상 이러한 실향 모티프는 정지용의 시 「향수(鄉愁)」5)에서처럼 일제강점하 조국 상실의 상황인식을 적절히 표상하고 있다고 하겠다.

먼저 시 ①에는 고향에서의 추억과 현실 사이에 가로놓여진 단절감이 드러나 있다. 그것은 인간답게 살 수 있던 보금자리로서의 고향에 대한 안타까운 그리움이며 동시에 그렇지 못한 현실에 대한 울분이다. 고향은 이미 그리운 그 자취조차 찾을 수 없는 부재의 공간이자 상실의 터전인 것이다. 그것은 한낱 "잊지못할 꿈자리/그리운 옛보금자리/잃어진 꿈"으로 남아 있을 뿐이다. 따라서 이 시에는 깊은 상실감과 함께 과거 지향적인 애상이 짙게 깔려 있다고 하겠다.

시 ②의 경우도 마찬가지이다. 여기에도 고향 상실에 따른 깊은 좌절감과 애상이 깃들어 있다. 고향은 친근한 대상이 아니라 낯설고 허망한 곳으로 다가온다. 그것은 지난날 "푸른 송림"이나 "볏센 여름날" 등과 같이 건강하고

---

4)『조선일보』(1929. 11. 17).

5) 1929. 3. 작,『조선지광』65호(1927. 3).

　고향상실의식은 일제강점하에서 쓰여진 많은 시에서 한 원형질을 이루고 있는 것으로 이해된다.

신선한 모습이었지만 오늘에 이르러서는 "갈래갈래찌저진 얼골"일 뿐이다. 그런데 이 시에는 일제강점의 당대 현실에 대한 울분과 적개심이 담겨져 있어 특히 관심을 끈다. "아아 외말소리 외노래가락 게다소리 이 고장에 찾건만"이라는 구절이 그것이다. 이 땅을 강점·지배하고 있는 일본 제국주의자들과 그 범람하는 일본문화 및 생활방식의 침투에 대한 분노가 짙게 깔려 있는 것이다. 그러기에 고향 상실과 그에 따른 좌절 및 비탄이 심화될 수밖에 없다고 하겠다. 따라서 고향 상실은 단지 개인사적인 비탄이나 과거 지향성에서 유발된 것이 아니라 현실의 비극성에 더 큰 원인을 두고 있음이 분명하다. 고향 상실 의식은 바로 조국 상실의식과 그대로 연결되는 것으로 풀이되기 때문이다.

바로 여기에서 고향에 대한 상실의식[6]은 비관적인 현실 인식으로 심화되어 나타난다. 일제강점하의 처참한 현실과 그 속에서의 비극적인 삶에 대한 관심이 드러나는 것이다. 그것은 고향으로서의 과거에 대한 단절감의 제시이면서 동시에 비관적인 현실에 대한 절망과 비탄이라고 할 수 있다.

> 친구야!
> 바람도업는 가람물우에 인육(人肉)덩이를 툼부덩던저 말도업시떠
> 나가는 얼빠진 목숨은 누구의 목숨?
>
> 친구야!
> 날바람에 몰려가는 오동(梧桐)닙처럼 터질듯이 원통한가슴을안고
> 두만강(豆滿江)넘는 친구는 누구의 친구?
>
> 친구야!
> 횟가루 투성이속 쌀방아간에 가지가지시름의 쌀알골르는 파리한
> 어머니는 누구어머니?

---

6) 이밖에도 정노풍의 시에는 「집일혼 아희」(『조선일보』, 1929. 11. 15) 등 시에서 보 듯이 상실의식과 함께 특유의 '고아의식'이 드러나기도 한다.

친구야!

　벌레먹은 청춘(靑春)을 인육(人肉)저자에 진주(眞珠)가튼눈물을 혼자씻으며 썩어가는 눈님은 누구의눈님?

　친구야!

　떨리는 창자줄이 찌저지도록 원통한 가슴이 터져나도록 애원애원하다가 슬어저가는 송장은누구의송장?

　친구야!

　향기러운 생명(生命)의놀애는 끈인 이 어둔세기(世紀)에 멋업시서서 하마들릴 첫닭의 울음을 고대하는 님의가슴은 누구의가슴?

—「친구야」[7] 전문

　모두 여섯 연으로 짜여진 이 시는 '친구야! ~는 ~의 ~?'라는 구문을 반복하여 리듬을 형성하고 있다. 그러면서도 각 연은 각기 하나씩의 얘기를 담고 있다. 그것은 일제의 수탈로 인해 극도로 궁핍해진 현실상을 반영한다. 첫 연에는 강물에 몸을 던져 자살하는 비참한 죽음을 다루고 있다. 둘째 연에는 원통한 가슴으로 두만강 넘어 북간도로 쫓겨가는 유이민을 제시한다. 셋째 연은 방앗간에서 시름 속에 근로하는 어머니의 모습을 담고 있다. 넷째 연에는 생존을 위해 몸을 팔 수밖에 없는 이 땅의 비참한 누이를 다룬다. 다섯째 연에는 온갖 악형과 고문 끝에 처참하게 죽어가는 동포들의 모습을 묘사하고 있다. 마지막 여섯째 연에는 이러한 죽음의 땅으로서의 당대 상황을 "생명(生命)의놀애는 끈인 이 어둔세기(世紀)"로 파악하면서 '첫닭의 울음'으로서의 새로운 시대에 대한 갈망과 기다림을 형상화하고 있는 것이다.

　이렇게 본다면 이 시에서 앞의 다섯 연은 일제의 강점과 수탈로 인해서 불모화한 당대의 현실 상황을 다면적으로 묘사한 것이며, 마지막 연은 앞의 내

---

7)『동아일보』(1928. 7. 22)

용을 압축·요약하면서 미래에 대한 소망을 상징화하였다고 볼 수 있다. 여기에서 '누구'란 바로 민족을 지칭하는 미지칭이며, 동시에 결구의 '님'과 같이 민족 또는 민중의 대명사인 것이다. 따라서 이 시는 일제강점하 민족의 수난과 비참상을 고발하는 가운데 광복의 그 날을 소망하고 고대하는 안타까운 심정을 노래한 것이라 할 수 있다. 구체적인 현장 감각에 기초를 두고 있으면서도 적절하게 상징성을 부가함으로써 시의 시다움을 확보하는 데 어느 정도 성공한 것으로 판단되는 것이다.

바로 여기에서 정노풍의 창작 방법 내지 세계관의 한 특징이 선명히 드러난다고 할 수 있다. 일정한 사회적인 계급적 경향의식 속에서, 현실을 가공하는 매개적 과정을 거쳐서 그의 시가 창작되고 있긴 하지만, 그것이 실천적인 운동성 내지 이데올로기의 프리즘을 통과한 것[8]은 아니라는 점에서 프로시로는 한계를 지닐 수밖에 없다고 하겠다. 그의 시는 비관적인 현실 인식 속에 리얼리즘적인 비판의식을 담고 있으면서도 그것이 실천적 운동성을 지니지 않고 상징화함으로써 문학주의를 지향하게 된 것으로 보인다는 말이다. 바로 이 점에서 정노풍의 문학 경향이 '절충적 계급협조주의'[9]로 규정될 수밖에 없었던 요인이 되었다고 할 것이다. 실상 이 「친구야」의 경우 '~는 ~의 ~?' 이라는 은유적 반복형식이나 님 상징성이 만해(萬海)의 「알 수 없어요」와 암묵적인 유사성을 지니고 있다는 사실만 보더라도 정노풍이 만해처럼[10] 계급주의와 민족주의의 통합이라는 신간회적인 정신 지향성을 지니고 있었음을 암시해줄 수 있으리라 생각된다.

---

8) 로젠타리, 「창작방법과 세계관의 문제」, 『창작방법론』(문경사, 1949), 24쪽.
9) 김팔봉), 「조선문단의 현재와 수준」, 『신동아』 27호(1934. 1).
10) 만해(萬海)는 사회운동(계급운동)과 민족운동(독립운동)이 그 애로점이나 과정이 비슷하기 때문에 이 두 가지는 서로 부합해야 한다고 주장한다. 그러나 민족·국가가 있어야 사회혁명이 가능하기 때문에 나라찾기로서 독립운동이 우선해야 한다는 입장이다. 『동아일보』, 1925. 1. 2. 설문응답.

## 2. 민중의 참상과 계급적 민족의식

정노풍의 시는 상실의식과 비관적인 현실 인식을 기저로 하여 형성된다는 점을 알 수 있었다. 그런데 그의 시는 여기에서 한 걸음 더 나아가 민중의 참담한 삶에 관심을 기울이면서 차츰 계급의식에의 경사를 드러내게 된다.

① 이 사람들은 성한몸으로는 살아갈길이끈처서
　　성성한 팔을 뒤로자처 곰배팔이가되었다네
　　성성한 다리를 동이고동혀 안즌뱅이가되엇다네

　　그리고도 살아갈길이 끈처서 이사람들은
　　성성한 혀ㅅ바닥을 물어끈고 벙어리가되엇다네
　　새맑은 두눈을손ㅅ가락으로 찔러 쇠경이되엇다네

　　아아그리고도 먹을것이업고 잠잘곳이업서서
　　멀정한 정신을버리고 미친놈행세를한다네
　　그리고도그리고도 이사람들은
　　이망할천지에 몸담을곳이업서서
　　멀정한 창자를 울리면서 거리거리를헤메다가
　　짓밟힌 가슴을 그대로안고 거리귀신으로 박권다.
　　　　　　　　　　　　　　　　　　　－「거랑이」[11] 전문

② 품팔이 안하고는 살수업는 이세상인것을, 줄인창자로는 견딜수업
　　는 이인생(人生)인것을, 두팔이성하오나 일할자리는 어들길업네 이
　　거리저거리를 들아다녀봐야 호소할곳도업네

　　병든몸이라면 자리에누워죽어나가잘것을, 홀몸이랄시면 사나운이
　　사리를휘젓기나하잘것을, 일자리도 살거리도어들길업는이세상 망

11) 『동아일보』(1928. 11. 30).

할이세상
줄인창자로는견딜수업는이인생(人生), 억울한 이인생(人生) 성성
한몸이 품팔곳업서 거리를헤매네
—「품팔이」12) 전문

이 두 편의 시는 정노풍 시의 민중적 세계관을 선명히 보여준다. 그것은 최
소한도의 인간적 대접은 물론 생존권마저도 위협받는 현실에 대한 울분과 적
개심을 내포하고 있다고 할 것이다.

먼저 시 ①에는 궁핍과 기아에 시달린 나머지 점차 황폐화해가는 당대 현
실의 불구화된 모습이 선명히 드러나 있다. 이 시를 관류하는 것은 일종의 아
이러니라 할 수 있는데, 그것은 성한 사람들이 자신을 자해해서 '곰배팔이'나
'안즌뱅이' 노릇을 할 수밖에 없는 처참한 현실 상황에 기인한다. 그러고도 살
길이 막연하여 "성성한 혀ㅅ바닥을 물어끈고 벙어리가되엇다네/새맑은 두눈
을손ㅅ가락으로 찔러 쇠경이 되엇다네"라는 구절에서처럼, 살아 있으면서도
죽은 것이나 진배없는 그야말로 산송장의 모습으로 전락하고 만다. 특히 마
지막 연에는 현실의 궁핍한 참상이 더욱 선명히 제시된다. 그것은 "아아그리
고도 먹을것이업고 잠잘곳이업서서/멀쩡한 정신을버리고 미친놈행세를한다
네/이망할지에 몸담을곳이업서서/짓밟힌가슴을 그대로안고 거리귀신으로
박권다"라는 결구에서 첨예하게 드러나는바, 생존권을 박탈당하고 '미친놈',
'거리 귀신'으로 세상을 떠도는 민중들의 참상에 해당한다. 즉 당대 일제의 강
점과 수탈에 의해서 거지로 전락한 조선 민중의 비참한 모습이 「거랑이」라는
제목의 시로 형상화된 것이다. 이렇게 볼 때 이 시는 아이러니와 시니시즘을
바탕으로 해서 황폐화한 당대 현실의 궁핍상과 민중의 헐벗은 모습을 고발하
는 동시에 일제에 대한 적개심과 항거의지를 드러낸 것이라고 하겠다.

시 ②는 창자를 주린 채 품팔이를 하지 않으면 안 되는 기층민중의 척박한

---

12) 『동아일보』(1928. 10. 28).

삶, 그런데도 품팔이 자리는커녕 호소할 곳조차 하나 없는 민중들의 덧없는 삶에 대한 탄식과 울분을 묘파하고 있다. 특히 둘째 연에는 이러한 민중들이 겪을 수밖에 없는 궁핍과 기아의 혹심함이 "병든몸이라면 자리에누워죽어나 가잘것을"과 같이 죽음의 상태와 대조되어 그 심각성을 리얼하게 환기해 준다. "줄인창자로는 견딜수업는 이인생(人生), 억울한이인생(人生) 성성한몸이 품팔곳업서 거리를 헤메네"라는 결구에서처럼 최소한의 생존권마저도 박탈당한 채 기아에 허덕이는 당대 조선 민중의 처참한 모습이 각인돼 있는 것이다.

실상 이러한 당대 민중의 궁핍상에 대한 고발 속에는 그 구조적 원인으로서의 일제침탈과 억압상에 대한 분노와 적개심이 아로새겨져 있음이 물론이다. 이 두 편의 시에는 당대 현실의 궁핍상에 대한 고발을 통해서 그 지배자로서의 일제와 그 식민통치에 항거하는 항일저항의식이 표출돼 있다고 할 것이다. 마치 이 시들은 이상화(李相和)가 그의 연작시 「가상(街相)」[13]에서 「거러지」·「구루마꾼」·「엿장수」 등 최하층 민중들에 집중적인 관심을 기울인 것과 무관하지 않다고 하겠다. "웃통도버슨구루마꾼이/눈붉혀뜬얼골에 땀을흘리며/안악네의압흠도 가리지안코/네거리우에서 소흥내를낸다"라는 이상화의 시 「구루마꾼」에서의 민중옹호 정신과 서로 연결되는 것이다. 실상 여기에서 계급의식의 한 발현을 찾아볼 수 있음은 물론이다.

> 한해는 또넘어갈 한고개를 넘어갈려니
> 쌀쌀한겨울의 눈보라치는 응달밋헤선
> 애끗는 통곡성(痛哭聲)이 또 들린다
> 아아 한해의 비탈을 넘는 푸로레타리아의
> 견디기어려운 고역(苦役)! 참기에긔찬기아(飢餓)!
> 준욕(浚辱) 분노(忿怒) 비애(悲哀) 고통(苦痛) OO XX

---

13) 『개벽』 60호(1925. 6). 이 점에서 정노풍의 시는 이상화 시의 영향을 받고 있는 것으로 보인다.

쇠달구지의 감탕길에서 허덕이는괴롬과도가치

우차우(牛車牛)의수레박휘에 삐걱이는생명(生命)의통곡성(痛哭聲)은

가슴을절이누나! 골수(骨髓)를에이누나!

그는 고역(苦役)과 기아(飢餓)와 압박(壓迫)에 입발깨무는 통곡성

(痛哭聲)

「따비잇」과「쏠로몬」이 죽고「리모라이」가 생매장(生埋葬)당해도

오오 머물줄모르는

그는 고역(苦役)과 기아(饑餓)와 압박(壓迫)에 입발깨무는 통곡성

(痛哭聲)!

그러나 또 그는

「필연(必然)의약속(約束)」의 홰ㅅ불에터치는 육탄(肉彈)의 OO

XX과 투옥(投獄) 위협(威脅)과 공포(恐怖)의 XXX가번득여도

오오 머즐줄모르고

XX압박(壓迫), OO, OO의「뿌르OO」에불을 질르는

푸로레타리아의 육탄(肉彈)의 OO!

－「통곡성(痛哭聲)」[14] 전문

　

이 시는 일제의 무자비한 수탈로 인해 날로 심중해가는 이 땅 민중들의 열
악한 삶의 모습을 적나라하게 드러내 주고 있다. 그것은 온갖 능욕과 분노, 고
통과 기아, 고역과 압박에 시달릴 대로 시달려서 절망하는 이 땅 민중들의 참
혹한 통곡 소리로서 제시된다. 그런데 관심을 끄는 것은 이 시에 '프로레타리
아트의 육탄(肉彈)'과 같이 계급의식이 선명히 분출된다는 점이다. 그렇지만
여기에서의 계급의식은 그것이 부르주아계급에 대한 능동적인 투쟁이나 실
천적인 혁명의지의 분출로 나아가지 않는 특징을 지니는 것으로 보인다. 이
것은 실상 정노풍의 문학적 특징과 문학 의식을 선명하게 드러내 줄 수 있는
한 예로서 받아들여진다.

---

14) 『중외일보』(1928. 1. 14). 이 시에서 OO표는 확인할 수 없는 글자이고 XX는 원래
문자 그대로이다.

민족적(民族的)XX의식(意識)은 계급적민족의식(階級的民族意識)일 수밧게업다 그럼으로 그민족(民族)에게필요(必要)한 또는요구(要求)되는 XX는 계급적민족감정(階級的民族感情)에서 솟는그것이요 민족(民族)이 한덩어리된세대(細帶)는계급적민족감정(階級的民族感情)에서 흘르는 계급적민족애(階級的民族愛)다 따라서 민족운동(民族運動)은 세계운동(世界運動)의 일환(一環)으로서의 계급운동(階級運動)이 아니라 민족적(民族的) XX을XX로하는 계급적민족의식(階級的民族意識)에 확립(確立)한운동(運動)이다 그리고 그 목적(目的)은 민족적(民族的)XX사업(事業)에 세계운동(世界運動)과의 관련(關連)을 요구(要求)하는 한(限)에 잇서서만 세계운동(世界運動)이 민족적운동(民族的運動)에 중요(重要)한 의의(意義)를 가진 뿐이다.15)

이 평론의 요지는 '계급적 민족의식'을 기반으로 한 민족운동이며 독립운동에 대한 강조라 할 수 있다. 이러한 입장은 계급운동의 세계화를 강조함으로써 민족적 특수성을 무시하고 있는 프로문학파들이나 피압박민족으로서의 조선 민족의 계급적 위치를 몰각하고 있는 국민문학파 양쪽 모두에 대한 비판에 해당한다. '계급적 민족의식'에 기초를 둔 문학 의식이란 곧 반봉건 인간해방으로서의 계급해방의식과 반외세 독립운동으로서의 민족해방의식이 함께 상승적으로 결합됨으로써 진정한 민족해방과 인간해방을 지향하는 민족문학의 바람직한 한 방향성을 제시한 것으로 이해된다.

실상 이 점에서 정노풍의 '계급적 민족의식'에 근거한 문학관이 당대 문학의 바람직한 한 지평을 제시한 것으로 판단됨은 물론이다. 그럼에도 불구하고 당대의 문단조직의 경색성과 그 대항 이론적 속성으로 말미암아 정노풍의 이론은 온당한 평가를 받지 못한 데서 그 아쉬움이 놓여진다고 할 것이다. 민중적 세계관에 근거하면서도 계급투쟁으로 나아가지 못한 정노풍의 시들은 프로문학 측의 입장에 따르면 명백히 한계를 지닌 것이며 기회주의적인 색채

---

15) 정노풍, 「조선문학건설의 이론적 기초(8)」, 『조선일보』(1929. 10. 31).

를 띤 것이라 비판할 수 있다. 그렇지만 프로시의 전투성이라고 하는 것이 많은 경우 오히려 획일화와 허황성 또는 도식주의에 치달음으로써 설득력을 잃어갔으며, 실제상에 있어 작품창작 자체가 그다지 풍부하지 못했던 사실을 감안해 본다면 정노풍의 시가 지닌 의미가 상대적으로 드러날 수 있을 것이다.

## 3. 유이민(流移民) 시와 민요시 운동의 의미

정노풍의 시에는 당대에 이 땅에서 삶의 기반을 잃고 만주로, 시베리아로 떠나가는 유이민에 대한 관심이 지속적으로 드러난다. 그런데 이들 유이민 시는 주로 민요시의 형식을 취하고 있는데, 그 까닭은 아마도 민요조가 그들 유이민의 서글픈 심정과 민중적 공감대를 지니고 있기에 그 표현양식으로 적합했기 때문인 것으로 풀이된다.

> ① 가도가도 끗업는 험한묏길을
> 집업는 늙은길손 짐진나그네
> 살길이라 떠가는 이몸이어니
> 두만강(豆滿江) 건너서는 누굴차즐가
>
> 가자가자 훨훨가자 눈물을슷자
> 푸른물결 힌물결 뛰노는물결
> 가벼운 네발자취 내게주렴마
>
> 밤깁흔 산중에 버레가울제
> 버서진 머리에선 구슬땀이라
> 뼈만부른 학다린 껑중중몰고
> 떠가는 저곳이란 그어디멘가

가자가자 훨훨가자 눈물을슷자
밤바람 새벽바람 산치는바람
가비야운 네발자취 내게주렴마

—「나그네」16) 전문

② 의주라 압록강 푸른물우에
　나날이 흘러가는 떼목우에다
　헤매는 몸을실코 바다로가면

　일본이라 만주라 도라단닌들
　부를곳 일혼살림 뒤쪼긴인생
　어느곳 차저간들 학대밧는몸

　저갈대로 출넝넝 흘러가련만
　그래도 기를쓰고 살고보자는
　제마음 제가본들 모즐다인생

—「압록강(鴨綠江)가에 서서」부분17)

③ 님가시는 고장이
　예서 백리(百里)면
　등넘어로 가시는
　나룻길이면
　벌이따라 가신다구
　이리 설으랴
　천리(千里)도 천리(千里)도
　머나먼 천리(千里)
　깃들일곳 땅업는
　타국땅이라

---

16)『동아일보』(1928. 11. 1).
17)『조선일보』(1929. 10. 15).

또다시 맛나볼길
감감하구려

—「애별(哀別)」 부분18)

    정노풍의 시에서 특히 관심을 끄는 것은 그의 시가 당대 민중이 처한 처참한 현실 생활에 깊은 관심을 가지고 있다는 사실이다. 그러기에 그의 시는 1920년대 이 땅의 곤궁한 삶을 견디지 못해 북만주로 일본으로 떠나가는 유이민의 비극적 삶을 민요적인 가락으로 형상화하여 관심을 고조시킨다. 즉 정노풍은 이들 유이민의 정처 없는 삶을 민요시로 노래함으로써 '민중적 내용의 만족적 형식화'라고 하는 민중문학의 한 전형을 이루어내고자 시도한 것이다.

    먼저 시 ①에는 이러한 유이민의 고달프고 정처 없는 인생행로가 "가도가도 끗업는 험한 묏길"로 비유되어 있다. 오라는 이도 갈 곳도 정히 없이, 살길을 찾아 떠나가는 유이민의 처량한 모습이 제시된 것이다. 그러기에 그러한 고달픈 모습은 '밤깁흔 산중' 또는 '구슬땀'이라는 상관물로 제시된다. 실상 "두만강(豆滿江) 건너서는 누굴차즐가/떠가는 저곳이란 그어디멘가"라는 두 구절 속에는 고국 땅에서 쫓겨나 북만주로 향해 흘러가는 이 땅 유이민의 서글픈 모습이 제시되어 있으며, 동시에 불안의식과 공포심리가 담겨져 있다고 해도 과언이 아닐 것이다. "가자가자 훨훨가자 눈물을 슷자/밤바람 새벽바람 산치는바람"에 나타나 있는 비장한 슬픔과 처연한 각오가 이러한 심리를 반영하는 것임은 물론이다. 여기에는 비관적인 마음을 극복의지로써 이겨 나아가고자 하는 안간힘이 담겨져 있다고 볼 수 있기 때문이다.

    시 ②와 ③에서도 마찬가지이다. ②에서는 "일본이라 만주라 도라단닌들/부를곳 일흔살림 뒤쪼긴인생/어느곳 차저간들 학대밧는몸"과 같이 모든 것

---

18) 『중외일보』(1927. 12. 4).

을 잃은 채 쫓기는 마음으로, 희망도 없이 학대받으며 살아갈 수밖에 없는 이 땅 유이민의 처참한 삶이 제시돼 있다. 그러면서도 '기를 쓰고 살고보자'는 끈질긴 삶의 의지가 작용하고 있다는 점은 주목할 만한 일이 아닐 수 없다. 시 ③에서 "벌이따라 가신다구/이리 설으랴//깃들일곳 땅없는/타국땅이라"의 경우에도 이 땅 유이민의 곤궁하면서도 덧없는 삶의 모습이 첨예하게 드러나 있다고 하겠다. 따라서 이들 시에는 황폐해가는 고국에서의 삶에 견디다 못해 타국땅으로 떠나가는 이 땅 유이민의 정처 없는 삶의 모습이 안타깝게 형상화되었다고 할 것이다.

그런데 여기에서 주목할 것은 이들 시가 모두 민요시형으로 구성돼 있다는 사실이다. 민요시란 무엇인가? 특히 1920년대의 민요시란 어떤 의미를 지니는가? 민요시란 한마디로 민요를 지향하면서 쓰여진 개인 창작시를 말한다. 따라서 민요시는 여타의 현대시에 비해서 민중의식·집단이념을 강하게 드러내면서 동시에 민요에 대해 개인적·주관적 성격을 짙게 노출시킨다고 할 수 있다.[19] 말하자면 민요의 형태나 율격 등 형식적인 측면과 내용이나 주제 또는 기법 등을 수용하여 현대시화한 개인 창작시라고 규정할 수 있는 것이다. 특히 민요시는 민요와 달리 창작자가 일반 민중이 아니라 지식인 계층이라는 점이 특이하다고 하더라도 그 시의 내용이 민중적 삶과 현실에 대한 자각을 보여주기 때문에 계층적 한계를 벗어날 수 있음은 물론이다.[20] 민요시가 그 내용에 있어 낭만적 경향뿐만 아니라 민중의식과 현실의식을 담고 있다는 사실[21] 자체가 이에 대한 방증이 될 수 있을 것이다. 실상 앞의 인용시가 1920년대 이 땅 민중이 처한 고된 현실로서의 유이민 문제를 다룬 점으로서도 쉽게 확인할 수 있는 문제이다. 더구나 정노풍은 이 밖에도 여러 편의 시에서 이

19) 오세영, 『한국낭만주의시연구』(일지사, 1980), 38쪽.
20) 박경수, 「한국근대민요시연구」(부산대 박사학위논문, 1988), 27쪽.
21) 이러한 비판적인 민요시인으로는 양우정·허삼봉·남궁랑 등을 더 꼽을 수 있다. 위 논문, 180~190쪽 참조.

런 유이민 문제와 함께 기층민중들의 열악한 삶을 다루면서 그것이 일제의 강점과 수탈에 구조적으로 기인하는 것이라는 점을 제시하여 관심을 끈다.

> 열매일흔 볏닙은 바람에 울고
> 댕그렁 집푸레긴 외로히떠나
> 볏머리에 다북히 열린나락은
> 임자차저 외고장 간지오래라
> ……중략……
> 명년봄철 갓난아기 첫돌이오면
> 먹을것 입을것이 적정이로세
> 느진봄 긴긴해를 무엇에 산담
> 풀닙인가 풀뿌린가 나무껍진가
>
> ― 「열매일흔 볏닙」 전문[22]

이 시가 직접적으로 다루고 있는 것은 당대 민족이 처한 궁핍상이며, 그 구조적 원인으로서의 일제의 수탈이라 할 수 있다. 이 땅의 농민들이 피땀 흘려 거둬들인 벼는 그 알곡을 왜인들이 빼앗아 가버렸기 때문에 이 땅 농민들은 생산 주체이면서도 껍질로서 '집푸레기'만 갖게 되고, 아기의 돌날마저도 풀뿌리나 나무껍질로 연명해야 하는 비참하면서도 황폐화한 농촌 현실이 제시돼 있는 것이다. 따라서 1920년대 민요시의 의미가 선명히 드러난다고 하겠다. 그것은 민중 현실을 반영하는 민중적 내용을 기반으로 하여 민족적 양식을 되찾아보고자 한, 하나의 민중문학으로서의 민족 문학의 실험적 양식이라고 할 것이다. 그러기에 처음에 프로문학의 입장에서 민요시 운동을 배격했던[23] 김팔봉이 1929년에 이르러서는 민요시의 중요성을 재인식하게 된 것으로 풀이된다.

---

22) 『동아일보』(1929. 11. 2).
23) 김팔봉, 「문예시평」, 『조선지광』 64호(1927. 2).

① 우리들의 농민문예(農民文藝)는 농민(農民)으로 하야금 봉건적(封建的) 또는 소시민적(小市民的) 의식(意識)과 취미(趣味)로부터 떠나서 서로 단결하고 나아가게 하는 기구(器具)가 되어야 한다. 이것이 우리의 농민문예(農民文藝)의 전정신(全精神)이다.……중략……시(詩)에 있어서는 그 의도(意圖)와 내용(內容)을 소설(小說)에 대(對)하야 말한 바와 갓흐며 그 양식(樣式)만은 재래(在來)의 민요조(民謠調)를 취(取)하야 그들의 입에 친한 맛을 주고 쉽게 정들게 하여야 한다. 서사시(敍事詩)의 형식(形式)도 좋다.24)

② 우리의 시가(詩歌)는 그 형식상(形式上)에 잇서서 노래로 불려질 만큼 되지 아니 하고서는 대중(大衆)에게 고루고루 퍼질 수 없다. 웨 그러냐 하면 대중(大衆)은 노동자(勞動者)나 농민(農民)은 혹(或) 일을 할 때에 혹(或) 놀고 잇슬 때에 노래를 요구(要求)하며 그러한 때에는 잡지(雜誌)구석에 발표(發表)된 자유시형(自由詩型)으로 된 우리의 시(詩)를 찾지 안코 전(傳)해 내려오는 또는 유행(流行)하는 가곡(歌曲)을 들은대로 외운다. 그럼으로 우리는 이러한 기회(機會)를 붓잡아야 하며 그러케 하기 위하야는 먼저 우리의 시가(詩歌)를 가곡(歌曲)의 형식(形式)으로 작(作)하는 준비(準備)가 필요하다.25)

이 두 편의 글은 1920년대의 민요시 운동의 의미를 구명하는 데 좋은 단서를 제공한다. 기본적으로 민요는 민중들의 삶에 기반을 두고 있으며, 그 유동성으로 인해서 시대에 따라 변모하면서 그 시대의 가치관이나 감수성 또는 시대의식을 담기에 적절한 그릇으로서의 역할을 지녀왔던 것이 사실이다. 또 민요는 우리말이 지닌 자연스러운 호흡과 가락을 담고 있기 때문에 "일제강점기의 항일문학으로서 다른 무엇보다도 적극성을 띠며 민족의 지하방송 같은 구실"26)을 할 수 있었던 것도 사실이다. 따라서 1920년대의 민요시 운동

---

24) 김팔봉, 「농민문예에 대한 초안」, 『조선농민』 32호(1929. 3).
25) 김팔봉, 「예술의 대중화에 대하여」, 『조선일보』(1930. 1. 1~14).
26) 조동일, 「민요시운동과 시조부흥운동」, 『한국문학통사』 5권(지식산업사, 1988), 251쪽.

은 처음에 민족주의 진영에서 민족주의 문학관을 뒷받침하기 위한 일련의 노력으로서 제시되기 시작하였다. 이광수[27]나 최남선[28]의 주장이 그 대표적인 것인바, 그 내용은 민요가 민족의 공동적 작품이며 조선심 내지 조선 정조를 가장 잘 표현한 것이기 때문에 민요를 기초로 해서 민족문학론이 전개돼야 한다는 요지이다. 이들은 민요를 복고주의 입장에서 파악하여 그 현실적 응전력을 인식하지 못한 데서 그 한계점이 드러난다.

한편 프로문학 진영에서는 민요가 봉건시대의 낡은 양식을 기반으로 하는 것인 데다가 특히 주로 그것을 민족주의 진영에서 들고나왔다는 데서 거부감을 갖지 않을 수 없었다고 하겠다. 그러던 차 형식논쟁에서 회월에게 기권 패한 팔봉의 입장에서 민요가 지닌 민중적 형식이야말로 프로문학을 대중화하는 데 있어서 필요 적절한 양식으로 받아들여질 수밖에 없었던 것이다. 실상 팔봉의 대중화론이 프로문학창작의 위축과 검열문제와 연관되어 제기되었다고 하는 한 주장[29]도 이에 한 밑받침이 될 것이다.

이 점에서 인용한 평문 ①, ②의 의미가 드러난다. 그것은 민요시 양식이 당대의 프로시, 또는 나아가서 이 땅 근대시에 하나의 활로를 열어 줄 수 있는 바람직한 장르로서 인식되었다는 점이다. 김팔봉이 프로시의 경색된 정론성을 극복하고 민중에로 향할 수 있는 장르로서 민요시를 자신이 규정했던바 '단편서사시' 이상으로 비중을 둔 사실에서 선명히 드러난다. 팔봉은 자신이 이 땅 프롤레타리아 주제시의 높은 전범이자 나아가야 할 길로 평가했던 임화(林和)의 「우리옵바와 화로(火爐)」 등과 같은 단편 서사시[30] 이상으로 민요시의 의미와 가능성을 주장한 데서 민요시를 재발견하고 있는 것이다.

---

27) 이광수, 「민요소고」, 『조선문단』 3호(1924. 12).
28) 최남선, 「조선민요의 연구」, 『진인(眞人)』 제5호 부록(1927. 1).
29) 김윤식, 『한국근대문예비평사연구』(일지사, 1976), 76쪽.
30) 김팔봉, 「단편서사시의 길로 - 우리의 시의 양식문제에 대하여」, 『조선문예』 창간호(1929. 5).

이렇게 볼 때 정노풍의 민요시 지향은 1920년대 시사에 있어서 뚜렷한 의미를 차지한다고 할 수 있다. 그것은 민족주의 진영의 진부하면서도 고식적인 민족문학 이론에 현실적인 응전력을 제고하는 것이면서 동시에 프로시의 경색된 정론성 일변도와 실제 창작방법론상의 혼미를 극복하고 진정한 민중문학에의 길로 나아가게 할 수 있는 한 효율적인 방향도 될 수 있었기 때문이다. 이들 프로시들이 원론적인 창작방법론에 휩쓸린 나머지 구체적인 창작방법과 실제적인 적용성을 경시한 사실은 분명히 당대 프로문학의 취약성 또는 한계성을 반영한 것일 수밖에 없다. 프로시가 그 실질적 기반이라 할 민중들에게 실제로 알맞은 형식이 무엇이며, 또 어떠해야 하는가에 대한 체계 있는 논의와 구체적인 실천의 노력을 보여주지 못한 것은 커다란 아쉬움이 아닐 수 없으리라. 굳이 이러한 민요시뿐만 아니라 판소리·서사무가·사설시조·잡가·탈춤 등의 민중·민족적 양식의 현대시적 수용에 대한 논의와 성찰이 있었다면 당대 프로시는 물론 민족 문학 전반에 뚜렷한 활로가 열렸을 것이 분명하기 때문이다. 일본 측의 프로문학이 계급만의 일원적 저항이었던 데 비해서 당대 한국문학은 계급적 저항과 함께 민족적 저항이 융합된 이원적 저항성을 지닐 수밖에 없었다는 지적[31]도 이러한 사실과 무관하지 않음이 분명하다.


## 4. '님', 조국사상과 미래지향성

정노풍 시에 핵심이 되는 것은 결국 '계급적 민족주의'로서 조국 사상과 민족애라고 할 수 있다. 그의 시는 이 땅 민중의 곤궁한 삶에 관심을 기울이면서도 계급투쟁보다는 피압박민족해방운동으로서의 독립운동의 길이 우선해야 한다는 입장을 보여준 것으로 이해된다.

---

31) 김윤식, 앞책, 79쪽.

① 눈바람치는 일은새벽 험한산ㅅ등오르기 그누구 좋아라하오랴만
　단한뜻 잊으려도 잊을길없는 그님위해 눈물흘리고 올아가옵네.

　눈첩첩 쌓인산ㅅ등 남가신발길인들 또렷할리있소랴만
　넷앞잡이 피얼인발자욱 고이찾아 걸음걸음 올아가옵네.

　세상사람 그님 곁에있어도 제님위해 저마다 오르려하옵거든
　님잃은지 손꼽으니 하마스물헨저 님못뵙고 외로이 들판에 헤매는
　신세, 저 봉오리 안오르고 어찌하오리.

　괴로운살림 하룻날이 천년임즉만년임즉 그짓그짓 내님생각 버린일
　없삽거니
　남찾는길 험하다서 마달손가 오르다 솔방울같이 떨어진 그무엇이
　한이라서.

　올해도 가옵네. 그몹쓸뱀고리에 기구한살림살이 한결더 버글어젓사와도
　님잃은 스물고개는 덧없이저물고 아아님생각 절절골속에 타오릅네.

　스물말고 한백년가온들 님찾아오르는 우리앞잡이네 목숨잇고야 끊
　일리있소랴만
　아아저귀한목숨 루명쓰고 피흘립거니 고대하는 우리님 오실수없사
　올까.

　언젠간 꼭오시리 꼭오실그기약 믿음에야 흠인들 잇소리까만
　이겨레 서겂은살림 더애닯을까 두려워하옵거니 아아오서지다 하
　로밥비 고대하는 우리님.

　땅인들뒤집을 세찬바람 부옵네. 숨ㅅ결인들 안갓블리잇소리까만
　잡바지고 업플어지고 미끌어지면서두 끝의끝까지 옮아가옵나니
　아아오셔지다 우리님 하로밥비 이겨레살아나지다.
— 「우리님」<sup>32)</sup>

② 제한몸만 위할지면 진세영화가 그의 것이언만
　 그는 그는 제한몸 버리기를 초개같이 하엿네

　 제한몸만 때았으면 금의옥식이 평생련했으런만
　 그는그는 제한몸 떨치기를 바람같이 하엿네
　 진세영화와 금의옥식을 업수이야 여겻으랴만
　 그는그는 님향한 일편단심(一片丹心)을 깨뜨릴수 없었다네.
　　　　　　　　　　　　　　　　　　－「제 한몸 위할시면」[33]

　정노풍의 시에서 간과할 수 없는 것은 조국 사상과 민족애라고 하겠다. 그
의 시에는 '우리 님'으로 표상되는 조국 또는 민족에 대한 숭모심이 곡진하게
피력돼 있는 것이다. 그런데 그의 시에서 '님'은 현존하는 대상이 아니다. 그
것은 상실되어 없는 모습으로서 새로운 현존이 고대되는 갈망의 대상이다.
실상 1929년 작품인 앞 시에 "님잃은지 손꼽으니 하마 스물헨저"라는 구절이
등장한다는 점에 비추어서 님은 상실된 조국이며 빼앗긴 국권임을 지칭하는
것이 확실하다.

　먼저 시 ①에는 상실된 조국에 대한 비탄 속에 국권 회복을 갈망하고 고대
하는 심사가 뚜렷이 제시되어 있다. 이 시에서 조국 상실의 아픔과 슬픔은
"눈바람치는/눈첩첩 쌓인/님잃은 스물고개/서겂은 살림/땅인들 뒤집을 세찬
바람" 등의 이미지로 표상되어 있다. 또한 국권 회복에 대한 회복의 노력은
"험한산ㅅ등오르기/님가신 발길/피얼인 발자욱/님찾는 길/잡바지고 업풀어
지고 미끌어지면서두 끝까지 올아가옵나니" 등과 같이 역경과 시련의 과정
으로서 형상화된다. 말하자면 국권 상실에서 오는 시련과 고난을 헤쳐가면서
나라 찾기로서의 조선사상 내지는 민족애를 노래한 것이라고 할 것이다. 일
제강점하에서 "외로이 들판에 헤매는 신세"이면서도 빼앗긴 나라를 찾고자

────────────

32)『신생』 2권 12호(1929. 12).
33)『신생』 2권 12호(1929. 12).

하는 강한 열망과 함께 그에 대한 확신을 드러냈다고 하겠다. 이 시가 당대의 참담한 수난과 역경을 이겨 나가려는 끈질긴 의지 속에 상실된 조국에 대한 광복의 갈망과 기다림을 담고 있는 것은 소중한 일이 아닐 수 없다.[34] 무엇보다도 이 시가 비유적 형상성과 현실적 응전력을 함께 갖추는 데 어느 정도 성공한 점은 당대 프로시들이 지녔던 일반적인 결점을 뛰어넘으려는 노력을 반영한 것이라는 점에서 의미 있는 일이라고 하겠다.

시 ②의 경우에도 '님'사상으로서의 조국 사상과 민족애 및 그것을 향한 갈망과 기다림이 형상화되어 있다. 2행 대구가 한 연을 이루고 이것이 세 번 중첩된 점에서 이 시는 시조형식을 원용한 것으로 받아들여진다. 또한 한 연이 '~건마는/그는그는 ~하엿네'를 일정하게 반복하여 음악적 율감을 형성하고, 의미를 강조하고자 한 시도도 특이하다고 할 것이다. 이런 형식을 취한 것은 실상 이 시의 주체가 공동체 의식으로서의 민족의식 또는 조국 사상을 효율적으로 제시하고자 한 것과 무관하지 않은 것으로 이해된다. '님향한 일편단심(一片丹心)'으로서의 조국 사상과 민족애가 이 시의 핵심으로 작용하고 있음이 분명하기 때문이다.

이렇게 본다면 정노풍의 시 세계는 다분히 조선주의 또는 조선심 사상을 핵심으로 한 민족주의 노선과 연결되어 있음이 자명해진다. 실상 그가 민족 소생의 지표가 되는 민족의식을 가지고 피압박 민족으로서의 계급의식을 받아들여서 '계급적 민족의식'의 문학을 수립할 것을 주장한 사실[35] 자체가 이러한 정노풍의 문학관을 웅변해 준다고 할 것이다. 당대 식민지 치하 조선이 처한 피압박 민족으로서의 처지를 계급의식에서 파악하여 보다 큰 차원의 민

---

34) 이 점에서 이 시는 만해(萬海) 「님의 침묵(沈默)」의 영향을 많이 받은 것으로 거듭 확인된다. 님의 부재와 그에 따른 고통과 슬픔 및 희망으로서의 전이가 드러나고 님에 대한 갈망과 회복의 확신이 제시되어 있기 때문이다.

35) 정노풍(鄭蘆風), 「조선문학건설(朝鮮文學建設)의 이론적(理論的) 기초(基礎)」, 『조선일보』(1929. 10. 24~11. 10 연재).

족의식으로 통합하고 고양하려고 시도한 것은 당대 프로문학과 민족주의문학이 대결하던 상황에서 뜻깊은 일이 아닐 수 없다. 바로 이 점에서 정노풍의 시는 항상 현실을 응시하면서도 낙관적인 미래 지향성을 간직하게 된 것으로 이해된다.

① 지금은 봄, 봄에도보리입이파라게 머리드는첫봄
　비탄(悲嘆)에어스러지든흉액(凶厄)의시절이　어제갓건만황막(荒漠)
　한논펼에
　눈포레자취도 어느듯사라저갓네
　지금은봄, 봄에도보리입이파라케 머리드는첫봄
　그파란엄우에주린농군(農軍)의알들한　보람의눈이그윽히반짝이네
　그윽히반짝이네

　둥실둥실 둥둥실
　텅텅문어진얼음장이 겨울을실고 둥실둥실
　웃감이터졌네 웃감이터졌네
　강언덕우에 한척두척 삿일허든배들이
　겨울바람에헛돗대꿋덕이든어양배들이
　한만리줄곳달려갈듯이 흰돗대줄줄이달고
　어여듸여달아나네 어여듸여달아나네

　밝은해볏이 반짝반짝
　애만흔겨혼 괴로운농군의근심찬집웅위에
　몇겹이나싸헛든눈얼음도 어데론지사라저갓네

　발근햇볏이 반짝반짝
　그러고졸졸졸 떨어지는 기스랑물소리
　아아봄은왓네 왓데마는 농군의찬가슴엔햇볏인들흘를야
　　　　　　　　　　　　　　　　　─「조춘저창(早春低唱)」[36] 전문

② 칠산바다 먼하늘 툭터진 물ㅅ길
　흰구름 뭉게뭉게 떠도는 바다
　고기물은 갈매가 은날애 칠제
　푸르른 물녕울은 햇볏을 타고
　금빛녕을 반짝반짝 웃음에 찼오.

　검은연기 한줄두줄 또한줄두줄
　먼바다 험한물ㅅ길 곱게도 저어
　항구바라 들어오는 지배ㅅ연기
　어머니품 못잊어 집찾아오는
　옛날우리 고향동무 저우에 탓오

　비아니면 검은구름 억세인바람
　칠산바다 그 험한길 어데로갔오
　오늘은 오실까보 꼭오실까보
　어제ㅅ밤 꿈속에왔든 옛동무
　고요한 물ㅅ길저어 꼭오실까보

－「바다ㅅ가에서」[37] 전문


　정노풍의 시에는 이처럼 어둠과 밝음이 교차하되 그것이 봄과 빛 지향성, 즉 낙관적인 미래 지향성으로 열려 있는 것이 특징이라 하겠다. 어둠과 추위로 가득찬 현실이지만 희망을 잃지 않고 꿈과 생명력을 길러가는 데서 언젠가 밝은 세계가 도래하리라는 확신과 기다림을 담고 있는 것이다.

　시 ①의 경우에 겨울과 봄, 눈과 햇볕이 선명히 대조되면서 생명 감각을 일깨워준다. 육지에선 눈보라 자취가 사라지고 보리잎이 파랗게 살아나듯이 바다에선 얼었던 강물이 풀리고 어양배들이 힘차게 달려감으로써 생명력이 제고된다. 비록 주림과 괴로움의 나날이지만 농군의 가슴에는 새로운 생명 의

36)『동아일보』(1929. 4. 5).
37)『신생』 2권 11호(1920. 9).

지가 싹터 오르는 것이다. 파랗게 살아나는 보리잎과 새롭게 반짝이기 시작하는 농군의 눈빛 속에는 거울로서의 일제 식민통치하에서도 끝내 굴하지 않는 민중적·민족적 생명력과 부활의지가 담겨 있다고 하겠다. 시 ②에서도 "검은 연기/검은 구름/억세인 바람/험한 길"이 "툭터진 물길/흰구름/푸르른 물녕울/반짝반짝 웃음/고요한 물길"과 대조된다. 즉 온 바다에 가득찼던 검은 구름이 걷히고 푸르른 여울에 배가 곱게 밀려오듯이 소망하는바 광복(光復)이 다가오리라는 꿈이 아로새겨져 있는 것이다. "오늘은 오실까보 꼭오실까보/어젯밤 꿈속에 왔든 옛동무/고요한 물길 저어 꼭 오실까보"라는 결구 속에는 상실된 조국과 함께 바라는 모든 것들이 돌아올 것이고, 또 와야만 한다는 갈망과 기다림이 안타깝게 투영돼 있음이 확실하다.

조선문학(朝鮮文學)의 건설(建設)! 우리는 비록 한편(篇) 소곡(小曲)의 시(詩)를쓰고 녹녹지못한 한편(篇) 소설(小說)을 초(草)하나마 우리의염두(念頭)를 떠나지안는것은 조선(朝鮮)이요 조선의식(朝鮮意識)이다 ……중략…… 우리가 조선(朝鮮)의현실(現實)에서 쓰러져가는 민족의식(民族意識)을 한결더힘잇게 파악(把握)하며 계급의식(階級意識)을 힘써전취(戰取)하여 오늘날시대(時代)에서우리민족(民族)의 생명(生命)과 힘이될 조선의식(朝鮮意識)을 굿건히쥐고 문예창작(文藝創作)에 노력(努力)하는것은 오로지조선문학(朝鮮文學)을 제작(制作)하기 위함이다. 그러므로 나는 우리문인(文人)들이 조선의식(朝鮮意識)을것쳐서 조선문학(朝鮮文學)의 건설(建設)을 위하야 만흔제작(制作)을 생산(生産)하기를 원(願)하는동시(同時)에 문예창작(文藝創作)을 거쳐서 조선민족(朝鮮民族)에게 희망(希望)과노력(努力)과힘 그리고 투쟁(鬪爭)과 생명(生命)을주어 즐겨 조선의식(朝鮮意識)을찾고길르고 그를 위하여 꾸준히 힘쓰며 한덩어리가 되어나가는 효과(效果)를 얻기를 누구보다도 바라는사람이다.[38]

---

38) 정노풍, 『조선문학건설의 이론적 기초 1(『조선일보』 1929. 10. 24).

이러한 논문의 「전언(前言)」에서도 볼 수 있듯이 정노풍 문학의 핵심은 조선의식(朝鮮意識)으로서의 조국 사상과 민족애라고 할 수 있는 것이다.

## 맺음말

지금까지 살펴본 것처럼 정노풍의 시는 당대 민족이 처한 비참한 현실에 관심을 기울이면서도 프로문학의 도식주의에 함몰되지 않고 어느 정도 예술적인 형상성을 획득하고 있다는 점에서 의미를 지닌다. 1920년대 후반 계급주의 문학의 거센 압력과 민족주의문학 진영의 자기폐쇄 현상에도 불구하고 독자적인 입장을 견지하면서 고독하게 창작을 계속한 것은 뜻있는 일이 아닐 수 없다. 민족의식과 계급의식을 발전적으로 통합하여 '계급적 민족의식'에 바탕을 둔 문학을 창작해야 한다는 논리와 그 실천은 당대의 경색된 문단풍토에 비춰볼 때 이채로운 것이 아닐 수 없기 때문이다. 실상 이러한 정노풍의 문학론은 1927년 2월 좌우 합작론을 주장하며 범민족적 사회운동단체로 출범한 신간회의 노선과 활동에 직접적으로 고무된 것이 사실이다. 그렇지만 신간회 자체가 좌·우의 합작방식이나 투쟁노선에 있어서 진정한 결속과 실천 노력이 담보되지 않은 상태에서 전개됐기 때문에 1931년 5월 해체되지 않을 수 없었던 것처럼 이들 중도절충론자의 논리 또한 체계적인 조직 논리와 작품상의 실천을 확보하지 못한 탓으로 차츰 소멸해갈 수밖에 없었다고 하겠다.

이러한 제반 상황에 비추어 프로문학의 민족배제론이나 민족문학 측의 계급무시론의 결함을 비판하면서 독자적인 '계급적 민족의식' 문학론을 논리적으로 주장하고, 비록 비판적인 면도 없지는 않지만 작품상의 성과를 어느 정도 보여준 정노풍의 작업은 의의 있는 일이 분명하다. 그의 시는 비판적인 각도에서 볼 때 목적의식이 모호할뿐더러 시적 치열성이 부족한 것이 사실이다. 또한 예술적인 세련이나 성숙도에 있어서 아쉬운 점 또한 적지 않다고 할 것이다.

'계급적 민족의식'의 시인 정노풍, 그는 선명한 투쟁 논리와 큰 목소리가 주도해가던 1920년대 문단에서 실종될 수밖에 없었던 인물임에 분명하다. 그렇지만 그의 득의와 좌절의 족적에서 우리가 60여 년이 지난 오늘의 우리 문학의 한 지평을 새삼 눈여겨볼 수 있다는 것은 역사의 아이러니가 아니고 그 무엇이겠는가?

# 정치의 길, 예술의 길, 임화

## 1. 프로시인, 실종시인 임화

"네가 지금 간다면 어디를 간단 말이냐"라면서 눈바람 찬 불쌍한 도시(都市), 1920년대 종로 네거리에서 누이동생 순이를 외쳐 부르던 일제강점기 최대의 프로시인 임화(林和, 1908~1953, 본명 임인식(林仁植), 필명 청(青)로, 임(林)다다 등), 그리고 끝내는 1950년대 북한의 자강도 깊은 산골짝에서 "너어디 있느냐?"면서 전란 통에 헤어진 딸 혜란을 목메이게 외쳐 부르다가 1953년 8월 마흔다섯 아까운 나이로 처형당한 그의 고혼은 과연 지금 어느곳에 있는가?

아직도
이마를 가려
귀밑머리를 땋기
수집어 얼굴을 붉히던
너는 지금 이
바람 찬 눈보라속에
무엇을 생각하여

어느곳에 있느냐

머리가 절반 흰
아버지를 생각하여
바람 부는 산정에 있느냐
가슴이 종이처럼 얇아
항상 마음 아프던
엄마를 생각하여
해 저무는 들길에 섰느냐
그렇지않으면
아침마다 손길 잡고 문을 나서던
너의 어린 동생과
모란꽃 향그럽던
우리 고향집과
이야기 소리 귀에 쟁쟁한
그리운 동무들을 생각하여
어느 먼 곳 하늘을 바라보고 있느냐

사랑하는 나의 아이야
벌써 무성하던
나무 잎은 떨어져
매운 바람은
마른 가지에 울고
낯익은 길들은
모두 다 눈속에 묻혀
귀 기우리면 어데선가
들려오는 얼음장 터지는 소리
아버지는 지금
물소리 맑던 락동강가에서
악독한 원쑤들의 손으로
불타고 허물어진

숱한 마을과 도시를 지나
우리들이 사랑하던
서울과 평양을 거쳐
절벽으로 첩첩한 산과
천리 장강이 입울마다 우는
자강도 깊은 산골에 와서
어데메에 있는가 모를

너를 생각하여
이 노래를 부른다

사랑하는 나의 아이야
……중략……
면 하늘에 바람이 울어
새도록 잦지 않거든
머리가 절반 흰 아버지와
가슴이 종이처럼 얇아
항상 마음 아프던
너의 엄마와
어린 동생이
너를 생각하여
잠 못이루는줄 알어라
사랑하는 나의 아이야

너 지금
어느 곳에 있느냐
　　　－「너 어느곳에 있느냐－ 사랑하는 딸 혜란에게」부분

　그의 고혼은 육신의 고향이자 생활의 터전이던 서울 종로의 어디에 머물고
있는가? 아니면 그가 그토록 갈망하던 사회주의 조국인 북녘땅 어느 곳을 떠

도는가? 그도 아니면 남(南)도 북(北)도 아닌 그 어느 하늘 아래 중음신(中陰身)이 되어 헤매고 있는가?

1925년에 결성되어 1935년 해산한 사회주의 문학운동단체 카프의 실질적 지도자였으며, 소문난 프로시인의 한 사람이었고, 좌파비평가이자 선구적인 문학사가였던 임화, 그러면서도 한평생 견지해 온 계급주의 유물사관과 해방된 민족·사회주의 국가건설을 열망해서 1947년 월북한 그가 6·25 직후 '미제고용간첩혐의'로 인해 그토록 신봉해 마지않던 사회주의 조국의 이름으로 처형당한 아이러니는 과연 무엇이겠는가?

그리고는 북(北)에서는 물론 남(南)에서조차도 오랫동안 실종상태에 놓여져 온 비극의 주인공 임화, 그러한 비극적인 인물이 이 땅에 어찌 한두 사람뿐일 것인가? 과연 이념이란 것이 그토록 중요한 것일까? 인간을 위한 이념인가 이념을 위한 인간인가? 임화의 비극은 바로 이러한 모순 명제를 올바로 풀어내지 못하고 비극 속에 사라져간 이 땅 수많은 지식인들의 딜레마를 반영한 것이 아닐 수 없으리라.


## 2. 노동·투쟁·사랑 − 혁명적 로맨티시즘

임화의 경우는 문학의 길이 과연 어떠해야 하는가? 또는 문학인의 길이 정치인의 길과 어떻게 상동 관계를 이루며, 또 날카롭게 구별돼야만 하는가 하는 문제에 대한 유효한 시사를 던져준다고 하겠다. 결론부터 말한다면 문학의 길이 정치의 길과 지나치게 밀착되고, 마침내 정치만 남고 문학적인 내면공간을 상실한 데서 임화의 비극이 비롯된다는 뜻이다. 이에 임화시의 편모를 살펴본다.

네가 지금 간다면 어디를 간단 말이냐

그러면 내 사랑하는 젊은 동무

너 내 사랑하는 오즉 한아뿐인 동생 순이(順伊) 너의 사랑하는 그 귀중(貴重)한 아이히

근로(勤勞)하는 모든 여자(女子)의 연인(戀人)……

그 청년(靑年)인 용감(勇敢)한 산아히가 어듸서 온단 말이냐


눈바람 찬 불상한 도시(都市) 종로(鍾路) 복판의 순이(順伊)야!

너와 나는 지내간 꼿피든 봄에 사랑하는 한 어머니를 눈물나는 가난 속에서 여의였지!

그리하야 너는 이 밋지못할 얼골 하얀 옵바를 염녀하고 옵바는 너를 근심하는 가난한 그날 속에서도, 순이(順伊)야! 너는 네 마음을 둘 미덤성 잇는 이나라 청년(靑年)을 가젓섯고

내 사랑하는 동무는……

청년(靑年)의 연인(戀人) 근로(勤勞)하는 여자(女子) 너를 가젓섯다


그리하야—

찬 눈보라가 유리창(窓)을 때리는 그날에도 기계(機械)소리에 지워지는 우리들의 참새 너의들의 콧노래와

눈ㅅ길을 밟는 발소리와 함께 가슴으로 기여드는 청년(靑年)과 너의 귓속에서 우리들의 젊은날은 흘러갓스며

또 언밤이 가난을 울니는 그날에도

우리는 바람과 가치 거리에서 맛나 거리에서 헤며

골목 뒤에서 의론하고 공장(工場)에서 XX하는 그 때가

그중 즐거운 젊은날의 행진(行進)이엇다


그러나 이 가장 귀중(貴重)한 너 나의 사이에서 한아 우리들 동무를 집어간 X은 누구며 그 일은 웬일이냐

순이(順伊)야— 이것은……

너도 잘 알고 나도 잘 아는 멀정한 사실(事實)이 아니냐

보아라— 어늬 X이 도XX인가

이 눈물 나는 가난한 젊은날의 가진 이 불상한 줄거움을 노리는 X하구

그 조그만 풍선(風船)보단딴 꿈을 안깨치려는 간지런 마음하구
말하여 보아라 이나라에 가득찬 고마운 젊은이들아!

　순이(順伊)야 누이야
　근로(勤勞)하는 청년(靑年) 용감(勇敢)한 산아히의 연인(戀人)아……
　생각해 보아라 오늘은 네 귀중(貴重)한 청년(靑年)인 용감(勇敢)한
산아히가
　젊은날을 싸흠에 보내는 그 손으로
　지금은 젊은 피로 벽돌 담에다 달력을 그리겟구나
　그러고 이 추운밤 가느다란 그 다리가 피아노줄 가치 떨니겟구나
　또 이봐라 어서
　이 산아히도 네 크다란 옵바를……
　남은 것이라고는 때무든 넥타이 한아뿐이 아니냐

　오오 눈보라는 도락구처럼 길거리를 다라나는 구나
　자 조타 바루 종로(鐘路) 네거리가 아니냐―
　어서 너와 나는 번개가치 손을 잡고 또 다음일 계획(計劃)하러 또
남은 동모와 함께 거문 골목으로 드러가자
　네 산아히를 찻고 또 근로(勤勞)하는 모든 여자(女子)의 연인(戀人)
인 용감(勇敢)한 청년(靑年)을 차즈러……

　그리하야 끄니지 안는 새롭은 용의(用意)와 계획으로 젊은 날을 보
내라
　　　　　　　　　　　　　　　　―「네거리(街里)의 순이(順伊)」 전문


　이처럼 하나의 시 속에 이야기를 담고 있는 것이 일제하 프로 계열 시들의
일반적인 특징이라고 할 수 있다. 이야기를 통해서 메시지를 전달함으로써
계급해방이라고 하는 목표를 달성하고자 하는 것이다. 이 점에서 이들 프로
시들은 예술작품으로서의 문학을 추구하기보다는 운동 또는 사회변혁의 무

기로서의 문학을 추구한다. 문학이 목표가 아니라 사회주의 혁명 수행에 문학이 복무해야 한다는 말이다.

인용한 시는 시의 화자(話者)인 오빠가 사랑하는 청년을 감옥에 보내고 나서 종로 네거리에서 방황하는 누이동생에게 슬픔을 떨치고 일어설 것을 호소하는 내용으로 되어 있다. 여기에 등장하는 세 사람은 하나의 공통점을 지닌다. 그것은 그들이 근로하는 노동자들이며 오빠와 누이, 그리고 연인관계 및 동지 관계로 맺어져 있다는 점이다. 아울러 일종의 계급투쟁 전선에 연관되어 있다는 점이다.

말하자면 이 시에는 노동과 투쟁 및 연애라고 하는 일종의 혁명적 로맨티시즘이 애상적으로 분출되고 있는 것이다. 그렇지만 이 시는 화자와 청년 사이에 놓여져 있는 사고와 실천의 간극으로 인해서 이론과 실천의 변증법적 통일이라고 하는 프로문학의 원칙과는 다소 떨어져 있다고 하겠다.

'얼굴하얀 오빠'로서 화자는 다만 계급 심리만을 지니고 있을 뿐, '골목길에서 의론하고 공장(工場)에서 XX'(투쟁 – 인용자)하다가 감옥에 갇힌 청년의 투쟁적인 모습과는 괴리되어 있는 것이다. 오로지 "자 좋다 바로 종로(鍾路) 네거리가 아니냐/어서 너와 나는 번개같이 손을 잡고 또 다음 일 계획(計劃)하러 또 남은 동무와 함께 검은 골목으로 들어가자"라는 구절에서 보듯이 앞날을 예비하는 포즈를 취할 뿐이다. 적극적이고 능동적인 투쟁의 길에 나서는 게 아니라 어두운 골목 안으로 도피할 뿐이라는 말이다.

따라서 이 시는 단순한 계급 심리 또는 투쟁의 징후만 드러낼 뿐 프로문학 특유의 구체적 현장성이나 실천적인 운동성이 거의 발견되지 않는다는 점에서 한계를 지닌다고 하겠다. 아울러 애정 관계를 가미한 것도 애상적인 분위기만을 돋울 뿐인 것이다. 계급투쟁과 연애감정이라는 그럴듯한 결합 속에는 일종의 지식인적 감상주의 또는 계몽적인 허위의식이 엿보인다는 말이다. 그렇다고 해서 서정성이 돋보인다든지 유려한 음악성 또는 빛나는 이미지가 발견되지도 않는다는 점에서 예술성이 탁월한 것도 아니라고 할 것이다. '방황·우울·봄·사랑' 등의 애상적 분위기와 '근로·공장·투쟁·감옥' 등과 같은 투쟁적 분위기를 적절히 결합하여 하나의 관념적·징후적 프로시를 산출한 데서 임화 프로시의 한 특징 또는 한계가 놓여진다는 말이다.

## 3. 계급모순 또는 민족혼의 상징화

임화시가 프로시로서의 투쟁성을 지니면서도 시적 내면 공간을 확보한 경우는 그의 대표작이라 할 「우리옵바와 화로」에서라고 하겠다.

사랑하는 우리옵빠 어적게 그만그럿케 위하시든옵바의 거북문(紋)이 질화로가 깨여졌서요
언제나 옵바가 우리들의 '피오니ㄹ' 조그만 기수(旗手)라부르는 영남(永男)이가
지구(地球)에해가비친 하로의모ㅡ 든시간(時間)을 담배의독기(毒氣)속에다
어린몸을잠그고 사온 그거북문(紋)이 화로가 깨여졌서요.

그리하야 지금은 화(火)적가락만이 불상한 영남(永男)이하구 저하구처럼
똑 우리사랑하는 옵바를일흔 남매(男妹)와갓치 외롭게벽(壁)에가 나란히걸렸서요.

옵바……
저는요 저는요 잘알었서요
왜ㅡ 그날 옵바가 우리두동생을 떠나 그리로드러가신그날밤에
연겁허 말는권연(卷煙)을세개식이나 파우고게셧는지
저는요 잘아럿세요 옵바

언제나 철업는제가 옵바가 공장(工場)에서 도라와서 고단한저녁을 잡수실때 옵바몸에서 신문지(新聞紙)냄새가 난다고하면

옵바는 파란얼골에 피곤한우슴을 우스시며…… 네몸에선 누에똥 냄새가 나지안니— 하시든세상(世上)에위대(偉大)하고 용감(勇敢)한 우리옵바가 왜그날만

말한마디업시 담배연기(煙氣)로 방(房)속을미워버리시는 우리 우리 용감한옵바의 마음을 저는 잘알엇세요

천정(天井)을향(向)하야 기여올라가든 외줄기담배연기속에서옵바의 강철(鋼鐵)가슴속에 백힌 위대(偉大)한결정(決定)과성(聖)스러운각오(覺悟)를 저는 분명(分明)히보앗세요

그리하야 제가영남(永男)이에 버선한아도 채못기웠을동안에

문(門)지방을때리는쇠ㅅ소리 바루르밟는거치른구두소리와 함께— 가버리지 안으셧서요

그러면서도 사랑하는 우리위대(偉大)한옵바는 불상한저의남매(男妹)근심을 담배연기(煙氣)에 싸두고 가지안으셧서요

옵바— 그래서 저도 영남(永男)이도

옵바와 또가장위대한용감한 옵바친고들의 이야기가 세상을 뒤줍을때

저는 복사기(複絲機)를떠나서 백(百)장의일전(一錢)짜리 봉투에 손톱을뚜러뜨리고

영남(永男)이도 담배냄새구렁을내쫓겨 봉투꽁문이를뭅니다

지금(只今)— 만국지도(萬國地圖)갓혼 누덕이밋헤서 코콜고을고잇습니다


옵바— 그러나 염려는마세요

저는 용감(勇敢)한이나라청년(青年)인 우리옵바와 핏줄갓치한 계집애이고

영남(永男)이도 옵바도 늘 칭찬하든 쇠갓혼 거북문(紋)이화로를 사온 동생이 아니에요

그리로 참 옵바 악가 그젊은남어지옵바의친구들이왓다갓습니다

눈물나는 우리옵바동모의소식(消息)을 전(傳)해주고갓세요

사랑스런용감한청년(靑年)들이었습니다
세상(世上)에 가장위대(偉大)한 청년(靑年)들이었습니다
화로는 깨어져도 화(火)적갈은 기(旗)ㅅ 대처럼 남지안었세요
우리옵바는 가섯서도 귀(貴)여운 '피오니ㄹ' 영남(永男)이가잇고
그러고 모− 든 어린 '피오니ㄹ'의 따뜻한 누이품 제가슴이 아즉도
더웁습니다

그리고 옵바……
저뿐이 사랑하는옵바를 일코 영남(永男)이뿐이굿세인형(兄)님을
보낸것이겟습니가
슬지도 안코 외롭지도 안습니다
세상에 고마운청년(靑年) 올바의무한(無限)한위대(偉大)한 친구가
잇고 옵바와 형(兄)님을 일흔수(數)업는계집아희와동생 저희들의 귀
(貴)한동모가잇습니다

그리하야 그다음 일은 지금(只今) 심심한 분한 사건을 안고 잇는 우
리 동무손에서 싸워질 것입니다

옵바 오늘밤을새여 이만(二萬)장을붓치면 사흘뒤엔 새솜옷이 옵바
의떨니는몸에 입혀질것입니다.
이럿케 세상(世上)의 누이동생과아오는 건강(健康)히 오늘날마다
를 싸홈에서 보냅니다

영남(永男)이는 엿해잡니다 밤이느젓세요− 누이동생
                    −「우리옵바와 화로」부분


　부분 부분 인용해 본 이 시는 하나의 짤막한 이야기를 담고 있는바, 앞의 「네거
리의 순이」와 달리 감옥에 간 오빠를 그리워하는 누이동생이 화자로 구성돼 있다.
　여기서의 얘기를 정리해 보면 ①인쇄공장에 다니는 오빠와 연초공장에 다
니는 영남이라는 남동생을 둔 화자, 즉 제사(製糸)공장의 여직공인 누이 등

셋이서 가난하게 살아간다. ②하루는 오빠가 공장에서 뒤늦게 돌아와 말없이 권련만 피우다가, 별안간 문지방을 때리는 쇳소리와 구둣발 소리 끝에 어디론가 잡혀간다. ③그 뒤 용감한 오빠가 감옥에 수감되고 그 친구들 이야기가 세상을 시끄럽게 하면서, 그에 연루되어 순이와 영남이는 공장에서 쫓겨나고 봉투 붙이는 일로 연명해 간다. ④그러던 중 영남이가 담배의 독기를 맡으면서 고생 끝에 사 왔던 거북 무늬 질화로가 깨어져서 그것을 그렇게 끔찍이 아끼던 오빠가 상심할 것을 생각하며 마음 아파한다. ⑤그렇지만 화젓가락처럼 오두마니 남은 누이와 동생은 감옥의 오빠에게 새 솜옷을 차입하기 위해 봉투를 열심히 붙이며 미래에 대해 낙관적인 전망을 피력한다는 내용이라고 하겠다.

여기에서도 노동사상과 계급사상이 바탕을 이루면서 아울러 가족애가 덧붙여져 있다. 특히 고아의식이 하나의 중요한 매개고리로서 작용하는 것이 주목할 만하다. 말하자면 부모 상실로 상징되는 국권 상실이 중요한 모티브가 된다는 뜻이다. 온갖 수탈과 질곡으로 가득찬 일제강점하의 주권 박탈 상황이 고아의식으로 반영돼 있다는 말이다.

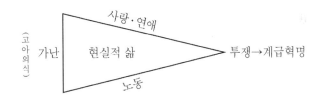

이것을 도표로 정리해 보면 위와 같다.

그런데 여기에서 '화로'의 상징적 의미가 드러난다. 한 마디로 화로란 그 안에 불씨를 간직하며 열과 빛의 표상이 된다는 점에서 삶의 둥지 또는 공적 차원에서의 주권 또는 국가라는 틀을 의미한다고 하겠다. 따라서 화로가 깨어진다는 것은 민족적 주권 또는 국권 상실의 상황을 날카롭게 상징할 수 있다. 이들 부모 잃은 고아로서 노동으로 살아가는 오뉘들이 그토록 화로를 애지중지하던 까닭도 결국은 화로가 마지막 남은 민족혼의 한 표상으로 작용하기 때문이라고 할 것이다. 그러기에 "화로는 깨어져도 화젓가락은 기(旗)ㅅ대처럼 남지 안았세요"라는 구절을 통해서 비록 화로는 깨어졌지만 깃대처럼 남아있는 화젓가락을 매개로 하여 민족의식을 확인하고 그것을 지키기 위해 지속적으로 투쟁하겠다는 뜻을 강조한 것이다.

이렇게 보면 이 시는 계급의식과 함께 민족의식을 표출하고 있다고 하겠다. 민족모순과 계급모순을 일제강점하의 기본 모순으로 인식하여 그의 해방을 갈망하는 뜻이 담겨 있다는 말이다. 그렇지만 여기에서 민족모순의 문제가 핵심으로 놓여지지 않고 계급모순이 주로 강조된 것은 문제가 아닐 수 없다. 무엇보다도 민족적 주권이 박탈된 상황에서 민족해방이 급선무이자 지상명제임에도 불구하고 그에 대한 명확한 목표설정이나 실천적인 노력이 없이 계급투쟁노선만을 표출한 것은 관념적인 프로 인텔리겐차의 한계를 드러낸 것이라고 할 수 있기 때문이다. 실상 임화(林和)가 이후 민족투쟁과 계급투쟁을 탄력 있게 결합하기보다는 시 「우산 받은 요코하마부두」와 같이 프롤레타리아트들의 국제적 연대감을 강조하는 쪽으로 떨어져 버리고 만 것이 이의 한 예증이 된다고 하겠다.


## 4. 현해탄 콤플렉스, 그 운명의 표정성

한편 임화(林和)는 카프가 해산된 뒤에는 주로 상징적인 시를 쓰게 된다. 「오오, 이제는 없는가? 암흑(暗黑)의 이외에」와 같이 당대를 암흑의 시대로 파악하는 부정정신과 비극의 정신이 상징적으로 드러나는 것이다. 특히 일제하의 절망적인 상황에서 "이 바다 물결은/예부터 높다/오오! 현해탄(玄海灘)은/우리들의 운명(運命)과 더불어/영구(永久)히 잊을 수 없는 바다이다"(시 「현해탄(玄海灘)」에서)라고 현해탄을 노래하여 한국과 일본의 운명적 거리 또는 한국인의 부정적인 외래지향성을 예리하게 적출해 낸 것은 흥미로운 일이 아닐 수 없다. 이것을 이름하여 한 탁월한 평론가는 '현해탄(玄海灘) 콤플렉스'라고 부르기도 한 바 있기 때문이다.

해방이 되면서 임화는 문학작품 창작보다는 정치 운동에 투신하게 된다. 일제 말의 친일 훼절을 만회하기라도 하려는 듯이 그는 문단의 전면에 서서 이른바 인민성에 기초한 민족 문학 건설이라는 기치를 내걸고 다시 계급주의 문학운동에 적극 뛰어들게 되는 것이다. 말하자면 임화(林和)는 내면 공간의 진실탐구로서 문학의 길이 아니라 남로당계의 핵심 문인으로서 문단조직과 정치 활동의 길로 접어들게 됨으로써 결과적으로 비극적인 결말을 맞이하게 됐다는 뜻이다. 그래서 시도 "아아 깃발 타는 깃발/열스물 또 더 많이 나부끼고/민중(民衆)의 깃발/붉은 깃발은"(「길」에서)처럼 선동선전성으로 떨어져 버리고 말았다.

일제강점기로부터 해방공간에 이르기까지 문단의 주요 지도자로서, 유능한 시인으로서 평론가로서의 임화는 이제 내면의 길을 잃고 정치가의 길로 접어들면서 북행(北行)이 이뤄지고, 마침내 북(北)에서의 권력투쟁에서 패배함으로써 분단 이래 오랫동안 남(南)과 북(北)에서 실종돼 있었던 것이다.

문학의 길, 그것은 결국 인간탐구의 길로서 삶의 문제를 근본 테마로 하되 어디까지나 높은 예술성과 내면적 진실을 탁월하게 꿰뚫어내야 한다는 깨달음을 보여준 셈이다. 진정한 휴머니즘의 실천 의지 속에 정치적 상상력이 녹아들어서 예술적 상상력으로 고양될 때 비로소 문학다운 문학의 길이 열리게 된다는 교훈을 그의 비극적인 운명의 궤적 속에서 비로소 발견하게 된다는 말이다.

# 유이민(流移民) 문학의 한 표정, 이용악

## 1. 슬픈 민족사, 변두리의 삶

　"북쪽은 고향/그 북쪽은 여인(女人)이 팔려간 나라/머언 산맥(山脈)에 바람이 얼어붙을 때/다시 풀릴 때/시름많은 북쪽 하늘에/마음은 눈감을 줄 모르다"(「북(北)쪽」전문)라면서 이 땅의 어두운 역사, 슬픈 현실과 고향을 노래하던 월북 시인 이용악(李庸岳, 1914~1971), 그는 개인적인 생활 체험을 사회의식으로 고양시키는 데 탁월한 능력을 보여준 30년대 시인의 한 사람이다.

　그는 국토의 최북단인 함북 경성, 두만강가에서 소금 밀수업을 하던 가정에서 태어나서 노동을 하며 1935년 『신인문학』지에 「패배자의 소원」을 발표하면서 문단 활동을 시작하였다. 그야말로 "아아, 무사히 건넛슬가/이 한밤에 남편은 두만강(豆滿江)을 탈업시 건너슬가?//저리 국경강안(國境江岸)을 경비(警備)하는/외투쓴 거문순사(巡査)가/왔다— 갓다— /오르명 내리면 분주히 하는데/발각도 안되고 무사히 건넛슬가?//소곰실이 밀수출마차(密輸出馬車)를 띄어노코/밤새가며 속태이는/젊은 아낙네/물네 젓든 손도 맥(脈)이 풀려져/파! 하고 붓는 어유(漁油)등잔만 바라본다/북국(北國)의 겨울밤은 차차 깁허가는데"(김동환의 「국경의 밤」 1절)라는 북방 변두리 소외계층의 어두운 삶의 분위기에서 시 세계가 싹트고 자라난 것이다. 당대 일제강점기의 민족적 수탈과 억압에 시달리면서, 국경 부근의 밀수업자 가정에서 온갖 가난과 소외를 겪으면서 성장했기 때문에 그의 시에는 그만큼 어두운 가족사적 체험과 함께 비관적인 사회인식이 두드러지게 나타난다.

우리집도 안이고
일갓집도 안인 집
고향은 더욱 안인 곳에서
아버지의 침상(寢床)없는 최후(最後)의 밤은
풀벌렛소리 가득차 잇섯다

노령(露領)을 단이면서까지
애써 자래운 아들과 딸에게
한마디 남겨두는 말도 업섯고
아무을만의 파선도
설룽한 니코리스크의 밤도 완전히 이즈섯다
목침을 반듯이 벤채

다시 뜨시잖는 두 눈에
피지 못한 꿈의 꽃봉오리가 깔안ㅅ고
어름장에 누우신듯 손발은 식어갈 뿐
입술은 심장의 영원한 정지(停止)를 가르쳤다
때 느진 의원(醫員)이 아모말 업시 돌아간 뒤
이웃 늙은이 손으로
눈빛 미명은 고요히
낫츨 덥헛다

우리는 머리맛헤 업디여
잇는대로의 울음을 다아 울엇고
아버지의 침상(寢床)업는 최후 최후(最後)의 밤은

풀벌렛소리 가득차 잇섯다

―「풀벌렛소리 가득차 잇섯다」전문

　이 시에는 이용악의 가족사적 체험이 선명하게 드러나 있다. 그것은 아라사국경을 넘나들며 밀수로 생계를 이끌어가던 불우한 아버지의 객사에서 비롯된다. 아버지의 죽음은 이 가난한 가족에게, 특히 어린 자식들에겐 하늘이 무너짐과 다를 바 없다. 그나마의 가난한 삶도 제대로 꾸려갈 수 없게 될 것이 자명한 이치이다. 이처럼 아버지의 불안한 삶과 불우한 죽음은 어린 시인에게 불안과 좌절, 갈등과 방황이라는 내적·외적 상처를 던져주었으며, 이러한 불안의식과 상실의식은 이후 그의 시에 어두운 그림자를 음각해 주었다. 그러기에 그의 많은 시에는 생활고로 인한 어두운 삶의 편력이 다양하게 제시된다.


주름잡힌 이마에
석고(石膏)처럼 창백한 불만이 그윽한 나를
거리의 뒷골목에서 만나거던
먹엇느냐고 묻지말라
굶엇느냐곤 더욱 묻지말고

―「나를 만나거든」부분


부두(埠頭)의 인부꾼들은
흙을 씹고 자라난듯 꺼머틱틱했고
시금트레한 눈초리는
푸른 하늘을 쳐다본적이 없는것 갓했다
그 가운데서 나는 너무나 어린
어린 노동자였고

―「항구(港口)」부분

너는 어미 없이 자란 청년
나는 애비없이 자란 가난한 사내
우리는 봄이 올 것을 믿었지
식아
너는 때때로 피를 토하는 슬픈 동무였다
　　　　－「너는 피를 토하는 슬픈 동무였다」부분

시 ①에는 빈곤과 궁핍상이 먹이라는 생존권의 문제로서 제기돼 있다. "먹었느냐고 묻지말라/굶었느냐곤 더욱 묻지말고"라는 구절 속에는 처절한 굶주림체험이 담겨져 있는 것이다. 시 ②에는 부두에서의 노동 체험이 드러나 있다. 고난과 궁핍으로 인해 어린 나이에 부두노동에 종사하지 않으면 안 되는 비참한 상황이 제시된 것이다. 이러한 노동 체험은 그로 하여금 계급적 각성을 가져다준 계기가 됐다고 하겠다. 실상 그가 일본에서 노동으로 생활하면서 상지대 신문학과 야간부를 졸업한 것도 이러한 궁핍한 형편을 반영하는 사실이리라. 시 ③에는 고아의식이 드러나 있다. 박탈과 결여로서의 고아의식은 '너'와 '나'의 문제, 즉 공동체 의식으로 보편화돼 있는 특징이다.


## 2. 궁핍화와 유이민의 삶

가난한 생활과 그로 인한 노동행위와 고달픔도 결국은 부모 상실로부터 비롯된 것이다. 그리고 이러한 부모 상실은 결국 일제의 한반도 강점과 수탈에 기인하는 것이라는 현실 인식이 그 바탕에 깔려 있는 것이다. 바로 이 지점에서 개인적인 체험, 가족사적인 시의 영역이 이웃과 사회, 민족사적인 차원으로 확대되게 된다. 가난과 시련은 어느 한 가족의 문제만으로 그치는 게 아니라 당대의 보편적인 삶의 양상, 민족적인 삶의 모습으로 상승되는 것이다. 바로 여기에서 가난으로 얼룩진 사람들의 야반도주 또는 고향 탈출, 즉 유(流)·

이민(移民) 문제가 대두할 수밖에 없다.


　　날로 밤으로
　　왕거미 줄치기에 분주한 집
　　마을서 흉집이라고 꺼리는 낡은 집
　　이집에 살았다는 백성들은
　　대대 손손에 물래줄
　　은동곳도 산호 관자도 갖지 못했니라

　　재를 넘어 무곡을 단이던 당나귀
　　항구로 가는 콩시리에 늙은 둥글소
　　모두 없어진지 오랜
　　외양깐엔 아직 초라한 내음새 그윽하다만
　　털보네 간곳은 아무도 몰은다

　　찻길이 뇌이기 전
　　노루 멧돼지 쪽제피 이런것들이
　　앞뒤 산을 마음 놓고 뛰여단이던 시절
　　털보의 셋째 아들은
　　나의 싸리말 동무는
　　이집 안방 짓두광주리 옆에서
　　첫울음을 울었다고 한다

　　"털보네는 또 아들을 봤다우
　　송아지래두 붙었으면 팔아나먹지"

　　마을 아낙네들은 무심코
　　차그운 이야기를 가을 냇물에 실어 보냈다는
　　그날밤
　　저릎등이 시름시름 타들어가고

소주에 취한 털보의 눈도 일층 붉더란다

갓주지 이야기와
무서운 전설 가운데서 가난 속에서
나의 동무는 늘 마음조리며 잘았다

당나귀 몰고 간 애비 돌아오지 않는 밤
노랑고양이 울어울어
종시 잠 이루지 못하는 밤이면
어미 분주히 일하는 방앗간 한구석에서 나의 동무는
도토리의 꿈을 기웠다

그가 아홉살 되든 해
사냥개 꿩을 쫓아단이는 겨울
이집에 살던 일곱식솔이
어데론지 살아지고 이튿날 아침
북쪽을 향한 발자욱만 눈우에 떨고 있었다

더러는 오랑캐영 쪽으로 갔으리라고
더러는 아라사로 갔으리라고
이웃 늙은이들은
모두 무서운 곳을 짚었다

지금은 아무도 살지 않는 집
마을서 흉집이라고 꺼리는 낡은 집
제철마다 먹음직한 열매
탐스럽게 열던 살구
살구나무도 글거리만 남았길래
꽃피는 철이 와도 가도 뒤울안에
꿀벌 하나 날아들지 않는다

— 「낡은 집」 전문

이 시는 이용악의 제2시집 『낡은집』(동경 삼문사 간(刊), 1938)의 표제시이다. 그만큼 비중을 차지한다는 말이다. 이 시집은 첫 시집 『분수령(分水嶺)』(동경 삼문사 간(刊), 1937)에서의 가족사 내지 개인사 문제가 사회사적 차원으로 이끌어 올려져 있는 게 특징이다. 특히 시 「낡은집」은 그 특성이 단적으로 드러난다.

여기에서 문제가 되는 것은 사람 자식을 낳는 일이 송아지를 낳는 일보다도 못하다고 하는 처절한 당대 궁핍상의 제시이다. 더구나 "그가 아홉살 되든 해/사냥개 꿩을 쫓아단이는 겨울/이 집에 살던 일곱식솔이/어데론지 살아가고 이튿날 아침/북쪽을 향한 발자욱만 눈우에 떨고 있었다"라는 구절처럼 농촌빈민의 유이민화(流移民化)는 주목을 요한다고 하겠다. 이러한 참담한 궁핍과 야반도주의 문제는 어느 특정 가족의 일만이 아니다. 1930년대 이 땅 농촌의 분해과정, 즉 자작농에서 소작농으로, 다시 고용농(머슴)으로 도시 빈민으로 흘러들고, 다시 화전민이나 타국으로 유이민이 되어 흘러가는 모습을 반영한 보편적인 시대 현실임에 분명하다.

실제로 "식민지의 농업구조 전체가 식민모국에의 값싼 식량을 공급하도록 짜여졌기 때문에 곡가는 풍·흉년을 막론하고 적자영농에 허덕이지 않을 수 없었으며……중략……결국 파산해서 이른바 '야반도주'를 하지 않을 수 없게 되고 그렇게 되면 유랑민이 되거나 화전민이 되며, 도시로 나가서 품팔이꾼이 되거나 심한 경우 걸인으로 전락하지 않을 수 없었다"라는 지적1)이 그 한 논증이 될 것이다. 그만큼 이 시에는 궁핍과 수탈에 시달리는 민족의 참상이 리얼하게 제시됐다고 하겠다.

---

1) 강만길, 『한국현대사』(창비, 1984), 58~59쪽.

## 3. 역사의 수난과 슬픈 운명의식

그러기에 이러한 처참한 궁핍상과 그로 인한 유랑민화는 민족사의 차원으로 확대·전이되면서 역사의식을 분출하게 된다.

①북쪽은 고향
그 북쪽은 여인(女人)이 팔려간 나라
머언 산맥(山脈)에 바람이 얼어붙틀 때

다시 풀릴 때
시름만혼 북쪽하늘에
마음은 눈감을 줄 몰으다
　　　　　　　　　　　－「북(北)쪽」전문

②－ 긴 세월을 오랑캐와의 씨홈에 살았다는 우리의 머언 조상들이 너를 불러 「오랑캐꽃」이라 했으나 어찌보면 너의 뒤ㅅ모양이 머리태를 드리인 오랑캐의 뒤ㅅ머리와도 같은 까닭이라 전한다－

안악도 우두머리도 돌볼새 없이 갔단다
도래샘도 띳집도 버리고 강건너로 쫓겨갔단다
고려장군님 무지무지 쳐두러와
오랑캐는 가랑잎처럼 굴러갔단다

구름이 모혀 골짝 골짝을 구름이 흘러
백년이 몇백년이 뒤를 니어 흘러 갔다

너는 오랑캐와 피 한방을 받지 않았건만
오랑캐꽃
너는 돌가마도 텔메투리도 모르는 오랑캐꽃
두팔로 햇빛을 막아줄께

울어보렴 목놓아 울어나보렴 오랑캐꽃

-「오랑캐꽃」 전문

이 두 편의 시에는 이용악의 역사의식이 선명히 드러나 있다. 그것은 수난과 쫓김으로서의 역사인식이며, 비관적 세계인식이라고 하겠다.

먼저 시 ①에서는 외적의 침탈과 그로 인한 '팔려감', 즉 수난과 역경으로 점철된 민족사를 형상화하고 있다. "머언 산맥에 바람이 얼어붓틀 때/다시 풀릴 때"라는 구절 속에는 수난과 인고로 점철된 민족사의 슬픈 애환이 아로새겨져 있는 것이다. '얼어붓틀 때'와 '다시 풀릴 때'의 대조 속에 고난의 세월, 수난의 역사로서 민족사의 영욕이 선명히 아로새겨져 있는 것으로 해석되기 때문이다. 그러기에 "시름만흔 북쪽 하늘에/마음은 눈감을 줄" 모를 수밖에 없는 것이다.

시 ②에서도 마찬가지이다. 그의 제3시집 『오랑캐꽃』(어문각간(刊), 1947)의 표제시인 이 작품에는 수난과 역경으로서의 민족사에 대한 연민과 애정이 깃들여 있는 것이다. "긴 세월을 오랑캐와의 전쟁에 살았다는 우리의 머언 조상들"에서 보듯이 싸움과 그로 인한 고난의 역사로서 민족사를 바라본다는 말이다. 시 「북(北)쪽」에서 "여인(女人)이 팔려간"처럼 싸움과 쫓겨감으로써 역사적 수난의 삶이 제시돼 있는 것이다. 실상 이러한 '싸흠, 쫓겨남, 팔려감'이라는 사건 정황은 오랑캐들에게만 해당되는 것이 아니다. 그것은 일제에 시달리며 그들과 싸흠을 전개하고 있던 일제강점기의 당대 상황과 긴밀한 대응을 이루는 것이다. "울어보렴 목놓아 울어나보렴 오랑캐꽃"이라는 결구 속에는 아무 지은 죄 없이 '오랑캐꽃'이 되어버리고 만 오랑캐꽃을 통해 수난의 민족사에 대한 연민을 담고 있음이 분명하다. 이 점에서 '오랑캐꽃'은 이민족과의 전쟁과 그로 인한 온갖 수난과 궁핍 속에 살아가면서 죄없이 죄지은 것처럼 살아가는 이 땅 민족의 운명, 민중의 운명을 표상한 것으로 해석할 수 있겠다.

## 4. 민족의 운명, 예술의 운명

이처럼 이용악의 시는 시의 서정 공간 속에 민족의 삶 또는 민중의 운명이라는 서사성을 담아 보여주었다는 점에서 주목에 값하는 것이다. 문학의 사회화 내지 문학의 역사화라고 하는 문제를 계급의식의 관점이 아닌 서정성과 서사성, 역사성과 영원성의 결합을 통해서 형상화하려고 노력한 것이다. 바로 이 점에서 일제강점기 이용악 시의 의미가 드러난다고 하겠다.

그렇지만 그의 시는 해방이 되면서 크게 변모하기 시작한다. 그는 광복 후에 해방 전에 쓴 시를 모은 제3시집 『오랑캐꽃』과 해방 이후에 쓴 시를 함께 묶은 제4시집 『이용악집(李庸岳集)』(동지사(同志社), 1949)을 펴낸다. 그는 해방이 되자 "나라여 어서 서라/맘놓고 좋은 글 쓸 수 있게/나라여 어서 서라/그리운 이들 너무 많구나/목이랑 껴안고/한번이사 우리도 보게/좋은 나라여 어서 서라"(「소원」 부분)라고 하여 새 조국 건설에의 꿈을 노래한다. 그러나 그는 문학가 동맹에 가입하면서 좌편향성을 드러내고, "꼼민딴뜨와 인민위원회와/새로 생긴 주막들이 모여 앉은/쬐그마한 거리 가까운 언덕길에서/시장끼에 흐려가는 하늘을 우러러/바삐 와야할 밤을 기대려"(「38도에서」 부분)와 같은 정치적인 시들을 쓰게 된다. 그리고는 사회주의 이념선택과 함께 북(北)쪽에 고향과 가족을 둔 이유도 겹쳐서 끝내 제3차 월북파로서 6·25동란 중에 입북하게 된 것이다.

월북한 이후 그의 문학은 계급의식에 함몰되어 "삐빨이 섰다 집마다 산마다 산머리우에 헐벗고 굶주린 사람들의 피빨이 섰다"라는 시 「나의 기관구」처럼 당성, 노동 계급성, 인민성의 원칙에서 계급적 색채에 물든 증오와 적개심의 시를 쓰게 된다. 예술 본래의 미적 기능을 상실하고 이데올로기화해 감으로써 문학적 진실성과 예술성을 감쇄해 가게 되고 만다. 그의 문학이 지닌 성공과 실패의 궤적은 문학이 내용적인 사회성과 표현에 있어서의 형식적인 자율성이 변증법적으로 통합되고 고양되는 데서 문학의 생명이라 할 진실성이 배태되고 예술성이 확보될 수 있다는 소중한 깨달음을 던져준다고 하겠다.

이렇게 보면 이용악의 시는 일제강점과 분단상황에서 안주할 곳 없는 불행한 사람들의 운명을 슬프면서도 힘차게 노래한 점에서 의미를 지닌다고 하겠다.

# 유랑의 삶과 생활서정, 안용만

## 1. 압록강과 아라가와강(江)의 거리

"눈 속에도 싹은 트리라! 내 고향 북국(北國)에도 유빙(流氷)이 흘러흘러/젊은 꽃들아 네들의 향물은 덮이운 얼음장을 깨치려 가슴의 입김으로 넘치게 흘러라"(「꽃 수놓던 요람(搖籃)」에서)라고 노래하면서 식민지 종주국 일본 땅에서 압록강변 고향 땅을 그리워하며 봄이 오기를 갈망하던 노동자 시인 안용만(安龍灣, 1916~?), 그는 일제강점 당시 일본에서의 생활 체험 특히 노동 체험을 형상화한 특이한 노동자 시인이라고 하겠다.

일찍이 "세살 먹은 갓난애쩍……살곳을 찾어 북국(北國)의 고향을 등지고 현해탄(玄海灘)에 눈물을 흘리며 가족 따라 곳곳을 거쳐 대인 곳"으로서 일본 땅은 고향 땅 슬픈 반도에서 삶의 근거를 잃고 떠나온 유이민(流移民)에게는 삶의 새로운 터전이자 또 다른 고향일 수밖에 없음이 분명하다. 실제로 "1930년대에만 하더라도 만주 유이민이 100만, 연해주 50만이나 되었고, 해마다 약 10만 정도가 일본노동시장으로 흘러들어 갔으며 걸인도 16만 명이나 되었다[1]"라는 지적에서도 보듯이 고국 땅에서 삶의 근거를 잃고 새로운 삶의

---

1) 강만길, 『한국현대사』, 창작과비평사, 1984, 100~101쪽.

터전을 찾아 낯설고 물설은 이국땅을 찾아간 동포가 헤아릴 수 없이 많았던 것이다. 이들 유이민 동포들은 대다수가 일용근로자로서 막노동에 종사하는 등 정처 없이 떠돌며 뿌리뽑힌 자의 삶을 영위할 수밖에 없었다. 안용만 역시 이러한 노동 유이민의 한 사람이었던 것으로 보인다.

## 2. 경계인(境界人)의 삶, 유이민(流移民)의 삶

1916년 압록강변 국경 마을에서 태어나 신의주 보통학교를 마친 것이 유일한 학력인 그로서는 노동 이외에는 특별한 직업을 갖기 어려웠을 것이 분명하다. 말하자면 그는 별다른 학력이나 정규 문학 수업이 없었으면서도 1935년 『조선일보』 신춘문예에 「저녁의 지구(地區)」가, 역시 같은 해에 『조선중앙일보』에 「강동(江東)의 품」이 당선되어 문학 활동을 시작한 우리 시사 초유의 노동자 시인에 해당한다고 하겠다. 그러면서도 일제하 그의 시에는 전투적인 계급의식이나 선동선전성이 두드러지지 않고 서정성과 생활 감각이 잘 드러나는 것이 특징이다. 고국에 대한 향수와 노동의 고달픔이 전원서정과 결합하면서 건강한 생활서정시의 모습을 형성하고 있는 데서 특이한 프로서정시의 한 변경을 개척하고 있다는 말이다.

> 가장 매력있는 지구(地區)였다. 강동(江東)은……
> 남갈(南葛)의 낮은 하늘을 옆에 끼고 '아라가와'(荒川)의 흐릿한 검푸른 물살을 안은 지대(地帶)다
> 수천각색 살림의 노래와 감정이
> 먼지와 연기에 쌓여 바람에 스며드는 거리……이곳이 내 첫 어머니였다.
>
> 내가 사랑턴 지구─강동……'아라가와'의 물이어!

세살먹은 갓난애적……살곳을 찾아 북국(北國)의 고향을 등지고
현해탄(玄海灘)에 눈물을 흘리며 가족 따라 곳곳을 대인 곳이 너의 품
이었다
  누더기 '모멩' 옷 입고 끊임없이 '싸이렌'이 하늘을 찢는 소란한 거
리 빠락에서
  맨발벗고 놀 때 '석양의 노래'를 너는노을의 빛으로 고요히 다듬어
주었다.

  아빠 엄마가 그 '콩쿠리'담 속에서 나옴을 기다리며 나는 '아라가와'
의 깊은 물살을 바라보았다
  너는 내 어린 그때부터 황혼의 구슬픈 어려운 살림의 복잡한 물결
의 노래를 들려주었다.

  내가 컸을 때 강가에 시들은 풀잎이 싹트고 낮게 배회하든 검은 연
기틈에 따뜻한 볕이 쪼이는 봄!
  나는 '아라가와'의 봄노래가 스며드는 '금속'의 젊은 직공으로 '오야
지' - 그에게 키워 당부임(當富任)에까지 올랐다. 곤란한 몇해를 겪어
서.

  강동……'아라가와'의 흐름이어!
  네, 봄의 따뜻한 양광(陽光)에 포만된 노래를 가득히 싣고 흐르는
푸른 얼굴을 바라볼 때
  몇번 - 보지 못한 반도강산(半島江山) 그리고 고향의 북쪽하늘ㅅ가
멀리……얄루(鴨綠)강의 흐름을 그리었는지 너는 안다
  너는 잔디 위에 누워 약조 마칠 때 설움이 마음으로 속삭이던 고향
의 이야기를 깨어지는 물거품에 살아간다.

  가장 매력있는 지구(地區)였다. 강동(江東)은……그리하야 지구(地
區)를 전전키두 몇 번 중부(中部), 성남(城南), 성서(城西)로 - 성서(城
西)의 사절(四節)을 아름답게 물들이는 '무사시노'(武蔣野) 벌판도 네
살림의 물결! 어머님 품인 '아라가와'에는 비할 수 없었다.

'아라가와'여! 네 상류─ 물살에 단풍이 낙엽지고 우리들의 지낸날의 일을 추억의 품 속에 되풀이하던 가을날
　나의 갈 곳은 고향─ 얄루강반(江畔)으로 결정되었다
　내 일생의 기록의 '페이지'에서 사라지지 않을 그날 나는 너를 버리었다.

　그리하야 수평선 아득한 현해(玄海)의 해협을 건너
　고향의 산천도 바라볼 틈 없이 '베르트'의 반주 속에 너의 그리움의 노래 기쁨과 설움의 '멜로디'를
　내 '아라가와'여! 오늘은 어떤 동무가 가뿐 숨을 쉬이며 고요히 네 노래에 귀를 기울일지
　너는 언제나 근로자의 가슴에서 버림받지 않으리라 네 어깨 위에 제비가 날겠지……

　광막한 대륙의 한 모통이에 끼인 반도(半島)에도 봄이 찾어왔다
　얄루강도 녹아 뗏목이 흘러나린다
　강산에 뻗힌 젖가슴 속에 꿈을 깨며 자라나는
　처녀지의 기록을 따뜻한 품 속에 안어 주려고
　오! 강동이여! 나는 회상 속에 불길을 이루어간다.
　　　　　　　　　　　　　　　　　─「강동(江東)의 품」전문

　　"생활(生活)의 강(江) '아라가와'여"라는 부제가 붙은 이 시는 안용만의 데뷔작이면서 동시에 한 대표작에 해당한다. 이 시는 일반적인 프로 계열의 시들처럼 하나의 이야기를 담고 있다는 점에서 전형성을 지닌다. 여기에서의 이야기는 대체로 ①살기가 어려워 고국 땅을 떠나 현해탄을 건너옴 ②낯선 땅 일본에서 공장지대인 아라가와강가에 자리를 잡고 정을 붙임 ③금속공장의 직공으로 열심히 일하여 살아가고자 함 ④뿌리내리기 어려운 삶, 고난의 연속 속에서 반도의 고향을 그리워함 ⑤떠돌이 삶 끝에 귀향을 결심함 ⑥그리던 고국 압록강변에 돌아와 살며 아라가와를 회상하고 그리워함이라는 내

용으로 정리할 수 있다.

　말하자면 혈육의 고향인 고국의 압록강변에 대한 본능적인 향수를 지니고 있으면서도, 어쩔 수 없이 자라나며 정붙여 살던 일본의 아라가와강가에 대한 그리움도 표출하는 이중(二重)의 향수가 이 작품의 모티브가 되고 있는 것이다. "수천각색 살림의 노래와 감정이/먼지와 연기에 쌓여 바람에 스며드는 거리"로서 이국 아가라와강가의 실존적 풍정이 "광막한 대륙의 한 모퉁이에 끼인 반도(半島)에/얄루강(江)도 녹아 뗏목이 흘러나린다"라는 고국 압록강변의 혈연적 풍경과 겹쳐져 있는 데서 이 작품의 경계 지역 또는 주변부로서의 공간적 특징이 선명히 드러난다는 말이다.

　실상 이러한 고국과 타국이라는 이중적 삶 속에서 모순의 생활감정 또는 이율배반적인 향수를 지니며 살아가던 당대의 실향민(失鄕民), 유이민(流移民)들이 과연 얼마나 많았을 것인가? "강동……아라가와의 흐름이어!/네, 봄의 따뜻한 양광(陽光)에 포만(飽滿)된 노래를 가득히 싣고 흐르는 푸른 얼굴을 바라볼 때/몇번― 보지 못한 반도강산(半島江山) 그리고 고향의 북쪽 하늘ㅅ가 멀리……얄루(鴨綠)강의 흐름을 그리었는지 너는 안다"라는 구절 속에는 이처럼 이중적인 삶 또는 경계적(境界的)인 삶을 살아가던 수많은 유이민(流移民) 동포들의 슬픈 모습이 투영돼 있는 것이다. 망국민으로서의 고향 상실의 비애와 함께 실향민으로서의 향수가 "설움의 마음으로 속삭이던 고향의 이야기를 매어지는 물거품에 실어갔다"와 같이 아로새기고 있는 것이다. 그렇지만 이 시가 정작 말하려고 하는 것은 그러한 향수보다도 건강한 노동에의 의지 또는 왕성한 생활에의 욕구에 놓여진다고 할 수 있다.

　다시 말해서 뿌리 뽑힌 자로서의 망국민 또는 빈궁민으로서 소외계층이 삶에 대해 느끼는 강렬한 욕구와 의지가 자연의 강인한 생명력과 결부되어서 아름답게 형상화된 데서 이 시의 우수성이 돋보인다는 뜻이다. "누더기 '모멩' 옷 입고 끊임없이 '싸이렌'이 하늘을 찢는 소란한 거리 빠락에서/맨발 벗고 놀

때 '석양의 노래'를 너는 노을의 빛으로 고요히 다듬어 주었다"라는 구절에서 보듯이 고단한 삶의 현장과 아름다운 전원서정의 풍정이 함께 어우러져 있는 것이다. 실상 이 시가 일반적인 프로 계열의 시들과 선명히 구별되는 것도 바로 이러한 건강한 생활력의 분출이 아름다운 자연 서정으로 빛나고 있는 점에서 찾아볼 수 있다.

이른바 계급투쟁과 일방적인 적개심을 강조하는 '뼉다귀 슬로강의 프로시[2]'와는 달리 노동계급의 생활을 다루고 있으면서도 그것이 건강한 생활서정으로 고양돼 있는 점이 바로 그것이다. "삶/목숨/노동/설음/직공/곤란/눈물/거리" 등과 같은 살림살이와 "노래/강(江)/석양/들판/황혼/풀잎/양광(陽光)/제비/뗏목" 등의 자연서정이 함께 어우러져서 "자연과 살림의 아름다운 조화(調和)"를 이루고 있는 데서 이 시의 건강미가 돋보인다는 말이다.

특히 이 시에 '살림'이라는 시어가 반복되고 있는 것은 주목을 요한다고 하겠다. 그의 여러 시에서 몇 번씩이나 거듭 반복되고 있는 이 '살림'이란 시어는 이 시는 노동자의 삶을 다루고 있으면서도 노동자의 계급적 당파성을 주장하는 것이 아니라 삶의 실체성을 강조하는 데 초점이 놓여져 있는 것으로 풀이되기 때문이다. 일반적인 프로시들이 이념이나 맹목적 울분에 얽매여 구체적인 삶의 현장성 또는 생활의 알맹이를 놓치고 있음에 비추어 실제적인 삶의 모습으로서 '살림'을 강조하고 있는 것은 프로시의 내면 공간 확보를 위해 매우 중요한 일일 수밖에 없는 것이다.

더구나 이러한 '살림'의 강조가 "황혼의 구슬픈 어려운 살림의 복잡한 물결의 노래"나 "강가에 시들은 풀잎이 싹트고 낮게 배회하든 검은 연기 틈에 따뜻한 볕이 쪼이는 봄!" 등의 구절에서처럼 전원서정 또는 자연의 생명력과 결합돼 있다는 점에서 그 건강성이 돋보임은 물론이다. 아울러 이 시가 '흐릿한 검푸른 물살을 안은' 아라가와강(江)과 '강이 녹아 뗏목이 흘러 다니는' 압록

---

2) 김남천의 「임화에 관하야」, 『조선일보』, 1933. 7. 22

강(江)과 같이 서사적(敍事的) 배경을 지니고 있는 것도 보편적인 인류사의 이념에 비추어 특색있는 일이라고 할 것이다.[3)

## 3. 살림의 문학, 서정의 문학

안용만의 시는 이처럼 건강하면서도 아름다운 서정성을 조화시키는 살림의 문학으로서의 특성을 지닌다.

> 저녁의 지구(地區)는 소란하다
> 동쪽 평야(平野)의 어둠, 서산(西山)의 빨간 잔광(殘光)이 반사(反射)된 강물……
> 기우러진 황혼(黃昏)이 엷어간다
> 저녁짓는 소리에 십여 여편네들의
> 여덟시─ 기쁨의 「싸이렌」을 기다리는 가슴의 즐거움 정열(情熱)이 떠돈다
> 나의 약한 신경(神經)은 날카롭게 시달리었다
> 이름지골의 산림의 음향을 찾어 헤메였기로
> 어떻게 나의 가슴의 핏줄은 뛰고 감정(感情)의 물길이 높은 것인가
> 여편네들의 웃음소리에도 융기된 젖가슴에도 어린애들 코묻은 볼에도 뜨거운 노래가 굴러나온다
> 겨울의 차운 햇발이 넘어감이 길어지며
> 북국(北國)의 봄─
> 전에는 별들이 총총한 밤하늘에 찢던 고동이 황혼(黃昏)의 나라에 안기운다
> 자연(自然)과 살림의 아름다운 조화(調和)!
> 나는 홀린다. 보드라운 입김에 싸인 어여쁜 이 거리여!

---

3) 김윤식, 「문학장르와 인류사의 이념」, 『한국근대문학사상사』, 한길사, 1984, 495쪽.

나는 왔다. 저녁거리의 품이여!

나를 맞다고……

네 입김은 소생(蘇生)의 뜨거움같다

녹아지는 대지(大地), 속삭이는 바람

백은색(白銀色)의 연기……싹트는 네 입은 희망(希望)을 아뢰고

나는 네 품, 자연(自然)의 향기(香氣) 속에

노동자들의 가슴을 생각한다

새롭은 정열(情熱)로 끓으는 감정(感情)을

너는 따뜻하게 키워가는 것이지

여덟시 — 싸이렌!

……흐르는 파란 「나빠」복(服)의 떼

우스운 농지거리, 그 바람에 실려가는 생활(生活)의 노래, 이들을
안은 저녁의 거리, 사랑하는 품이여! 나를 맞다고……

생생한 정열(情熱)을 읊으려는 내 가슴은

저녁거리의 사랑에 터질듯이 뜨겁고나.

— 「저녁의 지구(地區)」 전문

　　이 시에는 '자연과 살림의 아름다운 조화'로서 안용만 시의 한 매력이자 시
적 지향점이 선명하게 드러나 있어서 관심을 끈다. 그야말로 1920년대 소월
(素月)이나 30년대 영랑(永郎)의 전원서정시와는 달리 생활서정시로서의 면
모를 확실히 한 것으로 이해되는 것이다.

　　이 시에서 그 뼈대를 이루는 것은 대략 세 가지 요소이다. 첫째는 "동쪽 평야
의 어둠, 서산(西山)의 빨간 잔광이 반사된 강물……/기울어진 황혼이 익어간다"
와 같은 전원서정의 아름다운 모습이다. 둘째는 "저녁짓는 소리에 섞여/여편네
들의 웃음소리에도 융기된 젖가슴에도 어린애들 코묻은 볼에도 뜨거운 노래가
굴러나온다"와 같은 건강한 생활 감각이자 생명력이다. 아울러 세 번째는 "나는
내품, 자연의 향기 속에/노동자들의 가슴을 생각한다/여덟시 — 싸이렌!/……흐

르는 파란 '나빠'복(服)의 떼/우스운 농지거리, 그 바람에 실려가는 생활의 노래/이들을 안은 저녁의 거리"와 같이 노동자들의 의욕적인 삶의 모습이 그것이다. 특히 이 세 번째 예의 경우에서는 '노동자의 가슴'이 '자연의 향기' 및 '생활의 노래' 등 앞에서의 두 가지 요소와 함께 어울린 게 특색이라고 할 것이다.

## 4. 분단의 비극적 운명

이렇게 보면 안용만의 시는 그야말로 '자연과 살림의 아름다운 조화'가 어느 정도 이루어진 성공적인 경우라고 하겠다. 실상 이러한 생활서정을 "엄마야 누나야 강변(江邊)살자/뜰에는 반짝는 금(金)모래빛/뒤문(門)박게는 갈닙의 노래/엄마야 누나야 강변(江邊)살자"라고 노래하던 소월(素月)의 전원서정이나 "내마음의 어딘듯 한편에 끝없는/강물이 흐르네//도처오르는 아츰날빗이 빤질한/은결을 도도네//가슴엔듯 눈엔듯 또 피ㅅ줄엔듯/마음이 도른도른 숨이잇는 곳//내마음의 어딘듯 한편에 끝없는/강물이 흐르네"라는 영랑(永郎)의 시 「동백닙에 빗나는 마음」과는 차이가 있는 것이 분명하다. 이러한 전원서정에 실제적인 살림의 무게 또는 노동자의 고달픈 가슴이 얹혀짐으로써 삶의 서정시로 육화돼 있는 것이다.

이처럼 안용만의 30년대 시들은 소외계층의 삶, 근로자의 삶을 다루면서도 그것이 일방적인 계급투쟁시나 구호시로 단순화되지 않고 건강한 전원서정과 결합되고 생활서정으로 고양됨으로써 바람직한 프로서정시의 한 변모를 보여준 것으로 판단된다. 그러나 안용만의 경우에도 분단이 되면서 고향이 있는 북으로 가서 이데올로기의 시, 정치의 시에 함몰되게 된다. 6·25에 종군하면서 「나의 따발총」 등을 통해 동포의 가슴에 따발총을 겨누는 등 민족분단의 고통을 적개심과 분노로서 표출하게 되는 것이다. 이 점에서 안용만은 분단의 비극으로 말미암아 예술성을 상실해간 불행한 운명의 한 모습임에 분명하다.

# 제3부

# 문학과 생명 · 고향 · 예술의식

# 만해와 장르 선택, 한용운

## 1. 만해(萬海)와 장르 선택

이 짤막한 논고에서 필자가 다뤄보고자 하는 것은 1910년대 논설 집필에서 시작된 만해의 문필 활동이 왜 ´20년대에는 『님의 침묵』이라는 시의 시대로, 다시 ´30년대에는 「흑풍」 등 장편소설 집필로 이동해 갔는가 하는 문제이다. 혹은 이 세 장르 유형이 각각 어떠한 특징을 지니고 있으며, 또한 그것들이 어떠한 상관관계를 지니고 있는가 하는 문제를 살펴보고자 하는 것이다. 실제로 이 문제는 만해가 당대의 뛰어난 논설가로서, 근대문학사상의 불세출의 시인으로, 또한 소설가로서 확고한 위치를 점하고 있다는 점에 비추어 뜻깊은 일이 아닐 수 없다.

만해의 저작은 불교 경전의 편술로부터 사적(史蹟), 사화(史話), 강술(講述), 번역, 주해, 논설, 평론, 시, 소설 그리고 수필에 이르기까지 다양하다. 또한 저술 기간도 『조선불교유신론(朝鮮佛敎維新論)』(1910. 탈고, 1913. 불교서관 간행)에서 시작되어 수필 『명사십리(明沙十里)』(1940. 5)에 이르기까지 약 30년간에 걸쳐 있다. 그러므로 만해의 저작을 시대순으로 살펴보면 그 사상과 생애의 변화 과정은 물론 문체 의식과 문예관의 변화까지도 감지해 낼 수 있는 것이다. 특히 논설과 시, 그리고 소설 집필은 만해의 생애사적 궤적과 함께 정신사적 변모 과정을 읽어낼 수 있는 좋은 단서를 제공해 줄 수도 있기 때문이다. 이 세 장르는 각각 1910년대, 1920년대, 1930년대의 작업을 상징적으로 압축해 주는 동시에 장르 선택에 따르는 저항의식의 굴곡을 선명히 드러내 주는 것으로 이해된다는 점에서 더욱 그러하다.

## 2. 1910년대, 논설 또는 투쟁의 시대

만해의 논설은 불교 논설로부터 독립투쟁 논설, 사회계몽 논설, 현실비판 논설, 수양 논설, 문학 논설 등에 이르기까지 여러 양식을 지닌다. 이 중에서 특히 중요한 것 두 가지는 불교 논설과 독립 논설이다. 불교 논설과 독립 논설이야말로 만해의 기본 사상이 선명히 드러나는 핵심적인 본령이라 할 수 있다. 이 두 가지 논설 가운데 각각 대표적인 것이라 할 수 있는『조선불교유신론』과 『조선독립에 대한 감상의 대요』(1919. 7)가 1910년대에 저술되었다는 점에서 1910년대는 가히 만해에 있어 '논설의 시대'라 일컬을 수도 있을 것이다.

먼저 불교 논설의 첫 출발은『조선불교유신론』에서 비롯된다. 1913년 간행된 이 논설은 만해 최초의 저술로서 '불교의 유신은 파괴로부터'라는 혁신적 선언으로부터 시작된다. 이조 오백 년간 침체의 그늘에서 벗어나지 못하고 있던 당대 불교의 중흥과 유신을 이루기 위해서는 과감히 종래 인습의 파괴와 민중 불교의 이념적 실천을 도모해야 한다는 이 주장은, 만해 사상의 출발점과 그 기저가 부정정신과 비판정신에서 비롯되고 있음을 말해 준다. 평등사상과 구세사상으로 요약할 수 있는 이『불교유신론』의 중심 사상은 만해 특유의 도도한 비판정신과 호응되어 당대 불교계에 신선한 충격을 불러일으켰던 것이다. 특히 이 논설에서 만해는 당대 불교와 승려들의 모습을 혼돈파(渾沌派), 위아파(爲我派), 소매파(笑罵派), 포기파(暴棄派), 대시파(待時派) 등으로 분류하여 통렬하게 매도하고 있다. 이것은 물론 30대 젊은 혈기의 만해가, 당대 불교가 뚜렷한 이념지향이나 현실 인식을 지니지 못하고 표류하는 데 대해 강력한 반발심을 표출한 것이다. 또한 당대 불교의 중흥에 대한 애정과 열망을 반영한 것이기도 하다.

그러나 이러한 반발과 비판의 기저에는 한일합방 이후 이 땅에서 전개되던 불합리한 식민통치와 가혹한 무단 정치에 대한 만해의 부정정신을 담고 있는 것으로도 해석된다. 젊은 만해에게 있어서는 무기력하고 퇴폐적·친일적 성향이 점차 고개를 들던 당대 불교의 타락한 일면에 대한 반발이 바로 일제의 침탈과 혹정에 대한 저항과 근원적 동일성을 지닐 수 있는 것으로 생각될 수 있기 때문이다. 다만 당대에 비교적 무명일 수밖에 없던 만해로서 우선 시도할 수 있는 저항은, 자기가 잘 알고 있던 불교에 대한 것이 직접적·구체적이면서도 또 손쉬울 수밖에 없었을 것이기 때문이기도 하다.

따라서 이『불교 유신론』을 저술하고 난 후부터 만해는 다시『불교대전(佛敎大典)』(홍법원(弘法院), 1914. 4. 20)을 편술하는 한편 전국 사찰을 순례하며 각종 궐기 대회를 통해 한일 불교 동맹 조약체결 음모 분쇄 운동에 직접적으로 참여하게 된다. 특히 이『불교대전』은『조선불교유신론』에 이어 간행된 불교에 관한 만해의 최대 저작에 속한다. 이『불교대전』은 당시 통도사에 수장된 1,511부 6,803권의 불경을 불교의 개혁과 근대화라는 관점에서 분류하고 요약한 팔만대장경의 한 축소판이었다. 이 불교대전을 저술·간행한 만해의 기본 취지는 불교의 혁신과 근대화에 있었지만 보다 근본적인 뜻은 불교의 대중화 운동에 있었던 것으로 보인다. 이『불교대전』의 범례에 있는 "일반인(一般人)의 역해보급(易解普及)을 위(爲)하야 선한문(鮮漢文)으로 간역(間譯)함/본전(本典)에 용(用)하는 선문(鮮文)은 역해(易解)를 주의(主義)로하야 현재(現在) 관습상(慣習上) 통용(通用)의 자음(字音)을 용(用)함"이라는 글은, 이『불교대전』저술의 근본 취지가 불경을 간이화하고 실용화함으로써 불교의 민중화라는 궁극적 목표를 실현하고자 하는 데 있음을 말해준다.

그러므로 만해는 차츰 불교에 국한된 논설 활동으로부터 일반 대중에 대한 계몽 논설 활동으로 이행해 가게 된다. 1918년 만해 스스로 편집 발행했던『유심(惟心)』지는 불교적 관심이 사회적·대중적 관심으로 변모하는 한 기점이 된다.

『유심』지에는「우담발화재현어세(優曇鉢花再現於世)」등의 불교 논설도 다소 싣고 있지만, 주로「조선 청년과 수양」,「전로(前路)를 택하여 진(進)하라」,「수양총화(修養叢話)」등 일반 대중을 위한 계몽 논설에 더욱 비중을 두고 있는 것이다. 불교의 개혁과 유신이라는 울타리를 넘어서서 자신이 처해 있는 당대 사회와 현실이라는 더 큰 세계에 발을 들여놓음으로써 평등과 구세의 실천이라는 대승적 이념을 따르고자 한 것이다. 따라서 만해가 민족의 불합리한 현실에 보다 관심을 집중하게 된 것은 자연스러운 결과이다. 이것은 바로 식민지 현실의 모순과 불합리성에 대한 부정과 항거로 나타날 수밖에 없을 것이다. 앞에서 살펴본 것처럼 불교 유신의 주장에 따르는 비판과 매도는 당대 식민지 현실에 대한 부정과 저항에 더 큰 뿌리를 둔 것이며, 이것을 예비하기 위한 신호탄으로 해석할 수도 있기 때문이다. 한 나라가 주권과 역사가 뚜렷한 다른 한 나라를 무력으로 빼앗고 폭력으로 지배한다는 것은 불교 사상의 핵심인 평등사상에 비추어 도저히 있을 수 없는 일이다. 따라서 이러한 불합리·모순의 식민지 현실로부터 벗어나는 길은 그에 대한 투쟁과 항거와 함께 스스로 민족의 자존성을 선창하고 독립을 되찾는 길밖에 없을 것이다. 이러한 독립투쟁에 앞장서는 길만이 평등정신을 실천하는 길이며 참다운 인간구원의 길이고 동시에 자유에의 길이 되기 때문이다.

이 점에서 만해는 3·1운동에 앞장서게 되고, 육당(六堂)의 화려한 수식에 가득찬「기미독립선언서」에 덧붙여 행동 강령으로서「공약삼장」을 추가하게 되는 것이다. 무엇보다 감옥에 투옥되어서도 끝까지 굴하지 아니하고 투쟁하는 한편, 독립운동의 이론적·사상적 배경으로서 세칭 「조선독립의 서(書)」를 집필함으로써 민족혼의 불멸함을 크게 선양한 것이다.

> 자유(自由)는 만유(萬有)의 생명(生命)이요 평화(平和)는 인생(人生)의 행복(幸福)이라. 고(故)로 자유(自由)가 무(無)한 인(人)은 사(死)해와 동(同)하고 평화(平和)가 무(無)한 자(者)는 최고통(最苦痛)의 자(者)라 압박(壓迫)을 피(被)하는 자(者)의 주위(周圍)의 공기(空氣)는 분묘(墳墓)로 화(化)하고 쟁탈(爭奪)을 사(事)하는 자(者)의 경애(境涯)는 지옥(地獄)이 되나니 우주(宇宙)의 이상적(理想的) 최행복(最幸福)의 실재(實在)는 자유(自由)와 평화(平和)라……하략(下略)……

이 글은 원래 1919년 7월 일제 검사장의 취조에 응해 옥중에서 작성된 것인바, 4개월 후인 1919년 11월 4일 상해 임시정부의 기관지인 『독립신문』 25호에 수록돼 있는 만해의 대표적 독립 논설이다. 자유, 평등, 평화사상과 민족자존·자강·조국애의 독립사상이 핵심으로 돼 있는 이 논설은 독립투쟁과 민족운동의 실천적 저항운동이 그 이론적·이념적 근거를 확실히 마련할 수 있게 해 준 데서 가장 큰 의미가 있다. "자유가 없으면 차라리 죽느니만 못하다."(『정선강의(精選講議) 채근담(菜根譚)』)에서도 볼 수 있는 이 자유사상이야말로 만해 사상의 핵심이며 그 근본 원리로서의 평등사상과 함께 만해 독립사상의 근본 바탕이 된다. 따라서 만해는 이 논설의 도처에서 "총독정치 이상으로 합병이란 근본 문제가 있었던 것이다. 다시 말하면 언제라도 합병을 깨뜨리고 독립 자존을 꾀하려는 것이 이천만 민족의 머리에 박힌 불멸의 정신"이라고 강조하는 등 일제 식민통치에 대한 직접적인 저항과 비판을 서슴지 않는 것이다.

무엇보다 총독 정치의 잘잘못이 문제가 아니라, 문제의 근원이 자유·평등한 주권국가로서 조선이 일본에 합병된 데 놓여져 있음을 직접적으로 비판한 것은 당대의 무단 정치하에서, 특히 당시 옥중에서 고통에 신음하던 만해로서는 초인적인 기개의 발현이 아닐 수 없다. 3년여에 걸친 온갖 영어의 고초 속에서도 끝내 굴하지 않고 자신의 주의 주장을 직접적으로 개진할 수 있었던 데서 만해의 살아 있는 정신으로서의 불멸의 저항정신과 민족혼이 드러나는 것이다. 자신이 주장하고 싶던 평등, 구세사상과 독립사상 등을 논설을 통해 직접적으로 드러냈다는 점에서 1910년대는 만해에게 있어 불교와 독립을 위한 투쟁정신에 근거를 둔 '논설의 시대'라고 부를 수 있을 것이다.

## 3. 1920년대, 시와 상징적 저항

1910년대가 불교사상 홍포와 독립사상 실천에 따르는 '논설의 시대'였다면, 감옥에서 출옥한 1922년 이후에는 사회계몽 운동에 헌신하는 한편 시 「무궁화 심으고저」(『개벽』27호, 1922. 9)를 발표함으로써 '시의 시대'로 접어들게 된다. 특히 불세출의 시집 『님의 침묵(沈默)』(1925. 8 탈고, 1926. 5 한성도서(漢城圖書) 간행)이 발표됨에 이르러서는 그 절정에 달하게 된다. 실상 만해는 그 이전에도 틈틈이 한시(漢詩)를 창작한 적이 있었고, 시의 형식을 취한 「심(心)」 등의 글을 『유심』지에 발표한 적도 있었지만 제대로 된 시는 1920년대, 출옥 후부터 창작·발표하기 시작한 것으로 보는 것이 옳을 것이다.

먼저 만해에게 있어 시는 세 가지 장르 유형을 지닌다. 한시와 시조, 그리고 현대시가 바로 그것이다. 한시는 현재 164수 정도가 전해지는데, 이것은 한일합방 전후인 1908년 경우로부터 회갑에 이르는 1939년경까지 약 30년간에 걸쳐 틈틈이 쓰여졌다. 그 내용 또한 사향시(思鄕詩), 상자연(賞自然)의 시, 선감각(禪感覺)의 시, 선열시(先烈詩), 옥중시(獄中詩) 등과 같이 직접적인 생활과정을 드러낸 것이 많다는 점에서 생활시적 성격을 지닌다. 즉 사향시는 만해의 인간적인 면모가, 상자연의 시는 전통적 선비 또는 고전시인으로서의, 선감각의 시는 불승(佛僧)으로서의, 선열시는 민족주의자로서의, 그리고 옥중시는 독립투사로서의 모습이 각각 드러남으로써 만해의 생활 역정과 인간상을 총체적으로 담고 있는 것이다.

시조는 한시와 현대시의 특성을 함께 갖춘 중간 장르로서의 성격을 지닌다. 시조는 그 근원이 되는 장르 의식이 전통 문학에 뿌리를 두고 있으며 생활 시적 면모를 지닌다는 점에서는 한시와 공통점을 갖고 있다. 한편 시조는 님의 표상성과 여성 주체가 나타난다는 점에서 또한 은유적 표현기법에 있어서는 현대시 「님의 침묵」과 연결되는 것이다. 이렇게 볼 때 35수 정도 발견될 시조는 독립적 특성보다는 한시와 현대시의 중간 장르로서 다분히 여기적·즉흥적 성격을 지니는 것으로 보인다.

그렇다면 생활시로서의 한시와 상대적인 위치에 놓여 있는 것으로 보이는 현대시 「님의 침묵」의 근본 성격은 어떠한 것인가 하는 문제가 제기될 것이다. 결론부터 먼저 말한다면, 그것은 상징시로서의 성격을 강하게 지닌다는 점이다. 상징시란 무슨 의미일까. 그것은 생활 과정을 직접적으로 반영하는 생활시와는 달리 그 시 속에 다양한 상징적 가능성을 내포함으로써 의미의 다양한 해석을 가능케 하는 종류의 시를 일컫는 말이다. 다시 말해 어떤 명제 또는 사상을 직접적·주장적으로 개진하는 것이 아니라, 상징적·암시적으로 알레고리화하는 시를 뜻하는 것이다. 그러면 「님의 침묵」의 어떤 점이 이러한 상징시로서의 특성을 드러내는 것이 될까 하는 문제가 핵심으로 놓여질 것이다. 시집 『님의 침묵』 88편은 이별하는 데서 시가 출발한다.

> 님은 갓습니다 아아 사랑하는 나의 님은 갓습니다
> 푸른 산빗을 깨치고 단풍나무 숩을 향하야난 적은 길을 거러서 참어 떨치고 갓습니다
> 황금(黃金)의 꼿가티 굿고 빗나든 옛 맹서는 차디찬 띄끌이 되야서 한숨의 미풍에 나러갓습니다

……하략……

—「님의 침묵(沈默)」 부분

　　시집 『님의 침묵』이 이별하는 데서 시가 시작된다는 것은 중요한 시사를
제공한다. 그것은 만해가 당대의 현실을 님이 떠나간 시대, 즉 부재의 시대 혹
은 침묵의 시대로 파악한 데서 비롯된 상징적 표현인 것이다. 국권 상실의 시
대, 식민지하의 빼앗긴 현실은 만해에게 님이 떠나버린 시대 혹은 신이 숨은
시대로 받아들여지게 된다. 이별은 연시(戀詩)로서 볼 때는 님의 상실이지만,
당대 식민지 현실에 비춰보면 주권의 상실로도 해석될 수 있는 가능성을 내
포한다.

　　그러나 더욱 중요한 것은 시집 『님의 침묵』이 이별 그 자체를 말하려 하는
데 핵심이 놓여지지는 않는다는 점에 있다. 또한 그것은 이별 뒤에 겪게 되는
고통과 슬픔을 노래하려는 것도 아니며, 고통 끝에 도달하게 되는 희망과 기
다림 그 자체에 있지도 않다. 시집 『님의 침묵』의 이별은 그것이 그러한 고통
과 절망 그리고 기다림을 넘어서서 마침내 만남을 성취하게 되는 만남의 시
또는 생성의 시라는데 중요성이 놓여진다. 실상 첫 번째 시 「님의 침묵」에서
'이별→이별 후의 고통→희망으로의 전이→만남의 확신'이라는 시적 변증법
적 과정이 그대로 88편의 전체 시집 『님의 침묵』에도 적용되는 것이다. 이별
은 어디까지나 부정적 현실 인식에서 비롯된 방법적 소멸의 의미를 지니는
것으로서, 이것은 더 큰 만남을 성취하기 위한 하나의 '무(無)의 통과 과정'으
로 해석할 수 있기 때문이다.

　　실상 시집 『님의 침묵』은 88편의 시가 극적 구성을 지닌 하나의 연작시로
볼 수 있다. 즉 첫 시 「님의 침묵」의 첫 구절, "님은 갓습니다"에서 시작되어
끝시 「사랑의 끝판」의 마지막 행, "네네 가요 이제 곳 가요"로 마무리되는 이
별과 만남의 존재론적 드라마인 것이다. 시집 『님의 침묵』은 전체적으로 보

아 '이별→이별의 슬픔과 고통→희망적 기다림→만남'에 이르는 '소멸 – 모순·갈등 – 생성'이라는 정·반·합의 변증법적 드라마를 형성하고 있는 것이다. 따라서 이별은 만남을 성취하기 위한 전제 조건이며, 생성의 존재 원리에 해당하게 된다. 이러한 원리는 그대로 당대 현실에도 적용될 수 있을 것이다. 국권 상실은 어디까지나 현상적 소멸에 불과한 것으로서 그것은 언젠가 더 새롭게 큰 의미의 광복을 성취하기 위해서 겪을 수밖에 없는 현실적 고통이며 역사적 시련으로 받아들여지는 것이다.

이 점에서 시집 『님의 침묵』은 다양한 해석을 이끌어 낼 수 있는 상징시로서의 성격을 지니게 된다. 「님의 침묵」은 이별이나 슬픔 그 자체를 노래한 시가 아니다. 오히려 이별에서 오는 절망과 갈등의 변증법적 모순과 시련을 겪고 난 다음 참다운 '님'의 의미와 만남을 새롭게 발견함으로써 빛나는 만남을 성취하려는 극복과 생성의 시인 것이다. 이렇게 볼 때 시집 『님의 침묵』은 당대 현실의 폭력적 억압으로부터 만해가 현실극복을 성취하고 역사의 새벽의 도래에 대한 확신을 상징적으로 제시한 예술작품으로 결론지을 수 있는 것이다. 어쩌면 이러한 상징시를 통한 보다 깊이 있고 높은 차원의 현실극복 노력은 1920년대 일제의 현실적 감시와 통제의 한 결과라고 할 수도 있겠지만, 그보다도 현상적인 모든 존재는 소멸과 생성을 되풀이하지만 그 불성(佛性)으로서의 본질은 변하지 않는다는 불교적 사상의 깊이에서 우러난 위대한 깨달음의 문학적 실천일 수 있다.

실상 이 점에서 1910년대 직접적 투쟁에 목표를 둔 실천적 행동과 그 표현인 논설의 시대로부터 ´20년대에 이르러서 상징시의 창작으로의 이행이 퇴행화한 만해 정신의 표현이 아니라는 점을 확인할 수 있게 한다. 1910년대가 논설에 의한 직접적·행동적 실천의지에 중점이 주어진 것이라면, 1920년대는 상징시의 창작을 통해 한층 차원 높은 정신적 투쟁을 문학적 이념으로 이끌어 올린 문학적 저항의 시대로서의 특성을 지니는 것으로 볼 수 있기 때문이다. 실상 ´20년대에도 만해는 신간회 경성지부장을 맡고 수많은 항일투쟁 계몽 강연을 수행하는 등 실천적인 저항운동을 중지하지 않은 데서 「님의 침묵」의 상대적 상징성이 확연히 드러나는 것이다.

## 4. 1930년대, 소설과 혁명의지

1920년대가 상징시를 통해서 문학적 저항운동을 전개한 시대라고 한다면 1930년대는 이 문학적 저항운동이 또 다른 변신을 맞이하게 되는 시대이다. 그것은 소설 창작을 통해서 보다 많은 민중 속으로 파고 들어가게 된 것을 의미한다. 만해가 ´20년대 중반에 시집 『님의 침묵』을 창작 간행하지만, 실상 이 시집이 성취한 참된 예술성과 치열한 저항성 그리고 깊이 있는 사상성을 당대에는 제대로 해석해낼 만한 비평적 수준이나 독자의 안목이 성장해 있지 않았던 것으로 보인다. 이때가 겨우 초기 시단이 형성되던 초창기 시단이었음도 이유가 될 수 있지만 당대의 주류가 계급주의 문학운동이었음에 비추어 「님의 침묵」에 깊이 있는 눈길을 던질 시대적 분위기도 되기 어려웠고, 당대의 요시찰 인물로서 만해의 문학에 주목하기도 실상 쉽지 않았을 것이기 때문이다. 이 점에서 만해는 저항 방식으로서 시의 한계를 뼈저리게 자각한 것으로 보인다. 따라서 만해는 논설처럼 직접적인 것의 시대적 어려움을 극복하는 것과 함께 시의 상징성이 지닌 이해의 한계를 뛰어넘기 위해 부득이 또 다른 표현양식을 추구할 수밖에 없었을 것이다.

> 나는 소설 쓸 소질이 있는 사람도 아니요, 또 나는 소설가가 되고 싶어 애쓰는 사람도 아니올시다. 왜 그러면 소설을 쓰느냐고 반박하실지도 모르나 지금 이 자리에서 그 동기까지를 설명하려고는 안습니다.……중략……오직 나로서 평소부터 여러분께 대하여 한번 알리었으면 하던 그것을 알리게 된데 지나지 않습니다……중략……과단처

를 모두 다 눌러보시고 글 속에 숨은 나의 마음까지를 읽어주신다면
그 이상의 다행이 없겠읍니다.

이 글은 만해가 1935년부터 36년까지 조선일보에 연재한 장편소설 「흑풍」 연재에 대한 '작자의 말'이다. 이 글에서 우리는 "평소부터 알리었으면 하던 그것"과 "글 속에 숨은 나의 마음"이라는 구절에 주목하게 된다. 이 핵심 구절 속에는 만해가 소설이라는 서사 장르를 선택하게 된 이유가 선명히 제시돼 있다. 그것은 소설이 논설문처럼 '알리고 싶은 것을 직접적으로 알릴 수' 있는 기능이 있으면서도 '글 속에 숨은 나의 마음'처럼 상징적인 시의 암시성을 함께 포괄할 수 있는 바람직한 장르로 생각했기 때문이었던 것으로 풀이된다. 물론 당대 만해의 궁핍한 생활을 지원하기 위한 민족지 『조선일보』 측의 민족운동 지원책에서 기인된 것이기도 하지만, 만해 자신이 논설과 시의 교호적, 중간 장르로서의 소설 장르의 가능성을 새롭게 인식한 데서 소설 창작이 이루어진 것으로 보인다. 다섯 편이나 되는 장편소설 집필이 단순히 한때의 호기심이나 명예심 그리고 원고료에 의한 생활 수단 방책으로 쓰여진 것으로 보는 데에는 무리가 따르기 때문이다.

실상 소설의 내용을 분석해 보면 이러한 논리의 타당성이 입증될 수 있다. 그것은 만해 소설의 주된 흐름이 '가진 자'와 '못 가진 자'의 대립에 모티브를 두고 있으며, 이것은 사회제도의 현실적 모순과 부조리에 기인하는 것이기 때문에 이것을 혁명적 수단으로 타파해야 하는 것이 당대의 중심 과제라는 주제로 귀결된다. 또한 중국을 배경으로 설정하여 지배와 피지배의 플롯을 중심 골격으로 한 것은 풍유적 의미를 지니는 것으로 해석된다. 이것은 ´30년대의 가혹한 언론탄압과 검속의 시대에 만해가 취할 수 있는 효과적인 응전방식이며 대중적 투쟁 방식으로서의 의미를 지닌다. 여기서 '가진 자', '착취하는 자'로서의 지주, 자본가는 바로 일본 제국주의의 표상이며 '억눌린

자', '가난한 자'는 바로 당대 조선인의 표상인 것이다. 따라서 지주·자본가의 타도는 일제와의 투쟁이며 시대적 모순에 대한 저항의지의 표출이 된다. 사회체제의 모순을 개혁하고 현실을 타파하려는 소설 속의 혁명의지는 바로 만해의 자주·독립 의지의 표현이며 당대의 민족적 당위 명제로 해석되기 때문이다.

이 점에서 소설은 1910년대의 직접 전달 양식으로서의 논설문과 ´20년대의 상징적 전달로서의 시 창작에 이어 ´30년대에 이르러 만해가 취택할 수밖에 없는 필연적 문학 장르인 것이다. 제대로 할 얘기를 하면서도 적당히 숨길 수도 있는 소설의 장르적 특성은 극도로 궁핍하고 가혹해진 30년대의 현실 탄압에 만해가 대처할 수 있던 효과적 응전방식이 되기 때문이다.


## 5. 만해, 민족사의 등불

해마다 6월 29일은 만해 선생의 주기가 되는 뜻깊은 날이 된다. 당대의 선구적 독립투사이자 지도적 민족운동가로서, 시집 『님의 침묵』과 소설 「흑풍」의 기념비적 문학인으로서, 그리고 침체됐던 당대 불교의 혁신과 중흥에 진력하는 한편 이론적인 체계화에 진경을 보인 불교 사상가로서의 만해는 이 땅 근대사의 최대의 인물로 평가되기에 충분하다.

이것은 결코 과장된 찬사가 아니다. 해방 1년 전인 1944년 6월 29일 심우장 냉돌 위에서 외롭게 숨져가기까지, 끝까지 절조를 변하지 않고 일관성 있게 투쟁하면서 역사의 새벽을 예언하던 실천적 지성, 예언자적 지성으로서의 만해 정신의 위대성은 세속적인 칭예나 평가의 그 너머에 존재하는 것이기 때문이다. 그의 정신은 어려운 시대일수록 우리 민족에게 빛과 희망을 던져 주는 민족혼의 등불로서 더욱 살아 있을 것이 확실하기 때문이다.

# 존재론과 저항의식, 김소월

## 1. 왜 소월(素月)인가?

소월 김정식(1902~1934)은 이 땅 현대시사에 있어서 시집 『진달래꽃』(매문사, 1925) 한 권으로 불멸의 위치에 놓이게 된 대표적 시인의 한 사람이다.

그의 시단 활동은 1920년에 그가 「낭인의 봄」 등 5편을 『창조』 5호에, 「먼후일」 외 4편을 『학생계』 1호에 발표함으로써 시작된다. 이후 그는 1934년 12월 아편을 먹고 자살하기까지 전통적인 한국적 서정과 민중 정감을 빼어난 가락으로 형상화하는 데 탁월한 솜씨를 보여주었다. 아직까지도 소월시는 한국시의 가장 아름답고 친근한 한 전범으로서 한국인의 가슴 속에 살아 있는 것으로 이해된다.

지금까지 소월시는 비교적 여러 관점과 시각에서 다루어져 왔다. 내용 면에서는 주로 그의 시가 사랑과 이별의 문제를 노래하고 있다는 데 초점이 맞춰져 왔다. 사랑의 정한(情恨)이라는 말로 요약할 수 있는 서정시의 차원에서 해석되고 감상되어져 온 것이다. 또한 형식 면에서는 그의 시가 지닌 민요적 율조 또는 율격 장치에 관해 논의가 거듭되었다. 그것은 소월시가 지닌 대중적 친화력의 비밀을 율격 문제에서 풀어 보려는 시도에 해당된다.

그러나 소월시는 많은 연구자들의 노력에도 불구하고 미흡한 면이 없지 않다. 그가 우리에게 가장 친근감 있는 시인, 혹은 식민지하 최대의 시인으로서 누리고 있는 성가(聲價)에 비해 그의 시가 지닌 참뜻은 아직 충분히 해명되고 있지 못한 것으로 보이기 때문이다. 그는 많은 경우 사랑의 한(恨)을 노래한 애정시인, 혹은 음풍영월하는 소박한 전원시인, 아니면 전통설화를 변용하려 한 토속시인 및 민중 정감을 형상화한 민요시인 등으로 단순화하여 받아들여져 온 것이다. 그렇지만 오히려 소월시의 진면목은 그의 시가 '생각하는 시'로서의 측면, 즉 존재론적인 깊이를 지니고 있다는 점에서 찾아져야 할 것으로 생각된다. 그의 시는 '노래하는 시'로서도 예술성이 두드러지지만, 생각하는 시로서의 철학성 또한 깊이를 획득하고 있는 것으로 판단되기 때문이다.[1]

## 2. '혼자 있음', '떨어져 있음'의 존재론

소월시에는 무수한 식물 이미저리군이 등장함으로써 그의 시가 식물적 상상력에 크게 의지하고 있음을 시사해 준다. 특히 꽃은 그의 시에서 소재 혹은 제재로서 빈번히 사용되고 있는데, 이것은 단순한 사랑의 표상이 아니라 좀 더 깊은 상징성을 지니고 있는 것으로 풀이된다.

산에는 꼿피네
꼿치피네
갈 봄 녀름업시
꼿치피네

산에
산에

---

[1] 이하 졸저 『한국현대시인연구』(일지사, 1986)를 많이 참조하였음.

피는꼿츤
저만치 혼자서 피여잇네

산에서우는 적은새요
꼿치죠와
산에서
사노라네

산에는 꼿지네
꼿치지네
갈 봄 녀름업시
꼿치지네

–「산유화」전문

　흔히 이 작품은「진달래꽃」과 함께 소월의 대표시 중의 하나로서 꼽혀진
다. 그만큼 소문난 작품이지만 그에 대한 깊이 있는 해명은 이루어지지 못한
것으로 보인다. 김동리의 "청산과의 거리가 제시된 작품"이라는 견해[2]가 대
표적인 한 예일 뿐, 보다 진전된 해석이 제시되고 있지 않기 때문이다.

　우선 이 시는 제목부터 보다 섬세한 주목을 필요로 한다. 그냥 꽃만을 지칭
하는 것이 아니라, 산유화, 즉 산에 핀 꽃으로서 '산'과 '꽃'을 동시에 제시하는
것이다. 다시 말해서 꽃이 피어 있는 환경으로서의 자연을 말하는 동시에 생
명 있는 존재로서의 꽃을 함께 포괄하고자 하는 의도가 담긴 작품이라 할 수
있다. 따라서 생명의 원리와 자연의 원리를 함께 노래하게 될 것은 자명한 이
치이다.

　첫 연은 꽃이 피어나는 일로부터 시작된다. 산, 즉 자연의 질서 내에서 꽃
이 피어난다는 평범한 사실을 제시한다. 여기에서 자연의 질서란 바로 "갈 봄

---

2) 김동리,『문학과 인간』, 백민문화사, 1948.

녀름업시"라는 구절처럼 계절의 변화이자 순환의 원리를 의미한다. 자연의
원리는 끊임없는 생성과 소멸, 즉 흐름과 변화의 원리를 바탕으로 전개되며,
그 위에 터전을 잡고 살아가는 생명(꽃)의 원리 또한 그러하다고 볼 수 있다.
따라서 "산에는 꼿피네/꼿치피네/갈봄 녀름업시/꼿치피네"라는 구절 속에는
산과 꽃, 즉 자연과 생명이 공간적 질서와 시간적 질서의 결합 위에 놓여져 있
으며, 그것은 순환의 원리에 근거한다는 깨달음이 제시되어 있다.

둘째 연에는 자연과 생명의 공간적 존재성이 형상화되어 있다. 그것은 먼
저 "산에/산에"와 같이 산의 공간적 존재성을 강조한다. 한 행에 배치해도 될
것을 별개의 두 행으로 나누어 행 갈이를 한 것은 율격의 생동감을 유발하는
동시에 세상이 무수한 존재의 병렬 또는 어우러짐에 의해서 구성된다는 점을
제시한 것으로 보인다. 산이 표상하는 별개의 존재성, 즉 단독자적 존재의 원
리를 반영한 것이라는 말이다. 아울러 "피는꼿츤/저만치 혼자서 피여잇네"라
는 구절도 마찬가지이다. 자연 위에 살아 있는 것의 표상으로서의 꽃, 또는 인
간의 객관적 상관물로서의 꽃들이 '저만치 혼자서' 피어 있다는 사실은 모든
생명 있는 존재들이 궁극적으로 지닐 수밖에 없는 개체적 존재성 또는 실존
의 거리, 운명의 거리일 수밖에 없다. 그것은 '인간과 청산 사이의 거리'가 아
니라 꽃과 꽃, 인간과 인간, 즉 모든 존재들이 숙명적으로 지니고 있는 실존
상호 간의 거리이자 단독자적 존재 원리를 표상하는 것으로 해석된다. 다시
말해서 지상 위에 존재하는 모든 사물들은 서로 '혼자 있음', '떨어져 있음'이
라는 존재 원리를 기초로 하여 성립되는 것이다. 따라서 "저만치 혼자서"라는
구절은 시인 소월의 시적 자아가 세계와 맞부딪쳐서 깨닫게 된 고절감(孤絕
感)의 반영이라 할 수도 있을 것이다.

셋째 연에서는 다시 생명 있는 것들 내에서의 상대적 존재성이 제시된다.
꽃과 새의 관계설정이 그것이다. 꽃과 새는 다 같이 산속에 터를 잡고 살아가
는 생명 있는 존재로서의 상대성을 지닌다. 꽃은 식물적 존재성의 표상이고

새는 동물적 존재성의 표상이면서, 동시에 꽃은 운명적인 속성을, 새는 자유존재의 표상으로서 해석할 수 있다. 다시 말해서 꽃과 새는 식물성과 동물성, 구속성과 자유성을 함께 포괄하고 있는 인간존재의 모습을 상징한 것일 수 있다는 점이다. 아니면 생명 있는 것들의 원리가 식물과 동물, 지상과 공중, 음과 양 등과 같이 상대성 원리를 지닌다는 점을 암시한 것일 수도 있을 것이다.

넷째 연은 다시 첫 연과 호응되면서 시의 주제를 제시한다. 이 시는 기본적으로 기·승·전·결이라는 4연 구성을 취하고 있는데, 이것은 중요한 시사를 던져준다. 1연에서의 꽃이 피는 행위는 다시 4연에 이르러서 꽃이 지는 사건으로 마무리된다. 꽃이 핀다는 것과 이것이 진다는 사실은 생명의 원리이자 존재의 법칙이라 할 수 있다. 이것은 봄, 여름, 가을, 겨울이라는 계절의 순환원리와도 연결되며, 생(生)·노(老)·병(病)·사(死)라고 하는 인생 법칙과도 상통한다. 따라서 이 시는 산에서 꽃이 피고 지는 모습을 통해서 꽃이 지닌 생명의 법칙을 바라보고, 이것을 계절의 순환원리라는 자연의 법칙으로 연결하고, 다시 이어서 떠남과 만남으로 이어지는 사랑의 원리로서 받아들여서, 마침내는 탄생과 죽음이라는 인생의 원리 내지는 생성과 소멸이라는 만상의 존재원리를 투시하게 되는 것이다.

이러한 시「산유화」의 다층적 해석의 가능성은 ①꽃─ 피고 짐(생명의 원리), ②자연─ 4계의 순환(자연의 원리), ③사랑─ 만남과 헤어짐(사랑의 원리), ④인생─ 태어남과 죽음(인생의 원리), ⑤삼라만상─ 생성과 소멸(존재의 원리)로서 정리할 수 있을 것이다. 따라서 이 시는 '청산과의 거리'를 노래한 단순한 서정시가 아니라 '꽃의 법칙→자연의 법칙→사랑의 법칙→인생의 원리→존재의 원리'라고 하는 삼라만상의 존재상을 밝혀주는 '존재론의 시'로 보는 것이 타당하리라고 생각한다. 이 시에는 꽃의 생명 원리, 자연의 순환원리를 통해서 존재의 현실과 본질을 객관적으로 투시하는 통찰력과 예지가 담겨져 있는 것으로 이해되기 때문이다. 사물로서의 생명 존재가 지니고 있는 본래 모습을 객관적으로 통찰하고 그에 회귀함으로써 인생의 본래 모습과 그 가치를 탐구하고자 하는 존재론적인 노력이 이 시의 근본 취의로 해석되기 때문이다.

### 3. 역설의 시, 운명론의 시

소월의 많은 시가 이러한 존재의 현상과 본질에 대한 투시를 바탕으로 한 표층구조와 심층구조로 짜여져 있음은 「진달래꽃」에서도 확인할 수 있다. 표면으로는 사랑과 이별을 노래하는 듯하지만 심층에는 존재의 원리를 투시하고 있는 것이다.

> 나보기가 역겨워
> 가실때에는
> 말엽시 고이 보내드리우리다
>
> 영변(寧邊)에 약산(藥山)
> 진달래꽃
> 아름따다 가실길에 뿌리오리다
>
> 가시는거름거름
> 노힌그꽃츨
> 삽분히즈려밟고 가시옵소서
>
> 나보기가 역겨워
> 가실때에는
> 죽어도아니 눈물흘니우리다
>
> — 「진달래꽃」 전문

이 시가 근본적으로 말하고자 하는 것은 너의 떠나감이 아니라, 내가 어떻게 이별이라는 상황에 대처해야 하는가 하는 존재론의 문제이다. 이 시는 표면적인 면에서 사랑과 그 이별의 슬픔을 노래하고 있다. 그러나 이 시에서 이별은 실제 상황으로 제시된 것이 아니라 가정적인 상황 또는 미래의 일로서 제시된다. 이별이 일어나서는 안 될 일이지만, 만일 일어난다고 하더라도 그것을 감내하고 극복하겠다는 비장한 극복의지가 시 속에 은밀하게 깔려 있는 것으로 보인다. 어쩌면 이것은 이별의 충격으로부터 자신을 보호하려는 심리적 방어기제의 작용으로 해석할 수도 있으며, 또 다른 면에서는 사랑을 호소하는 역설적인 표현일 수도 있을 것이다.

이 시에서 봄에 피어나는 진달래꽃은 겨울의 죽은 땅에서 살아나지만, 다시 계절의 순환에 따라 시간이 가면 자연히 떨어져 버리고 말 유한성을 지닌다. 개화 속에서 낙화를 보는 것이며 낙화 속에서 개화를 읽는 것이고, 봄 속에서 겨울을 읽고 겨울 속에서 다시 봄을 보는 것이다. 피어남과 떨어짐으로서의 꽃의 생명 법칙 내지 숙명성은 자연의 순환원리에 비춰보면 지극히 당연한 일이다. 사랑 또한 피어남과 떨어짐으로서의 만남과 헤어짐의 원리 위에 놓여진다. 그러므로 이별은 언젠가는 현실로서 다가올 것이 분명한 것이다. 소월의 예민한 감수성이 알아차린 것은 바로 이 점일지도 모른다. 따라서 이별의 상황을 설정하고 그에 대한 심리적 방어기제를 마련하고자 시도한 것이다.

이러한 진달래꽃의 개화와 낙화, 그리고 사랑에서의 만남과 헤어짐의 법칙은 그대로 인생의 그것이 될 수 있으며, 나아가서 삼라만상의 원리가 될 수 있다. 인생도 태어나면 언젠가는 죽을 수밖에 없으며, 만물의 존재 원리도 그러한 것이다. 소월은 진달래꽃이 흐드러지게 피어나는 모습 속에서 '피고 짐'으로서의 꽃의 원리를 보고, 다시 이것을 통해서 '만남과 떠남'으로서의 사랑의 본질을 깨닫고, 마침내 '태어남과 죽음' 그리고 '생성과 소멸'로서의 인생과 세계상의 본질적인 모습을 투시한 것으로 보인다.

이 점에서 「진달래꽃」은 이별의 슬픔 또는 사랑의 정한만을 노래한 시가 아니라, 존재의 근본 원리를 이별의 상황설정이라는 문학적 장치를 통해서 형상화한 인생론의 시 또는 존재론의 시로 해석하는 것이 마땅하다 하겠다. 이별이라는 상황설정과 산화공덕(散花功德)이라는 사건 제시는 시의 정서적 긴장을 유발하고 지속시키기 위한 기법적 장치에 해당한다. 특히 이별이라는 비극적 상황설정은 비극적 세계관을 지니고 살아가던 소월의 과민한 불안의 식을 표상한 것이며, 소월의 생래적 피해의식 또는 열등감을 반영한 것이라고 볼 수도 있을 것이다.

지금까지 살펴본 것처럼 「산유화」나 「진달래꽃」은 사랑과 이별을 노래한 단순한 서정시가 아니다. 이들은 생성과 소멸이라고 하는 삼라만상의 근본 원리를 개화와 낙화, 만남과 헤어짐이라는 문학적 장치를 통해서 형상화한 '존재론의 시'인 것이다.

실상 소월시에 무수히 나타나는 '강'과 '길'이라는 흐름의 이미저리군도 이러한 과거·현재·미래가 밀고 당김으로써 이어지는 인생의 시간적 존재론을 드러낸 것이라 할 수 있겠다. 특히 그의 시에서 '길'은 운명의 기로로서의 표상성을 지니면서 항상 몇 리― 5리, 10리, 3천리 등― 로서 나타나는바, 이것은 인생의 고달픔에 대한 절망감과 함께 한계적 존재로서의 인생에 대한 자각을 담고 있는 것으로 풀이된다. 무엇보다도 그의 시에 「초혼」, 「사노라면 사람은 죽는 것을」, 「하다못해 죽어 달내가올나」, 「무덤」 등의 시처럼 죽음의 예기 또는 운명의식이 끈질기게 작용하고 있다는 사실이 바로 이러한 소월의 단독자적 삶의 원리 내지는 운명론적 존재론에 대한 깨달음을 선명히 반영한 것으로 해석되기 때문이다.

## 4. 노동의지와 저항의식

소월시에는 「엄마야 누나야 강변살자」 등과 같이 소박한 전원시 또는 동시적(童詩的)인 경향이 많이 나타나고 있다. 아니면 「예전엔 밋처 몰낫서요」, 「원앙침(鴛鴦枕)」, 「애모(愛慕)」 등과 같이 달의 상상력을 바탕으로 한 애틋한 사랑의 노래도 많이 발견된다. 아울러 「삭주구성(朔州龜城)」, 「길」 등의 향토적 서정시나 「부모」, 「부부」 등 가족주의적인 시, 그리고 「접동새」, 「비난수하는 맘」 등과 같이 설화적인 민속시도 쉽게 찾아볼 수 있다. 그만큼 다양하면서도 정감이 넘치는 서정시의 세계를 아기자기하게 보여주는 것이다.

그럼에도 불구하고 그의 시에는 또한 현실에 대한 비판적 인식이나 저항의식이 발견되어 주목을 끈다. 그의 시에는 「옷과 밥과 자유」 등의 경우와 같이 당대 현실의 불모성에 대한 울분이나 저항의식이 분출되기도 하며, "도라다보이는 무쇠다리/얼결에 띄워건너서서/숨그르고 발놋는 남의 나라땅"(「남의 나라땅」 전문)과 같이 민족의식이 두드러지기도 한다.

특히 다음 두 작품은 소월시에서는 매우 색다르다. 이들은 민중적인 생명력 또는 노동의식을 보여주기도 하며, 아울러 당대의 비참한 현실에 대한 비탄과 저항의식을 드러내 주기 때문이다.

> 우리두사람은
> 키놉피가득자란 보리밧, 밧고랑우혜 안자서라.
> 일을필(畢)하고 쉬이는동안의깃븜이어.
> 지금 두사람의니야기에는 꼿치필때.
>
> 오오 빗나는태양은 나리쪼이며
> 새무리들도 즐겁은노래, 노래불러라.
> 오오 은혜여, 사라잇는몸에는 넘치는 은혜여,
> 모든은근스럽음이 우리의맘속을 차지하여라.

세계의끗튼 어듸? 자애(慈愛)의하늘은 넓게도덥혔는데,
우리두사람은 일하며, 사라잇섯서,
하늘과태양을 바라보아라, 날마다 날마다도,
새라새롭은환희를 지어내며, 늘 갓튼땅우헤서.
다시한번 활기잇게 웃고나서, 우리 두사람은
바람에일리우는 보리밧속으로
호믜들고 드러갓서라, 가즈란히가즈란히
거러나아가는깃븜이어, 오오 생명의 향상(向上)이어.

―「밧고랑우헤서」 전문

　이 시는 배경과 분위기에서부터 소월시의 일반적인 경향과는 사뭇 다르다. 그의 많은 시가 저녁 혹은 밤이 배경으로 되어있으며 꽃, 새, 달, 비, 눈물, 낙엽, 무덤 등 하강적·비관적 분위기로 가득차 있음에 비추어 이 시는 밝고 건강한 색조로 충만되어 있는 것이다. 한낮이 배경으로 되어 있는 것은 그것이 감성보다는 이성, 체념보다는 극복의지에 근거하고 있음을 말해준다. 보리밭을 시의 배경으로 한 것 자체가 보리가 역경을 헤쳐온 이 땅 민족의 끈질긴 생명력의 한 표상이기 때문이다. 따라서 이 시는 건강한 노동사상과 대지사상(大地思想), 그리고 정오사상(正午思想, pénsee de midi)이 서로 합치된 작품에 해당한다. "일을 필하고 쉬이는 동안의 깃븜이어", "우리두사람은 일하며, 사라잇섯서", "호믜들고 드러갓서라, 가즈란히가즈란히"라는 핵심구절들은 자연의 생명력과 인간의 노동의지가 하나의 노동사상으로 고양된 것이라 할 수 있다. 특히 "거러나아가는깃븜이어, 오오 생명의 향상이어"라는 결구는 노동을 통한 삶의 극복과 상승을 강조한 것이다.
　이러한 대지의 사상, 노동의 철학이야말로 소월시에서 흔히 지나쳐 버리기 쉬운 면이 아닐 수 없다. 실상 이 땅 험난한 역사를 슬기롭게 극복해 온 정신적 바탕이 바로 이러한 강인하고 굳센 노동사상에 뿌리를 둔 민중적 생명력일 것이라는 점은 새삼 말할 필요가 없을 것이다. 어쩌면 이 시는 이상화의 「빼앗긴

들에도 봄은 오는가」와 함께 20년대 민중시의 한 전범이라 할 수 있으리라.

> 나는 꿈꾸엿노라, 동무들과 내가 가즈란히
> 벌까의하로일을 다맛추고
> 석양에 마을로 도라오는꿈을,
> 즐거히, 꿋가운데.
>
> 그러나 집일흔 내몸이어,
> 바라건대는 우리에게 우리의 보섭대일땅이 잇섯드면!
> 이처럼 떠도르랴, 아츰에점을손에
> 새라새롭은탄식을 어드면서.
>
> 동이랴, 남북이랴,
> 내몸은 떠가나니, 볼지어다,
> 희망의반짝임은, 별비치아득임은.
> 물결뿐 떠올나라, 가슴에 팔다리에.
>
> 그러나 엇지면 황송한 이심정을! 날로 나날이 내압페는
> 자츳가느란길이 니어가라. 나는 나아가리라
> 한거름, 또한거름. 보이는 산비탈엔
> 온새벽 동무들 저저혼자……산경(山耕)을 김매이는.
> — 「바라건대는 우리에게 우리의보섭대일땅이 잇섯드면」 전문

일제하에서 우리 민족은 누구나 집과 옷과 밥, 그리고 자유를 빼앗긴 사람들에 속하는 것이 분명하다. 이상화의 시구처럼 '남의 땅/빼앗긴들'에서 혼과 인간적 존엄성을 모두 박탈당한 채 "다리를 절며 하로 하로를 걸어가는" 불구의 모습인 것이다. 인용한 예시에서는 농토('보섭대일 땅')를 빼앗기고 유랑하는 민족의 참상이 "동이랴, 남북이랴/내몸은 떠가나니, 볼지어다"로서 제시되어 있다. 대략 기·승·전·결 네 단락으로 짜여진 이 시는 낭만적 아이러니를

기본구조로 하고 있다. 첫 연에서 즐거운 노동의 꿈이 환상적으로 창조되었다가, 2연에서 그것이 돌발적으로 무너지고, 3·4연에서 쓰라린 당대 현실의 모습이 제시되어 있는 것이다. "그러나 집일흔 내몸이어,/바라건대는 우리에게 우리의보섭대일 땅이 잇섯드면"과 같이 집과 땅을 모두 빼앗기고 유민(流民)으로 떠돌아야 하는 우리 민족의 모습에 대한 탄식과 함께 깊은 울분이 담겨 있다. '집 잃은 자, 농토를 빼앗긴 자'로서의 우리는 '옷과 밥과 자유'를 빼앗기고 동토(凍土)의 현실을 살아가는 비참한 모습인 것이다.

이러한 구절들에는 당대 식민지 현실에 대한 부정의식과 항거의식이 깊게 자리 잡고 있다. 그렇지만 이러한 절망적 상황 속에서도 '가느란길'을 따라서 '한거름, 또한거름' 나아가려는 향상의 의지가 발현되며, 이것이 다시 "온새벽 동무들 저저혼자……산경을 김매이는"과 같은 노동의 정신으로 고양된 것은 소중한 일이 아닐 수 없다. 집 잃은 자, 땅 빼앗긴 자로서의 민족적 울분 속에서도 앞으로 나아가려는 향상의 의지가 노동사상과 결합됨으로써 민족의식과 저항의식을 강력히 분출한 데서 소월시의 또 다른 면목이 발견된다.

이 점에서 소월시의 애상이 단지 개인적인 상실체험에서 비롯되며, 따라서 그의 시가 애상적인 서정시에 불과하다고 단정하는 것은 바람직한 일이 아니다. 그의 시는 자연발생적인 정감에 바탕을 두고 있으면서도 생각하는 측면, 의식적인 측면을 확보하고 있다는 점에서 폭넓은 공감대를 지닐 수 있게 되는 것이다. 소월시의 심층에는 이 땅의 험난한 역사와 현실 속에서 삶의 어려움을 참고 이겨내고자 하는 호국의 정신이 강력히 자리 잡고 있는 것이다.


## 결언: 천재 시인, 철학하는 시인

소월은 이 땅 근대시사 가운데 명멸해간 수많은 시인 중에서 가장 천부적인 시인 재질을 지닌 '시인다운 시인'의 한 사람이다. 지금까지 소월시는 유행가적인 차원의 대중시 또는 전근대적인 낡은 민요시 정도로 이해되어온 감도 없지 않다. 그의 시는 자연발생적인 서정시로서 '느끼는 시', '가슴으로 쓴 시'의 차원에서 주로 받아들여져 온 것이다. 그렇지만 「산유화」와 「진달래꽃」, 그리고 「밭고랑 우헤서」, 「바라건대는 우리에게 우리의보섭대일 땅이 잇섯 드면」 등 몇 편의 시에서 단적으로 찾아볼 수 있듯이 소월시는 '생각하는 시', '의식을 담고 있는 시'로서의 측면을 강하게 지니고 있는 것이 사실이다. 소월 시는 단순한 애정시 또는 서정시의 차원에서도 감동을 불러일으키지만, 그러한 단순성의 이면에는 생각하는 시로서의 존재론적 측면을 담고 있으며, 그 심층에는 이 땅의 험난한 현실을 이겨 나가고자 하는 안간힘으로서의 현실의식이 깔려있다는 점에서 폭넓은 공감대를 확보하고 있는 것으로 보인다. 오히려 소월시가 겉보기에 평범하고 소박한 듯하지만 내면 속 깊이에 이러한 깊은 뜻을 다양하게 포괄하고 있기 때문에 그의 시는 한때 유행으로 끝나지 않고 지속적인 생명력을 확충해 나아가고 있는 것이다.

소월은 이 땅에서 가장 친근감 있는 대중 시인임에 틀림이 없다. 그렇지만 그의 시는 그 이면에 담고 있는 생각하는 시, 철학을 담고 있는 시로서의 다양성으로 인해서 논의를 거듭하면 거듭할수록 깊은 맛, 새로운 맛이 우러나는 우리 근대시의 가장 오래 묵은 술에 해당한다. 소월시에 대해 보다 다양한 시각과 방법론이 활발히 적용됨으로써 우리 정신사 예술사에 대한 깊고 새로운 의미가 찾아질 수 있음은 물론이다. 소월시는 우리 근대시사에 있어서 가장 크고 우람한 예술의 종(鍾)의 하나이기 때문에 앞으로 크게 치면 칠수록 더욱 크고 우람하게, 작게 치면 더욱 섬세하고 아름답게 울려 나갈 것으로 확신한다.

# 갈등의 시인 방황의 시인, 정지용

## 1. 실종과 현존의 모순

"고향에 고향에 돌아와도/그리던 고향은 아니러뇨/고향에 고향에 돌아와
도/그리던 하늘만이 높푸르구나"라고 탄식하던 시인 정지용(1902~), 그는
이 땅의 근대시에 '현대적인 호흡과 맥박을 불어넣은' 선구적 시인의 대표 격
인 인물이다. 그러면서도 그는 6·25 전란 중에 행방불명되어, 월북인가 아니
면 납북인가 하는 논란을 낳음으로써 아직도 이 땅 문학사에 있어서도 실종
상태에 놓여 있는 비극적인 인물인 것이다. 어쩌면 정지용은 남에서도 북에
서도 그의 시구에서처럼 "마음은 제고향 진히지 않고/머언 항구로 떠도는 구
름"과 같이 방랑자의 모습으로 남아 있는지도 모른다. 따라서 그의 시들은 이
땅에서 금지곡으로 분류되어 오랫동안 가곡 「망향」에서나 겨우 그 편린을 엿
볼 수 있을 뿐이었다. 그 결과 그의 시들은 매우 신비한 그 무엇으로 여겨지기
도 하였으며, 그의 시에 대한 논의까지도 일부 학위논문에서나 겨우 찾아볼
수 있었다. 비록 그의 시가 그의 생애사적 불행과 금서가 갖는 일종의 프리미
엄 현상으로 인해 다분히 과대평가되고 있는 혐의를 불식하기는 어렵다고 해
도 그의 시가 지니고 있는 예술성이나 그가 미친 문학사 내지 문단사적 영향

력은 결코 가볍게 취급될 일이 아니다.

다행히 근자에 들어서 민주화 열기가 사회 전반에 크게 대두됨으로써 그동안 부당하게 소외돼 왔던 많은 작가·작품들이 다루어지게 된 것은 여간 다행스러운 일이 아니다. 차제에 납·월북 여부가 불분명한 작가들의 작품은 물론이고, 북에 간 작가라 하더라도 광복 이전에 씌어진 작품을 대상으로 한다면 그에 대한 논의가 활발히 열려져야 하리라 생각한다. 실상 학문적인 목적이라면 그 어느 것에도 금기가 있어서는 안 될 것이다. 그것은 이 땅에서 보다 건강하고 바람직한 자유민주주의 체제가 정착되고 발전돼 갈 것으로 믿기 때문이다. 이러한 능동적인 극복의 자세는 필요하며 당위적인 일이 아닐 수 없다고 하겠다.

이 점에서 본고에서는 소략하게나마 정지용의 시 세계를 갈등의 관점에서 살펴보고자 한다.

## 2. 향수의 시학, 또는 고향 상실과 낙원 지향의 갈등

정지용의 시에서 가장 지속적으로 드러나는 것은 향수라 할 수 있다. 향수란 고향에 대한 그리움이지만, 그 밑바탕에는 상실된 낙원을 회복하고자 하는 소망을 간직하고 있다. 이것은 비관적인 현실 인식에서 비롯되며, 따라서 그리움과 함께 비애의 정조를 띠게 된다.

넓은 벌 동쪽 끝으로
옛이야기 지줄대는 실개천이 휘돌아 나가고,
얼룩백이 황소가
해설피 금빛 게으른 울음을 우는 곳,

— 그곳이 참하 꿈엔들 잊힐리야,

질화로에 재가 식어지면
뷔인 밭에 밤바람 소리 말을 달리고
엷은 졸음에 겨운 늙으신 아버지가
짚벼개를 돋아 고이시는 곳,

— 그곳이 참하 꿈엔들 잊힐리야.


흙에서 자란 내 마음
파아란 하늘 빛이 그립어
함부로 쏜 화살을 찾으려
풀섶 이슬에 함추름 휘적시던 곳,

— 그곳이 참하 꿈엔들 잊힐리야.


전설(傳說)바다에 춤추는 밤물결 같은
검은 귀밑머리 날리는 어린 누이와
아무러치도 않고 예쁠 것도 없는
사철 발벗은 안해가
따가운 해ㅅ살을 등에 지고 이삭줏던 곳,

— 그곳이 참하 꿈엔들 잊힐리야.


하늘에는 석근 별
알 수도 없는 모래성으로 발을 옮기고,
서리 까마귀 우지짖고 지나가는 초라한 집웅,
흐릿한 불빛에 돌아 앉어 도란도란거리는 곳,

— 그곳이 참하 꿈엔들 잊힐리야.

— 「향수(鄕愁)」 전문

이 시의 배경은 평범한 한 농촌이다. 실개천이 흐르고 얼룩백이 황소가 울음을 우는 풍경으로서의 한국적인 농촌 모습이 구체적으로 제시되어 있는 것이다. 여기에 다시 가족사적인 그리움이 결합된다. 겨울밤에 늙으신 아버지가 짚베개를 돌아 고이시는 정겨운 모습이 다가오는 것이다. 아울러 '질화로/재/뷔인 밭/밤바람 소리' 등의 소재는 유년 회상을 강하게 환기시켜 주는 촉매가 된다. 이제는 돌아갈 수 없는 시절로서의 소년 시절이 아프게 떠오른다. 이 소년 시절이란 흙과 하늘의 대조 속에서 '화살을 쏘는' 상징적인 행위로 요약된다. 그것은 꿈 많던 시절 끊임없이 솟구쳐 오르기만 하던 비상의지의 발현이며 이상을 향한 몸부림을 반영한다. 여기에 다시 가족사적인 풍정이 연결된다. '검은 귀밑머리 날리는 어린 누이'와 '아무러치도 않고 예쁠 것도 없는 사철 발벗은 안해'에 대한 그리움이 그것이다. 누이와 아내는 둘 다 그리움의 표상이자 모성적인 따뜻함과 편안함을 일깨워주는 대상이 된다. 그렇지만 이 모든 것들은 현재와 연속되는 것으로 받아들여지지는 않는다. 마지막 연에서 드러나는 '성근 별/모래성/서리까마귀/초라한 집웅/흐릿한 불빛' 등의 대응 속에는 이제는 추억 속에서만 살아 있는 고향에 대한 그리움과 함께 비애감이 담겨져 있다. 그것은 기본적으로 현실에 대한 비관적인 인식에 근거하며 뿌리 깊은 상실감에 연유한다 하겠다.

따라서 지용의 시에는 고향 상실로서 표상되는 상실의식이 짙게 자리 잡고 있다.

고향에 고향에 돌아와도
그리던 고향은 아니러뇨.

산꿩이 알을 품고
뻐꾹이 제철에 울건만,

마음은 제고향 지니지 않고
머언 항구(港口)로 떠도는 구름.

오늘은 메끝에 홀로 오르니
흰점 꽃이 인정스레 웃고,

어린 시절에 불던 풀피리 소리 아니나고
메마른 입술에 쓰디쓰다.

고향에 고향에 돌아와도
그리던 하늘만이 높푸르구나.

　　　　　　　　　　　　　　　－「고향(故鄕)」 전문

　채동선(蔡東善)이 곡을 붙여 인구에 널리 애창되어 온 이 시는 정지용의 고
향의식의 특징을 잘 보여준다. 이 고향의식을 관류하는 것은 상실의식이자
방랑의식이고, 비애의 정서라고 할 것이다. 아울러 인간사의 무상함이며 그
에 대조되는 자연사의 의구함이다.

　이 시의 특징은 방임형 어미와 부정종지법에서 쉽게 드러난다. "고향에 돌
아와도－ 고향은 아니러뇨", "뻐꾹이 제철에 울건만－ 제고향 지니지 않고"
등과 같이 방임형어미는 부정종지법과 서로 호응되면서 상실의 비애 또는 좌
절의 아픔을 선명하게 부각시켜 준다. 그렇기 때문에 "마음은 제고향 지니지
않고/머언 항구(港口)로 떠도는 구름"처럼 고향에서와 마찬가지로 현실에서
도 뿌리내리지 못하고 방황하는 심정이 드러나게 된다. 따뜻한 곳, 그리운 곳,
평화스러운 곳으로서의 고향은 추억 속에서만 존재할 뿐, 현실에서는 찾을
수 없으며, 돌아갈 수 없는 실낙원으로서의 의미를 지닌다.

　그렇다고 해서 현실이 안주할 수 있는 곳이냐 하면 그렇지도 않기 때문에
좌절감과 비애감이 더욱 고조될 수밖에 없다. 주권과 국토는 물론 민족과 그

혼의 상징으로서의 국어마저 핍박받고 억압당하는 일제강점하의 고통스러운 상황 속에서 안주할 수 있는 곳은 아무 데서도 찾을 수 없기 때문이다. 다만 그것은 추억의 공간 속에서만 희미하게 존재하며, 고향의 풍정 속에서 어렴풋이나마 떠올려 볼 수 있을 뿐이다. 이 점에서 이 시의 비애미가 고조될 수밖에 없다. 과거적 상상력의 틀 속에서만이 정지용의 고향은 살아서 다가오는 것이다. 따라서 정지용의 고향은 일제강점과 수탈로 인한 실낙원의 현실 속에서 상처받은 영혼으로 하여금 인간 회복의 꿈을 일깨워주는 장소로서의 의미를 지닌다고 하겠다. 그것은 비록 좌절된 것, 상실된 것, 비애로운 것으로서 다가오지만 바로 그러한 모습들이 실낙원의 시대에 자신의 실상을 확인하고 존재의 근거를 마련할 수 있게 해주기 때문이다.

이렇게 볼 때 정지용의 시는 향수의 시 또는 낙원 지향성의 시라 할 수 있지만, 그것은 이미 고향에서도 현실에서도 다 함께 안주할 곳을 찾지 못하고 방황하는 시인의 현실적 모순과 갈등을 반영한 것이라 할 수 있다.

## 3. 바다와 산, 진보의식과 보수주의의 갈등

지용의 시에는 특이하게도 상대적인 두 가지 지향성이 함께 드러난다. 바다 지향성과 산의 지향성이 바로 그것이다. 그의 시에서 바다는 주로 초기 시에 많이 나타나고 외래 지향성 또는 진보성향을 띠는 데 비해, 산은 후기 시에 주로 등장해서 전통 지향성 또는 보수성향을 지니고 있다.

> 바다는 뿔뿔이
> 달어날랴고 했다.
>
> 푸른 도마뱀 떼같이
> 재재발렀다.

꼬리가 이루
잡히지 않았다.

흰 발톱에 찢긴
산호(珊瑚)보다 붉고 슬픈 상채기!

가까스루 몰아다 부치고
변죽을 둘러 손질하여 물기를 시쳤다.

이 앨쓴 해도(海圖)에
손을 씻고 떼었다.

찰찰 넘치도록
돌돌 굴르도록

회동그란히 바쳐들었다!
지구(地球)는 연(蓮)닢인 양 옴으라들고…… 펴고……

―「바다·2」 전문

오·오·오·오·오·소리치며 달려가니
오·오·오·오·오·연달어서 몰아온다

간밤에 잠시 살포시
머언 뇌성이 울더니,

오늘 아침 바다는
포도빛으로 부풀어졌다.

철석, 처얼석, 철석, 처얼석, 철석,
제비 날어들듯 물결 새이새이로 춤을 추어.

―「바다·1」 전문

지용시에는 「바다」 연작시를 비롯하여 「갑판(甲板) 우」, 「풍랑몽(風浪夢)」, 「갈매기」, 「해협(海峽)」 등 비교적 많은 바다 시편들이 발견된다. 그리고 이들은 대체로 시작 시기로 보아서 초기 시에 속함을 알 수 있다. 그 시작 방법 면에서는 이들 바다 시편들이 이미지즘의 원리에 기초를 두고 있다고 하겠다. 즉 이들은 비유에 의해서 이미지를 조형함으로써 내면 풍경의 주지적 제시를 특성으로 하고 있다는 말이다.

위 인용시에서 보더라도 바다는 "푸른 도마뱀 떼/흰 발톱/붉고 슬픈 상채기/앨쓴 해도(海圖)" 등의 여러 이미지로 제시되어 선명한 이미지의 지도를 이루는 것이다. 또한 「바다1」에서는 "오·오·오·오·오·소리치며 달려가니/머언 뇌성이 울더니/철석, 처얼석, 철석, 처얼석, 철석" 등과 같이 청각영상의 이미지로서 바다의 모습이 선명하게 조형된다. 실상 시어 면에서 보더라도 이 바다 시편들은 "도마뱀 떼/앨쓴 해도(海圖)/지구(地球)/포도빛" 등과 같이 서구적 감수성의 색채로 물든 것들이 주조를 이루고 있다. 이처럼 다양한 감각과 이미지를 활용하고 시어에 대해 섬세한 주의를 기울임으로써 지용은 20년대 이 땅의 시에 '현대적 맥박과 호흡'을 불어넣으려 시도하였다. 바다 시편들은 바로 이러한 현대적 맥박과 호흡을 불어넣기에 적절한 시적 훈련이 됐던 것이다.

한편 후기 시에 접어들면서 지용시는 바다로부터 산으로 시적 관심이 점차 옮겨지게 된다.

벌목정정(伐木丁丁)이랬거니 아람도리 큰솔이 베혀짐즉도 하이 골이 울어 맹아리소리 쩌르렁 돌아옴즉도 하이 다람쥐도 좋지 않고 뫼ㅅ새도 울지 않어 깊은 산 고요가 차라리 뼈를 저리우는데 눈과 밤이 조히보담 희고녀! 달도 보름을 기달려 흰 뜻은 한 밤 이골을 걸음이랸다? 웃절 중이 여섯판에 여섯번 지고 웃고 올라간 뒤 조찰히 늙은 사나이의 남긴내음새를 줏는다? 시름은 바람도 일지 않는 고요에 심히 혼

들리우노니 오오 견디란다 차고 올연(兀然)히 슬픔도 꿈도 없이 장수
산(長壽山) 속 겨울 한밤내—

—「장수산(長壽山)·1」 전문

첫 시집『정지용시집』(1935)에 주로 나타나던 바다 시편들이 제2시집『백
록담(白鹿潭)』(1941)에는 산의 시편들로 변모한다. 시집『백록담』에는 「장수
산(長壽山)」을 비롯하여 「백록담」, 「비로봉」, 「구성동」, 「옥류동」, 「온정(溫
井)」 등 산과 관련된 시편들이 주류를 이루고 있다.

인용시 「장수산·1」에서는 장수산의 깊은 겨울밤 고요와 정밀 속에서 허적
(虛寂)으로서의 삶과 세계상(世界相)의 본질을 투시하고 이를 긍정함으로써
불안한 현실을 살아가는 실존의 정신적 위기를 초극하려는 의지가 담겨져 있
는 것으로 이해된다. 이 시의 핵심은 대자연의 거대한 고독과 침묵이 인간의
그것으로 치환되어 있는 데서 찾아볼 수 있다. "깊은 산 고요가 차라리 뼈를
저리우는데 눈과 밤이 조히보담 희고녀"라는 구절 속에는 자연의 원시적 허
적이 인간의 생래적 고독과 결합됨으로써 자연과 인간이 합일된 무위자연(無
爲自然)의 경지를 보여주고 있다.

그렇지만 이 시의 핵심은 "시름은 바람도 일지 않는 고요에 심히 흔들리우
노니 오오 견디란다 차고 올연(兀然)히 슬픔도 꿈도 없이 장수산(長壽山)속
겨울 한밤내"라는 결구에 놓여져 있다. 그것은 차고 올연한 허무의 초극의지
이며 자기극기의 안간힘이라 할 수 있다. 그만큼 자연과 인생의 본질을 꿰뚫
어 보고 그것을 뛰어넘어 자연과 인간의 합일을 성취함으로써 무아의 경지에
도달하려 한 것이다.

이처럼 시 「장수산」은 자연이 자연 자체로서보다도 인간과 이념적인 육화
내지 정신화되어 존재한다는 특징을 지닌다. 그만큼 자연은 사상화 내지 철
학화해 가고 있다는 말이다. 초기의 바다 시편들이 비유와 감각 편향성으로
인해 이미지즘과 기교주의에 치우쳤던 데 비해서 산의 시편들은 유연한 정신

지향성으로 인해 도덕화되고 사상화된 데서 특징을 찾을 수 있다고 하겠다. 이러한 경향은 바꿔 말해서 외래 지향성·서구적 감수성으로부터 전통 지향성·동양적 감수성으로서의 회귀를 의미한다고 할 수 있을 것이다. 아니면 방법주의·기교주의로부터 정신주의·역사 감각으로 성숙돼 간 것이라고도 해석할 수 있다. 어쩌면 이것은 육당(六堂)이「해에게서 소년에게」등 초기의 바다 상징에서「백팔번뇌(百八煩惱)」등 후기의 산의 상징으로 변모해 간 것과도 무관하지 않으리라.

그렇다면 이러한 지용의 변모 원인은 무엇이며 그것이 시사하는 것은 과연 무엇일까? 이 문제는 여러 가지 각도에서 논의할 수 있겠지만, 무엇보다도 육당의 경우와도 연관 지어 생각할 수 있을 것이다. 지용이 바다 시편에서 산의 시편으로 이행해 간 것은 지용이 이 같은 두 가지 지향성, 즉 외래 지향성 또는 서구적 감수성과 전통 지향성 또는 동양적 감수성 사이에 갈등을 겪으면서 시작 활동을 전개해 갔기 때문이 아닌가 풀이된다.

실상 그의 시에는 갈등의 요소가 적지 않게 발견된다. 전원 지향과 도시 지향성의 갈등, 낭만 지향성과 주지 지향성의 갈등, 세속 지향성과 신성 지향성의 갈등, 그리고 바다와 산이 표상하는 모더니티 지향성과 전통 지향성의 갈등이 그 대표적인 갈등의 양상이라 할 수 있다. 정지용은 이러한 여러 갈등들을 변증법적으로 종합하거나 극복하지 못한 채로 시작 활동을 마무리져 간 것으로 이해된다. 이러한 대립적인 요소들이 서로 화해하거나 융합되지 못하고 서로 괴리를 보여주고 있는 것으로 판단되기 때문이다. 이것은 어쩌면 정지용의 시력의 취약성 또는 역사의식의 결핍에 기인하는지도 모른다.

그렇지만 그보다도 당대 한국시가 하나의 형성기 또는 근대적인 전환기에 처할 수밖에 없었던 시대적 한계와도 무관하지 않을 것이다. 아울러 일제 말엽의 문화적 암흑기와 해방공간의 혼란 속에서 방황할 수밖에 없었던 정지용의 불행에 기인할 수도 있을 것이다. 그 이유야 어떻든간에 한 가지 분명한 것은 정지용이 자신의 시적 지향을 뒷받침할 확고한 사상적 기반 또는 역사의식과 세계관을 확립하지 못한 데서 오는 한계라는 점이다. 당대 시단의 그 누구보다도 새로운 시 방법에 대한 자각과 실천 능력 그리고 비범한 재능을 지니고 있었음에도 불구하고 그것이 뿌리내릴 문학사상 또는 생철학을 확보하지 못한 데서 필연적인 변모가 아닌 방법적인 관심의 이행 정도로 그칠 수밖에 없었던 것으로 판단되기 때문이다. 그의 시에 성숙의 요소는 분명히 또 충분하게 내재해 있지만, 그것이 심화와 확대를 성취하지 못한 데서 지용시의 한계가 드러난다고 하겠다.


## 4. 낭만성과 주지성의 갈등

정지용의 시에서 드러나는 또 한 가지 특징은 낭만적인 요소와 주지적인 요소가 서로 갈등을 이룬다는 점이다. 그의 시에는 많은 경우에 감정의 자유분방한 표출이 나타나기도 하지만, 그와 달리 예리한 지적 절제가 번득이고 있기 때문이다.

① 오동(梧桐)나무 꽃으로 불밝힌 이곳 첫여름이 그립지 아니한가?
　어린 나그내 꿈이 시시로 파랑새가 되여 오려니.
　나무 밑으로 가나 책상 턱에 이마를 고일 때나,
　네가 남기고 간 기억(記憶)만이 소근거리는구나.
　모초롬만에 날러온 소식에 반가운 마음이 울렁거리여
　가여운 글자마다 먼 황해(黃海)가 남실 거리나니.

　……나는 갈메기 같은 종선을 한창 치달리고 있다……

　쾌활(快活)한 오월(五月)넥타이가 내처 난데없는 순풍(順風)이 되여,
　하늘과 딱 닿은 푸른 물결 위에 솟은,

외따른 섬 로만틱을 찾어 갈거나.

일본말과 아라비아 글씨를 아르키러 간
쬐그만 이 페스탈로치야, 꾀꼬리 같은 선생님이야,
날마다 밤마다 섬둘레가 근심스런 풍랑(風浪)에 씹히는가 하노니,
은은히 밀려오는 듯 머얼리 우는 오르간소리……
─「오월소식(五月消息)」전문

② 유리(琉璃)에 차고 슬픈 것이 어린거린다.
열없이 붙어서서 입김을 흐리우니
길들은 양 언 날개를 파다거린다.

지우고 보고 지우고 보아도
새까만 밤이 밀려나가고 밀려와 부딪치고,
물먹은 별이, 반짝, 보석(寶石)처럼 백힌다.
밤에 홀로 유리(琉璃)를 닦는 것은
외로운 황홀한 심사이어니,
고은 폐혈관(肺血管)이 찢어진 채로
아아, 늬는 산(山)ㅅ새처럼 날러 갔구나!
─「유리창(琉璃窓)」전문

인용한 두 편의 시에서 우리는 대조적인 두 가지 정서적 태도를 읽을 수 있다. 시 ①에는 오월에 느끼는 연정이랄까 그리움이 개방적·서술적으로 드러나 있으며, 시 ②에는 슬픔이랄까 비통함이랄까 하는 것이 은유적·주지적으로 숨겨져 있기 때문이다. 다시 말해서 시 ①에는 낭만주의적인 성향이, 시 ②에는 주지주의적인 성향이 각각 두드러진다 할 수 있다.

먼저 시 ①에는 "오동나무 꽃/나그내/파랑새/황해(黃海)/갈매기/물결/오르간소리" 등의 낭만적 소재가 "그립지 아니한가/소근거리는구나/반가운 마음이 울렁거리여/남실거리나니/한창 치달리고 있다/외따른 섬 로만틱을 찾어

갈거나" 등과 같은 직설적인 서술과 결합되어 초여름의 신선한 연정 또는 그리움을 드러내 주고 있다. 그리움을 감추고 절제하는 것이 아니라 개방하고 분출함으로써 정서적인 유열감을 획득하고 있는 것이다.

그러나 시 ②에서는 주지적인 투명함과 예리함이 선명히 드러난다. 이 시는 흔히 운위되듯이 정지용이 사랑하던 아들을 잃고 나서 그 참척의 비통함을 초극하기 위해서 쓴 시라고 한다. 이 시에서 먼저 두드러지는 것은 이 시가 '유리창'을 시의 소재이자 제재로써 사용하고 있다는 점이다. '유리창'이라고 하는 것은 '유리'가 상징하듯 광물적 상상력에 기반을 둔 것이며, 차단이라는 '창'의 이미지를 함께 지니고 있다. 여기에서 이미 이 시는 차가움의 이미지와 견고함의 이미지라는 유리창의 이중적 표상성을 활용하고자 한 것임을 알 수 있다. 이 시의 핵심은 시의 퍼스나가 '차고 슬픈 것'으로서 '언 날개를 파다거리는' 모습이 비치는 유리창을 마주하고 서서 '지우고 보고 지우고 보'면서 '밤에 유리를 닦는' 행위로 요약할 수 있다. 다시 말해서 유리창에 가득히 엄습해오는 어둠(밤·슬픔)과 맞서서, 그 어둠을 밀쳐내려는 끈질긴 안간힘을 "지우고 보고 지우고 보고/밤에 홀로 유리를 닦는" 모습으로 상징화한 것이다. 이 시에서 감정이 어느 정도 드러난 것은 "차고 슬픈 것/물먹은 별/폐혈관이 찢어진 채" 등 매우 제한적으로 나타나며, 그것도 객관적 상관물로서 제시돼 있기 때문에 감정 노출이 철저히 차단돼 있다고 하겠다. 오히려 "새까만 밤/물먹은 별"이 "보석처럼"으로 승화되고 "폐혈관이 찢어진"이 "산새처럼"으로 상승됨으로써 비극적인 것의 초극이 날카롭게 암시되고 있는 것이다.

특히 "밤에 홀로 유리를 닦는 것은/외로운 황홀한 심사이어니"라는 이 시의 핵심 구절로서 어느 정도 자기초극을 성취하고 있는 것은 정지용 주지주의의 한 승리라고도 할 수 있으리라. '외로운'과 '황홀한'이라는 두 모순형 용어 속에는 어둠과 절망으로서의 생의 한 측면과 함께 밝음과 희망으로서의 또 다른 생의 한 측면이 함께 내재되어 있다고 볼 수 있기 때문이다. 무엇보다도 이 모순어법 속에는 부정에서 긍정으로 극적 전환이 이루어지는 빛나는 모멘트가 담겨져 있는 것으로 해석된다. 실상 이 구절은 김영랑의 '찬란한 슬픔의 봄'으로 연결됨으로써 우리 서정시의 한 황금 부분을 열어놓는 계기가 됐다는 점에서도 의미가 놓여진다고 하겠다. 따라서 이 시는 절망과 비통을 뛰어넘으려는 안간힘이 투명한 주지의 아름다움으로 고양된 정지용 주지시의 한 전범이라고 할 수 있을 것이다.

이렇게 본다면 정지용의 시에는 낭만주의적인 감정 편향성과 함께 주지주의적인 지적 지향성이 함께 갈등을 이루고 있다고 해석할 수 있을 것이다. 이러한 낭만주의적인 성향은 정지용의 「춘설(春雪)」, 「난초(蘭草)」 등에서는 생명 감각으로 나타나기도 하며, 주지주의적 성향은 「호수(湖水)」 등에서처럼 절제된 포멀리즘(formalism)으로 응결되기도 한다. 정지용의 시 정신 속에는 이러한 전원주의, 방랑의식, 생명의식, 비극정신 등의 낭만주의적 편향성이 짙게 깔려 있으면서도 도시 지향, 방법주의, 지성주의, 감각주의 등의 주지주의적인 지향성이 강하게 분출됨으로써 서로 위화적인 갈등을 형성하고 있는 것이다.


## 5. 지용시의 의미와 한계

지금까지 정지용의 시에 대한 평가는 주로 긍정적인 성향을 지녀온 것이 일반적이라 하겠다. 물론 지용을 기교파로 매도하여 그의 현실에 대한 비관심주의를 비판하거나, 그의 모더니즘을 백지와 같은 것으로 평가하는 경우가 없지 않았다. 그러나 많은 경우에 그의 시는 이 땅의 근대시를 현대시로 전환시키는 데 결정적으로 기여한 인물로 평가되면서 한국시의 한 정상으로 추앙되기도 하였다. 심지어는 '지용이즘'을 운위하는 사람이 있을 정도로 그의 시는 독보적인 세계를 확립하고 있는 것으로 호평되기도 하였으며, 실제로 신인들에게는 일종의 등단 교과서 격인 의미를 지니기도 한 바 있었다.

분명히 말해서 정지용의 시는 이 땅 현대시사에 있어서 시적 감수성을 개신하고 방법론적인 토대를 마련하는 데 크게 기여한 것이 사실이라 하겠다. 그의 시는 전근대성을 크게 탈피하고 있지 못하던 20년대 한국시의 초기 시단 형성과정에 있어서 소월 및 만해와 상대적인 위치에서 이 땅 시에 현대적인 호흡과 맥박을 불어넣는 데 결정적인 역할을 수행한 것으로 판단된다. 무분별한 사이비 서구시의 퇴폐적 풍조와 카프류의 정치적인 목적시가 범람하던 20년대 중반에 정지용은 소월이 개척한 민족 정서와 민중적인 가락, 만해가 선구한 역사의식과 형이상학 정신의 구현과 더불어 현대적 감수성으로서의 개신과 예술시 정신을 지속적으로 천착함으로써 한국시에 새로운 물결을 터놓는 데 크게 기여하였기 때문이다.

무엇보다도 정지용의 시가 갖는 장점은 그의 시가 당대의 다른 시인들의 시에 비해서 예술적인 성숙도와 완성미를 더 드러내 보여준다는 점에서 찾을 수 있다. 그의 시는 서구적 성향의 새로운 감수성과 시 방법 및 언어 감각을 지니고 있으면서도 그것을 우리의 전통적인 정서와 정신의 고향으로 잘 어울리게 연결할 수 있었다는 점에서 매력을 지니며 동시에 혈연적인 친근감을 유발할 수 있었던 것으로 보인다.

그렇지만 정지용의 시를 자세히 살펴보면 우리는 그 속에 적지 않게 모순과 갈등의 요소가 가로놓여 있음을 발견하게 된다. 요컨대 그것은 바다와 산이 표상하는 바 진보의식과 보수의식의 갈등을 비롯하여, 낭만적 성향과 주지적 성향의 갈등, 전원 지향성과 도시 의존성의 갈등, 모더니티 지향성과 전통 지향성의 갈등 등으로 정리할 수 있을 것이다.

실상 그의 실종 전말에 석연치 않은 점이 내재돼 있는 것도 이러한 모순과 갈등이 작용한 결과로 풀이될 수 있을 것이다. 그의 시가 비교적 높은 예술성과 완성미를 지니고 있음에도 불구하고 보다 심원한 예술적 향기와 드높은 사상성의 울림을 던져주지 못하는 까닭도 어쩌면 이러한 점에 연유하는지도 모른다. 그가 지향하던 그 어느 세계도 체계적·지속적인 천착을 통해 보다 완성된 깊은 세계를 열어 보여주지 못했던 것으로 판단되기 때문이다.

그렇지만 무엇보다도 정지용과 그의 문학이 결코 문학사에서 경시될 수 없는 이유 중의 중요한 한 가지는 그의 문학성이 뛰어난 점과 함께 그 광범위한 문학사적 영향 관계 때문이라 할 수 있다. 그의 문학이 전통과 현대, 동양과 서양, 방법과 정신을 넘나들고 있음으로 해서 한국적이면서 세계적인 보편성을 함께 지니게 됐다는 사실도 큰 의미가 놓여질 것이다. 아울러『문장』지의 선고위원으로서 조지훈·박목월·박두진·박남수 그리고 윤동주 등 당대의 무명 시인들에게까지 광범위한 영향력을 미침으로써 그와 그의 시가 이 땅 문학사의 풍토를 다원화하고 층위를 두텁게 한 사실은 오래도록 기억돼야 마땅한 사실이기 때문이다.

정지용, 그는 분명히 이 땅 근대문학사에서 대표적인 모순의 시인, 갈등의 시인으로서 근대시사를 이끌어간 선구적 인물이라 할 수 있다. 그의 생애와 예술은 분단시대를 살아가는 우리 모두에게 커다란 충격과 교훈을 던져준다. 그것은 그의 생애와 예술이 다 같이 일제강점기와 분단시대의 비극을 대변한 다는 점에서 그러하다.

그러나 보다 확실한 것은 그의 문학과 생애를 제대로 논의하지 않고서는 이 땅의 근대문학사 또는 정신사가 제대로 씌어질 수 없으리라는 사실이라 하겠다.

# 생의 양면성 또는 존재론의 시, 김영랑

## 1. 80년 이전의 평가는 섬세한 언어의 아름다움

영랑의 대표시 「모란이 피기까지는」은 1934년 4월 『문학(文學)』 3호에 수록된 작품이다. 그리고 다음 해에 발간된 시집 『영랑시집(永郎詩集)』(시문학사, 1935. 11)에 실림으로써 명실공히 영랑의 대표작으로 인정받게 된 것이다.

이 작품에 대한 기왕의 평가는 정지용으로부터 비롯된다. 박용철이 이미 『병자(丙子)시단의 일년 성과』(『박용철전집』 2권, 108쪽)에서 「서정주의의 한 극치」로서 『영랑시집』을 극찬한 일이 있긴 했었지만 작품에 국한된 것은 아니었다. 지용은 「영랑과 그의 시」를 부제로 한 「시와 감상」(『여성』, 1938. 9)에서 영랑의 시 전반을 집중적으로 논의하면서 이 「모란이 피기까지는」을 다음과 같이 해설하고 있다.

모란을 이처럼 향수(享受)한 시가 있었던지 모르겠다. 영랑은 마침내 찬란한 비애와 황홀한 적막의 면류관을 으리으리하게 쓰고 시도(詩道)에 승당입실(昇堂入室)한 것이니 그의 조선어의 운용(運用)과 수사(修辭)에 있어서는 기술적으로 완벽임에 틀림없다. 조선어에 대한 이만한 자존(自尊)과 자신을 갖는다면 아무 문제가 없을까 한다. 회우석상(會友席上)에서 흔히 놀림감이 되는 전라도 사투리가 이렇게 곡선적이요, 감각적이요, 정서적인 것을 영랑의 시로써 깨닫게 되는 것이 유쾌한 일이다.[1]

지용이 주목한 것은 이 시에 있어서의 황홀한 비애의 정서이며 전라 방언의 아름다운 쓰임새에 관한 것이다. 시적 정서와 시어의 섬세한 활용가치에 관심을 기울인 것이다.

정태용은 그의 「김영랑론」(『현대문학』, 1958. 6)에서 이 시를 "낙관적인 관조와 자아와 인생에 대한 '보라빛' 같은 기대와 신뢰감이 어울려 있는 시"로서 풀이한 바 있었다.

김영랑론은 정한모에 이르러서 하나의 기틀을 잡게 되는데, 그는 「조밀한 서정의 탄주(彈奏) 김영랑론」(『문학춘추』, 1964. 12)에서 김영랑 시의 형태와 시어를 면밀하게 검토하여 영랑시의 미적 구조성을 밝힌 것이다.


## 2. 80년대에 행해진 비판적 분석

이 「모란이 피기까지는」에 대한 집중적인 분석은 80년대 들어서서 본격적으로 전개되기 시작하였다.

먼저 정희성의 「모란이 피기까지는」의 해석이 있는데[2] 여기에서는 이 시를 대략 다섯 부분으로 나누어 설명하고 있다. 이 글에서 주목되는 것은 김영랑이 수동적 세계관을 지니고 있으며 이것이 여성적인 어법을 택하게 했을 것이라는 지적과 함께 이 시에서의 슬픔이 관념적·상상적 체험에서 비롯된

---

1) 김학동 편, 『모란이 피기까지는』(문학세계사, 1981), 329쪽 재인용.
2) 신경림·정희성 공편저, 『한국현대시의 이해』, 진문출판사, 1981, 121~125쪽.)

것으로서 현실성을 결여하고 있다는 비판적 시각인 것이다.

한편 김홍규는 이 시가 '그가 남달리 좋아하였던 꽃인 모란을 소재로 하여 이 지상에 피어나는 아름다움의 짧음과 그로 인한 비애를 다루고 있는' 작품으로 풀이한다. 따라서 그는 이 시를 '아무것도 영원할 수 없는 이 땅위의 세계에서 순간적인 아름다움을 사랑하며, 곧 사라지고 마는 환희에 젖어 보는 것, 그리고 이와 함께 슬픔을 맛보아야 하는 것— 이것이 그가 본 삶의 모습이며 이 시의 바탕에 있는 의미3)'로서 파악하고 있는 것이다.

정희성과 김홍규의 소론이 다분히 해설적인 성격을 지닌다면 양왕용과 이인복은 고구적(考究的)인 특성을 지니는 글을 발표한다.

먼저 양왕용은 「나의 봄과 찬란한 슬픔의 봄과의 거리」라는 부제가 붙은 「모란이 피기까지는」의 분석론에서 기본적인 텍스트의 분석은 물론 의미탐구까지도 전개하고 있다. 이 글에서 이 시가 4행시와 거리가 먼 것이며 자유시의식이 투철한 작품이라고 풀이한 것은 다소 문제점을 지니는 것이 사실이다. 왜냐하면 뒤에서 논하겠지만 이 시는 4행 대칭을 기본으로 한 3연 12행으로 보는 것이 적당하기 때문이다. 그러나 논자가 이 글에서 「모란이 피기까지는」에 "체념이라기보다는 무서운 극복의지가 숨어 있는 셈4)"이라고 파악한 것은 이 시의 한 핵심에 근접한 것으로 판단된다는 점에서 의미를 지닌다.

한편 이인복은 「<모란이 피기까지는>의 구조적 분석」5)에서 이 시를 2행 1연 구성의 6연 12행 시로서 파악하고 있다. 그리고 그는 이 시가 현실계와 의식계를 대칭분할선으로 하여 '기다림—설움—죽음'이라는 인생 상황의 삼중동심원(三重同心圓)으로 형상화되어 있음을 논하고 있다. 이 글에서 논자가 이 「모란이 피기까지는」을 '하나의 인생시6)'로서 파악한 것은 역시 이 시

---

3) 김홍규, 『한국현대시를 찾아서』, 한샘, 1982, 107쪽.
4) 양왕용, 『한국현대시 작품론』, 문장, 1981, 149쪽.
5) 이인복, 『한국 대표시 평설』, 문학세계사, 1983.
6) 같은책, 135쪽.

가 지닌 본질적 의미의 한 핵심을 설파한 것이라는 점에서 중요성을 지닌다.

이렇게 볼 때 대략 이 「모란이 피기까지는」이 지니고 있는 문제점은 ①방언의 쓰임새에 관한 것– 즉 시어의 정서적 가치에 대한 것 ②모란'의 상징적 의미에 관한 것 ③연구성 등 형태 및 구조에 관한 것 ④전체적인 내용 혹은 의미에 대한 것 등으로 요약할 수 있을 것이다.


## 3. 비극적 세계인식 또는 존재론(存在論)의 시

> 모란이 피기까지는
> 나는 아즉 나의봄을 기둘리고 잇슬테요
> 모란이 뚝뚝 떠러져버린날
> 나는 비로소 봄을여흰 서름에 잠길테요
> 오월(五月)어느날 그하로 무덥든날
> 떠러져누은 꼿닙마져 시드러버리고는
> 천지에 모란은 자최도 업서지고
> 뻐처오르든 내보람 서운케 문허젓느니
> 모란이 지고말면 그뿐 내 한해는 다 가고말아
> 나는 아즉 기둘리고잇슬테요 찰란한 슬픔의 봄을
>
> — 「모란이 피기까지는」 전문


이 시의 외견상 특징은 우선 구두점이 전혀 사용되지 않고 있다는 점이다. 그의 시집으로서 처음 발간됐던 『영랑시집』(시문학사, 1935)이나, 여기에다가 17편을 더해서 모두 70편에 제목을 달아놓은 『영랑시선』(중앙문화사, 1959)의 경우에도 구두점은 거의 사용되고 있지 않다. 이것은 시의 가락을 열어놓음으로써 음악적인 흐름을 지속시키고자 하는 영랑의 의도적인 장치로 이해된다.

띄어쓰기는 일정하지 않으나 대략 시인 자신의 호흡률(breath group)에 의지하는 것으로 보인다. 영랑이 시의 리듬을 살리기 위해서 시인 나름대로 조어를 해서 사용하고 전라 방언을 적극 시어로써 활용한 점을 유의해 본다면 이러한 구두점 미사용과 띄어쓰기의 불규칙성은 의도적이고 계산된 행위로 볼 수밖에 없다.

이 시의 형태 구조상 특징은 3연 12행으로 짜여져 있다는 점이다. 일견 보기에 2행 연의 구성을 취하고 있는 6연 12행 시라고 볼 수 있지만, 자세히 들여다보면 4행 시형을 세 번 반복함으로써 기·서·결이라는 3연 12행 형태를 유지하고 있는 것이다. 그러면서 다시 한 연은 2행이 한 단위로 짜여진 전·후 대칭으로 구성되는데 그것은 대략 '~까지는/~ㄹ테요' 또는 '~ㄴ날/~하고는' 등과 같이 '조건절/주절'의 구문법 내지 접속법을 취하고 있다. 이러한 2행 단위가 다시 대조 또는 병렬에 의해 확장됨으로써 한 의미단락으로서의 4행 1연을 구성함은 물론이다. 이렇게 볼 때 영랑의 이 시는 형태의 면에서도 의도적으로 잘 계산되고 정교하게 다듬어진 것임을 확인할 수 있다. 특히 표현의 면에 있어서도 거의 대부분의 시어 및 종지법(終止法)이 유성음과 유성종지법으로 짜여짐으로써 시에 부드럽고 유려한 리듬감을 불러일으킨다는 점은 주목할 만한 일이다. 표현과 형태에 있어서 가히 독보적인 표현미학 내지 형태 미학을 구축하고 있는 것이다.

## 4. '모란'이 의미하는 생의 절망과 희망

이 시의 의미구조는 대략 형식 구조와 서로 대응되는 것으로 보인다. 의미의 단락이 형태의 단락과 서로 대응적인 일치를 보여주고 있기 때문이다.

먼저 첫 연은 1행 "모란이 피기까지는"부터 4행 "나는 비로소 봄을여횐 서름에 잠길테요"까지가 해당된다. 이것은 내용 면에서 앞 두 행이 '모란이 피어남/봄을 기다림'으로, 뒤 두 행이 '모란이 떨어짐/서름에 잠김'이라는 상반되는 성격을 함께 포괄한다. 피어남과 떨어짐, 또는 기다림과 여윔이라는 모순되는 측면이 대조됨으로써 개화와 낙화라는 꽃에서의 생명의 원리가 인간의 정감으로 확대 이행되는 것이다.

모란의 피어남은 머지않아 그것이 떨어져 버리고 말 것이라는 존재의 숙명성을 예감케 해준다는 점에서 비극성을 지니기 때문에 그것의 떨어짐에 대한 예감은 비극성을 고조시킬 수밖에 없다. 여기에서 인생의 원리에 대한 깨달음이 나타난다. 그것은 존재와 삶의 모순성에 대한 새삼스러운 자각이며, 숙명성에 대한 또 다른 발견이자 생의 비극성에 대한 뼈저린 자각을 의미한다. 따라서 이러한 생명의 모순성과 그 숙명성 속에서 인간은 끝없는 기다림을 간직하지만, 그것은 결과적으로 덧없는 것이며 허무한 것이라는 생의 발견이 제시되어 있는 것이다. 그러므로 생은 상실이 던져주는 설움과 희망이 불러일으키는 기다림이라는 두 가지 상대적인 원리를 가치 축으로 하여 전개될 수밖에 없다. 이 점에서 이 첫 연 희망과 절망, 기다림과 좌절이라고 하는 인생의 법칙에 대한 섬세한 투시가 담겨져 있는 것으로 보인다.

둘째 연은 5행 "오월 어느날"부터 8행 "뻐쳐오르던 내보람 서운케 문허졌느니"까지이다. 여기에는 가상적인 체험으로서의 현실의 비극성이 두드러지게 제시된다. 그것은 고대하고 기다리던바 모란의 피어남이 아니라, 그것의 떨어짐이 불러일으키는 참담한 현실상의 발견이며 확인에 해당한다. "떠러져누은/시드러버리고는/자최도 업서지고/서운케 문허졌느니"라고 하는 거듭되는 하강적·부정적 시어 속에는 현실의 비극성과 생의 근원적 모순성에 대한 깊은 절망과 탄식이 깃들어 있다. 모란의 낙화가 의미하는 생의 소멸이 지금 눈앞에 현전하는 것이 아니라 하더라도 그것은 머지않아 다가올 모란의 숙명이며 생명을 지닌 것들의 필연적 결과일 수밖에 없는 것이다. 시의 화자는 모란의 화려한 개화를 보면서 동시에 이윽고 다가올 처참한 낙화의 모습을 투시함으로써 생의 모순성, 비극성을 감지하며 순간적으로 전율하게 된 것이다. 이러한 순간적인 비극적 전율이 바로 가상적인 '오월 어느날의 낙화

(落花)'라고 하는 가상적 현실체험을 도출하게 된 것이다. 실상 모순의 숙명성과 양면성 및 그 비극성은 모든 생명 있는 것들에 있어서의 생명의 원리이며 법칙이 아닐 수 없다. 생명 있는 모든 것들은 생명이 있다는 그 사실만으로서 유한성을 지니며 동시에 근원적인 면에서의 비극적인 존재성을 지닌다. 그것은 일회적 존재로서의 생의 모습이면서 유한자·단독자로서의 인생의 본질에 해당한다. 모란이 떨어지는 것은 "오월(五月)어느날 그하로 무덥든날"로서의 가상적 현실이지만, 그것은 피할래야 피할 수 없는 눈앞에 현전하는 숙명적 사실인 것이다. 이렇게 볼 때 이 연에는 생명의 양면성·모순성 또는 숙명적 비극성에 대한 새삼스러운 발견과 그에 대한 탄식이 깃들여 있는 것으로 보인다. 아울러 거듭되는 현실에 있어서의 절망과 좌절이 부정적·하강적 시어로써 반영되고 있는바, 이것은 영랑의 뿌리 깊은 비극적 세계관 또는 절망적 현실 인식을 담고 있는 것으로 보인다. 15세 이른 나이에 상처(喪妻)를 한 바 있고, 17세 때 이미 독립운동 혐의로 체포되어 6개월간 복역한 바 있는 등 인생의 쓰라림과 고달픔을 맛본 바 있는 영랑으로서 인생이란 비극과 좌절의 연속일 수밖에 없었을 것이 분명하다. 바로 이러한 절망과 좌절체험이 부정적·하강적 시어로서 모란의 생명과정을 묘사하게 된 것이며, 바로 이 점에서 이러한 부정적·하강적 생의 인식은 바로 그의 비극적 세계관을 반영한 것이 아닐 수 없기 때문이다.


## 5. '모란'의 개화와 생의 기다림

셋째 연은 형식과 내용 면에서 첫 연과 대응된다. 첫 연의 네 행이 2행씩 도치되어 마지막 연에 반복되는 것이다. 따라서 내용도 첫 연에서의 '상승→하강'이 '하강→상승'으로 전이되어 있다. 다시 말해서 이 끝 연은 "모란이 지고 말면/섭섭해 우옵내다"와 "모란이 피기까지는/기둘리고 잇슬테요"의 대응으로 짜여져 있는 것이다. 모란의 '피어남→떨어짐'이라는 첫 연의 내용이 여기에서는 '떨어짐→피어남'으로 전이되어 그에 대한 기다림을 드러내게 되는 것이다. 이 점에서 끝 연은 다시 생을 긍정하게 되는 상승 국면으로 시를 마무리하게 되는 것이다. 실상 이러한 '개화→낙화→개화'라는 이 시 전체의 사건 전개는 '희망→절망→희망'이라는 감정 추이를 반영한 것이며, 동시에 이것은 끊임없는 절망과 좌절 속에서 삶을 긍정하며 기다림 속에서 살아갈 수밖에 없는 삶의 모습을 상징화한 것으로 이해된다. 모든 생명 있는 것들은 이러한 '피어남→떨어짐→피어남'이라는 생성과 소멸, 소멸과 생성의 간단없는 반복 위에서 삶을 이어가는 것이기 때문이다. 따라서 마지막 행 "나는 아즉 기둘리고 잇슬테요 찰란한 슬픔의 봄을"이라는 결구 속에는 밝은 것과 어두운 것, 상승과 하강, 생성과 소멸이라는 존재의 원리를 긍정하면서 살아갈 수밖에 없는 생의 모습이 구체적으로 담겨져 있는 것으로 보인다. 특히 "찰란한 슬픔의 봄을"이라는 마지막 핵심구절은 인생의 모순되는 양측면과 그것의 숙명적 비극성에 대한 투시, 그리고 그러한 비극성을 뛰어넘으려는 초극의지가 제시되어 관심을 끈다. 개화와 낙화라는 모순되는 양측면을 함께 포괄하는 봄의 모습은 이별과 만남, 소멸과 생성, 하강과 상승 등이 끊임없이 반복되며 전개되는 생의 모습과 하등 다를 바 없는 것이다. 이 점에서 "찰란한 슬픔의 봄"이란 '찰란함(개화)'과 '슬픔(낙화)'이라는 서로 상대되고 모순되는 양면성을 함께 지니고 있는 봄을 들어서, 기쁨과 슬픔, 절망과 희망, 이별과 만남 등이 무시로 교차하며 전개되는 인생의 모순성·비극성·양면성을 예리하게 투시해낸 명구로 풀이된다. '찰란함'과 '슬픔'이라는 두 모순되는 표현을 함께 결합한 빛나는 정신의 힘은 그만큼 이 삶의 이중성·양면성·양극성의 문제에 괴로워하던 영랑 자신이 무수한 절망 속에서 문득 섬광적으로 이루어낸 절망과 비극성의 초극의지를 발현한 것이 아닐 수 없다. 이것은 마치 정지용이 아들을 잃은 절망과 오뇌의 순간에 성취해낸 "외롭고 황홀한 심사"(「유리창」,

『조선지광』, 89호, 1930. 1)에 해당되는 절창인 것이다.

이렇게 볼 때 이 시는 대략 다음과 같이 요약할 수 있다.

> ① 첫 연– 상승→하강/생의 양면성·모순성·비극성 자각
> ② 둘째 연– 하강국면/비관적 현실인식·비극적 세계관 반영
> ③ 셋째 연– 하강→상승/생의 비극적 초월 갈망·생의 긍정

따라서 이 시는 생의 모순성과 양면성, 그리고 숙명적 비극성을 '모란이 피고 지는 모순'을 통해서 투시함으로써 생의 모습 또는 존재의 원리를 새롭게 발견하고 자각하는 존재론의 시라고 규정할 수 있다. 누구보다도 감수성이 예민했던 영랑으로서 봄날 화려하게 피어난 모란을 보면서 '피어남과 떨어짐'으로서의 생명의 원리를 깨닫게 되었을 것이라는 점은 쉽게 짐작할 수 있는 일이다. 이미 앞에서도 언급한 것처럼 10대에 이미 초혼의 아내를 잃었었고 영어체험을 겪은 바 있던, 어느 면 성숙하고 다감한 영랑의 감수성이 개화의 화려함 속에서 낙화의 쓸쓸함을 예리하게 읽을 수 있었을 것이기 때문이다. 이렇게 본다면 이 시를 단순히 '보람의 기다림' 또는 '생명의 승화'라는 단선적인 틀로 이해하려는 기존의 관점들은 수정돼야 마땅하다.

이 시는 오히려 생의 양면성·모순성·비극성을 투시함으로써 존재의 원상을 발견하고, 그 근원적 모순성과 비극성을 뛰어넘으려는 '초극의 시' 또는 '존재론의 시'로 보아야 할 것이다. 따라서 이 시는 단순한 서정시가 아니다. 이 시는 존재의 모순성을 발견하고 그것을 극복함으로써 생의 상승과 초월을 갈망하는 '형이상학 시'의 한 전범에 해당한다고 할 수 있다.

## 6. 소월시(素月詩)와의 맥락

그렇다면 이 「모란이 피기까지는」의 방법적 원천은 과연 어디에서 찾을 수 있을 것인가. 먼저 이것은 김소월의 작품에서 찾아볼 수 있다고 생각된다. 시 「산유화」와 「진달래꽃」이 그 원천이라고 생각되는 것이다.

산(山)에는 꽃피네
꽃치피네
갈 봄 녀름업시
꽃치피네

산(山)에
산(山)에
피는꽃츤
저만치 혼자서 피여잇네

산(山)에서 우는 적은새요
꽃치죠와
산(山)에서
사노라네

산(山)에는 꽃지네
꽃치지네
갈 봄 녀름업시
꽃치지네

먼저 소월의 한 대표작인 이 「산유화」는 꽃이 피는 것과 지는 것을 통해서 생명의 순환 원리를 투시하고, 이것을 계절의 순환 원리와 연결함으로써 다시 떠남과 만남, 만남과 떠남으로 이어지는 사랑의 원리를 발견하고, 마침내 생성과 소멸이라는 대자연의 섭리 내지는 존재의 원리를 꿰뚫어 보게 되는 과정을 보여준다. 다시 말해서 이 시는 형식상으로는 4연 형식으로 되어 있지만 내용적인 면에서는 '기(1연)— 서(2·3연)— 결(4연)'로 짜여져 있으며 기와 결은 피는 것과 지는 것으로서 서로 대응된다. 이 점에서는 「모란이 피기까지는」의 구조와 유사한 면을 지닌다. 특히 이 「산유화」는 ①피고— 짐(꽃/생명의 원리) ②만나고— 헤어짐(사랑/사랑의 원리) ③태어나고— 죽음(인생/생명의 원리) ④생성하고— 소멸함(삼라만상/존재의 원리)을 함께 포괄한다는 점에서 단순한 서정시가 아니라 형이상학적인 깨달음을 담고 있는 존재론의 시로 볼 수 있다는 점에서 「모란이 피기까지는」과 근원적 유사성을 지니는 것이다.

## 7. 「모란이 피기까지는」과 「진달래꽃」이 호응되는 점

소월의 「진달래꽃」은 영랑의 「모란이 피기까지는」과 더욱 직접적으로 대응된다.

> 나보기가 역겨워
> 가실때에는
> 말업시 고히 보내드리우리다
>
> 영변(寧邊)에 약산(藥山)
> 진달래꽃
> 아름싸다 가실길에 뿌리우리다
>
> 가시는 거름거름
> 노힌 그곳츨
> 삽분히즈려밟고 가시옵소서

나보기가 역겨워

가실 때에는

죽어도아니 눈물흘니우리다

　우선 구두점을 전혀 사용하고 있지 않다는 점과 호흡률에 의한 띄어쓰기를 하고 있다는 점에서 이 시는 「모란이 피기까지는」과 유사성을 지닌다.

　그렇지만 내용적인 면에서 이 시는 영랑시와 더욱 연결된다. 이 작품이 꽃(진달래꽃)을 제재로 하고 있다는 점과 그것이 상실(이별)이라고 하는 인간사의 본원적인 문제와 연결돼 있는 점이 더욱 그러한 것이다. 그리고 시간적인 배경이 봄으로 되어 있다는 점도 간과할 수 없는 중요성을 지닌다. 봄의 개화 속에서 낙화를 예감한다는 점이 두 시에서 근원적인 발상법의 유사성을 드러내 준다. 이렇게 본다면 두 시는 다 같이 '꽃-봄-이별(사랑)'의 상관관계를 핵심으로 하고 있음을 알 수 있다. 형식상에 있어서도 이 시는 기·승·전·결이라는 4연 구성을 취하고 있지만 내용상에 있어 그것이 '기(1연)- 서(2·3연)- (4연)'로 짜여져 있으며 수미가 상응한다는 점에서 「모란이 피기까지는」과 유사하다.

　무엇보다도 이 시에서 이별이라는 가상적 상황 또는 미래적 공간이 설정된 점이 「모란이 피기까지는」에서의 그것과 호응을 이루고 있어서 흥미롭다. 즉 이 시에서 이별은 실제 일어났던 일이 아니며 지금 현재 일어나고 있는 일도 아니다. 이별은 "가실"에서의 '－ㄹ'이나 "보내드리우리다/뿌리우다/가시옵소서/눈물흘리우리다"에서의 '리'와 같이 앞으로 일어날지도 모르는 가정적 상황에 대한 예감 또는 대비의 성격을 지니고 있는 것이다. 특히 미래시재의 습용이나 "죽어도 아니"라는 역설적인 강조 어사는 이별이 일어나서는 안 될 일이지만 일어난다 해도 눈물 속에서 카타르시스하겠다는 미래에의 비장한 결의를 표현한 것으로 보인다. 이 점에서 앞으로 있을지도 모르는 이별과 그에 따르는 충격으로부터 자신을 보호하려는 심리적인 방어기제(defense mechanism)

의 작용으로 해석할 수 있는 것이다. 특히 이 시의 마지막 행 "죽어도아니 눈물홀니우리다"와 「모란이 피기까지는」에서 "나는 아즉 기둘리고잇슬테요 찰란한 슬픔의 봄을"의 대응은 두 가지가 다 미래적 상황을 날카롭게 예감한 것으로서 두 시에서 각각 백미가 된다는 점에서 소중한 의미를 던져준다.

## 8. '진달래'와 '모란'은 비극적 세계관 암시

무엇보다도 두 시에 비관적인 현실 인식과 부정적인 세계관이 드러난다는 점이 유사하다. 진달래꽃의 화려한 개화 속에서 이별이라는 비극적 상황을 예감하는 영랑의 시심은 근원적인 면에서 하등 다른 것이 아니다. 세계와 사태를 바라보는 기본적인 시선이 비관적이고 어두운 정조에 깊이 물들어 있는 것이다. 봄에 피어나는 진달래꽃은 겨울의 죽은 땅에서 살아나지만 그것은 머지않아 떨어져 버리고 말 숙명적인 비극성을 지닌다. 이른바 개화 속에서 낙화를 보는 것이며, 만남에서 이별을 예감하는 것이고, 아울러 봄 속에서 겨울을 읽는 것이다. 피어남에서 떨어짐으로 이어지는 꽃의 숙명성은 자연의 순환 원리에 비춰볼 때 극히 자연스러운 일에 해당한다. 그렇기 때문에 사랑도 반드시 이별이 근본원리로서 작용하며, 인생에서도 죽음이 언젠가는 닥쳐올 운명에 해당한다. 인간도 언젠가는 죽음의 세계로 떠날 수밖에 없는 것이다. 소월은 '피고 짐'으로서의 꽃의 원리를 '만나고 떠남'으로서의 사랑의 원리로, 다시 '태어나고 죽음'으로서의 인생의 원리로, 마침내 '생성되고 소멸되는 것'으로서의 만물 존재의 원리로서 상승시킨 것이다. 이 점에서 소월의 「진달래꽃」은 역시 영랑의 「모란이 피기까지는」과 마찬가지로 사랑을 노래한 단순한 서정시가 아니라 형이상학적인 깨달음을 담고 있는 존재론의 시라고 볼 수 있는 것이다. 소월의 「진달래꽃」이 이별의 상황설정이라는 문학적 장치를 통해서 존재의 근본원리를 형상화한 존재론의 시인 것처럼 영랑의

「모란이 피기까지는」도 모란의 피고 짐 및 낙화라는 가정적 상황설정을 통해서 존재의 근본원리를 투시한 존재론의 시에 해당하는 것이다.

## 9. 영랑은 소월을 발전적으로 계승

따라서 영랑의 「모란이 피기까지는」은 그 발상법이나 상상력의 전개 양식에 있어 부지불식 중에 소월시의 영향을 적지 않게 받은 것으로 보인다. 영랑에 있어 달의 상상력과 흐름의 시학이 나타나는 점 혹은 비극적 세계관이나 전원 상징이 두드러지는 점, 그리고 고유어와 방언을 활용하고 있는 점 등이 영랑시의 광범위한 영향으로 해석된다는 말이다. 그렇다고 해서 영랑의 문학적 우수성이나 독자성이 조금도 훼손되는 것은 아니다. 영랑은 영랑다움을 확보함으로써 소월시를 창조적으로 변용 계승하고 있기 때문이다. 오히려 소월은 영랑이 있음으로 해서 상대적인 빛을 발할 수 있으며 보다 완성되는 면을 보여주기 때문이다. 아울러 앞에서도 지적한 것처럼 영랑의 시에는 부지불식 중에 정지용이 실험한 바 있던 주지주의적인 감각성과 회화성도 나타나고 있음을 볼 수 있다. 특히 공감각적인 심상의 다양한 활용과 시어의 절제는 지용을 뛰어넘는 면모를 지니고 있다.

이렇게 볼 때 영랑의 이 「모란이 피기까지는」은 소월시의 발상법과 상상력에 간접적인 영향을 받으면서 부분적으로 지용의 감각주의의 세련을 거쳐서 완성된 작품이 아닐까 하는 가설을 세울 수 있으리라고 본다. 필자 자신의 본격적인 논증은 추후로 미루겠지만, 이러한 가설은 충분히 타당성이 인정된다는 점에서 앞으로 소월과 영랑, 그리고 지용과 영랑의 상관관계가 보다 면밀히 검토돼야 할 것으로 생각한다.

영랑의 시는 순수서정시의 한 전범에 속한다. 그의 시는 시의 섬세한 의미와 가락, 그리고 형식이 유기적으로 통합됨으로써 생의 인식이 예술의식으로 탁월하게 상승된 한 모범을 보여주는 것이다. 그렇다고 해서 그의 시가 '순수'와 '서정'의 세계에만 함몰되어 있다는 뜻은 아니다. 그의 시에는 인생에 관한 보다 깊이 있는 응시와 관조, 그리고 현실에 대한 관심과 애정이 짙게 드러난다. 그러면서도 그 밑바탕에는 비관적 현실 인식과 함께 비극적인 세계관이 짙게 깔려 있는 것이다. 바로 이 점에서 그의 시는 생의 모순성과 삶의 비극성에 대한 끈질긴 극복의지를 드러내게 된다. 그가 시종일관 견지한 비관적인 현실 인식과 비극적 세계관, 그리고 그것을 형상화하기 위한 언어미학에의 끈질긴 집념은 당대 일제의 포악한 파시즘에 시인이 대처할 수 있는 효과적인 예술적 응전방식에 해당하는 것이다. 무엇보다도 그가 보여준 한국의 전통적 서정과 가락에 대한 뜨거운 애정, 향토적 정감의 소중함에 대한 재발견의 노력, 그리고 그에 따른 한국어의 시적 가치와 그 예술적 가능성에 대한 깊이 있는 신뢰와 실천적 탐구야말로 바람직한 시인의 사명완수일 수 있기 때문이다.

　「모란이 피기까지는」에서 단적으로 드러나듯이 그의 시는 표층적인 면에서는 순수서정시적인 면모를 지니지만, 심층적인 면에서는 삶의 모순과 그 비극성에 대한 끈질긴 극복과 초월의지를 담고 있는 것이 확실하다. 바로 이 점에서 「모란이 피기까지는」으로 대표되는 영랑문학 전체에 대한 새로운 해석과 평가가 본격적으로 전개될 필요성이 놓여진다.

# 민족적 삶의 원형성과 운명애, 백석

## 머리말

시인 백석(白石, 본명 백기행(白夔行), 1912. 7. 1~?), 그는 1930년대 이 땅 시사에서 민족시와 민중시의 한 원형성을 보여준 귀중한 시인의 한 사람이다. 그는 계급적 색채를 강하게 드러내지도 않았고 이른바 월북시인이 아니면서도 광복 후에도 계속 북한에 남아 있었던 관계로 월북시인으로 추정되어 오랫동안 실종상태에 놓여져 있던 불행한 시인이다.

그는 1935년 카프 해산 무렵에 등단한 이래 점차 사라져가는 민족적인 삶의 모습을 집중적으로 탐구하였으며, 소외된 계층으로서 민중적인 삶의 양식에 깊은 관심과 애정을 기울였다. 특히 그가 서북지방의 향토적 정서를 형상화하는 데 힘을 기울이는 한편 평북 방언을 적극 활용함으로써 민족혼의 상징으로서 민족어와 민족정서를 갈고닦는 데 진력한 것은 민족주체성을 확립하고 진정한 문학적 평등을 실현하기 위한 노력으로서 소중한 의미를 갖는다.

그는 1912년 수많은 민족의 선각자와 소월(素月) 등 시인을 배출한 전통의 고장 평북 정주에서 태어났다. 그는 향리에서 오산학교(五山學校)를 마치고 조선일보장학생으로 선발되어 도일, 동경의 청산(靑山)학원에서 영문학을 전공하였다. 이후 귀국하여 『조선일보』에 근무하면서 자매지 『여성(女性)』의 편집을 보던 중인 1935년 8월 31일 조선일보에 시 「정주성(定州城)」을 발표하면서 등단하였다. 그는 등단 후 얼마 후인 1936년 1월에 시집 『사슴』[1](선광인쇄, 100부 한정판)을 간행하여 단번에 주목할 만한 시인으로 부상함으로써 1938년 『조선일보』에서 간행된 『현대조선문학전집·시가집』에 대가들과 나란히 수록되기도 하였다. 그러나 그는 적극 앞에 나서거나 행세하기를 싫어하여 문단조직이나 모임에 별로 참여하지 않으면서 『조선일보』·『조광』·『여성』·『문장』·『인문평론』 등에 주로 작품을 발표하였다. 1936년 『조선일보』를 사직하고 함흥 영생여고보 교원을 역임하기도 하였으나, 1938년 다시 상경 『여성』지에 관계하다가 1939년 만주 신경으로 이거하고 말았다. 이후 그는 측량보조원·소작인·세관직원 등으로 전전하다가 1945년 해방이 되어 귀국 신의주를 거쳐 고향인 정주에 머물렀던 것으로 전해진다. 1948년 10월 『학풍(學風)』 창간호에 「남신주의(南新義州) 유동박시봉방(柳洞朴時逢方)」을 마지막 발표한 후 문학사에서 실종돼버린 것이다.

  광복 이전 그에 대한 논의는 김기림·박용철·오장환 등[2]에 의해 주로 긍정적인 각도에서 단평이 이루어졌다. 분단 이후에는 각종 문학사류와 비평서[3]에서 부분적으로 언급되어온 실정이다. 그 후 1988년 7월 해금이 이루어지면서 그에 대한 연구가 본격화하기 시작하여[4] 1930년대 시사에서 중요한

---

1) 이 시집 『사슴』에는 소제목 '얼럭소새끼의 영각' 아래 「가즈랑집」 등 6편, '돌덜구의 물' 아래 「초동일(初冬日)」 등 9편, '노루'에 「청시(靑柹)」 등 9편, '국수당넘어'에 「절간소이야기」 등 33편이 실려 있다. 이하 시 인용은 원시집을 참조하되 이동순 교수 편 『백석시전집(白石詩全集)』(창작사, 1987)을 사용하기로 한다. 이 전집에 힘입은 바 크다.
2) 김기림, 「<사슴>을 안고」(『조선일보』, 1936. 1. 29). 박용철 「백석시집 <사슴>평」, 『박용철전집』 2(동광당서점, 1940). 오장환, 「백석론」(『풍림』 5호, 1937. 4).
3) 김윤식·김현, 『한국문학사』(민음사, 1973). 유종호, 『비순수의 선언』(신구문화사, 1962) 등.
4) 주요 논문으로는 최두석의 「백석의 시세계와 창작방법」(『우리시대의 문학』 6집,

한 공백 부분이 메워지게 된 것이다.


## 1. 유소년회상과 과거적 상상력

백석의 시가 지닌 첫 번째 특징은 그의 시가 유소년회상과 동심 지향성 또는 과거적 상상력을 바탕으로 형성된다는 점이다. 그의 많은 시편들은 소년 시점과 회상체로 짜여짐으로써 신선함과 함께 애틋함의 정감을 불러일으키고 있는 것이다.

① 봄철날 한종일내 노곤하니 벌불 장난을 한 날 밤이면 으레히 싸개동당을 지나는데 잘망하니 누어싸는 오줌이 넓적다리를 흐르는 따근따근한 맛 자리에 펑하니 괴이는 척척한 맛

첫여름 이른 저녁을 해치우고 인간들이 모두 터앞에 나와서 물외포기에 당콩포기에 오줌을 주는 때 터앞에 밭마당에 샛길에 떠도는 오줌의 매캐한 재릿한 내음새

긴긴 겨울밤 인간들이 모두 한잠이 들은 재밤중에 나 혼자 일어나서 머리맡 쥐발같은 새끼오강에 한없이 누는 잘 매럽던 오줌의 사르릉 쪼로록하는 소리

그리고 또 엄매의 말에 내가 아직 굳은 밥을 모르던 때 살갗퍼런 막내고무가 잘도 받어 세수를 하였다는 내 오줌빛은 이슬같이 샛말갛

1987), 김명인의 「백석시고(白石詩考)」(1983), 이숭원의 「풍속의 시화와 눌변의 미학 – 백석론」(『한국시문학비평』, 삼지원, 1983). 이동순의 「무너진시대의 모국어와 공동체의식」(백민전재호박사화갑논총, 1985), 「함흥시절의 백석(白石)선생」(『현대시학』 1988. 10), 신범순의 「백석의 공동체적 신화와 유랑의 의미」(『분단시대』 4집, 학민사, 1988) 및 고형진의 「백석시연구」(고려대석사학위논문, 1983) 등이 관심을 끈다.

기도 샛맑았다는 것이다.

―「동뇨부(童尿賦)」 전문

② 내가 언제나 무서운 외가집은
초저녁이면 안팎마당이 그득하니 하이얀 나비수염을 물은 보득지근
한 복쪽재비들이 씨굴씨굴 모여서는 쨩쨩쨩쨩 쇳스럽게 울어대고

밤이면 무엇이 기와골에 무리돌을 던지고 뒤울안 배낡에 쩨듯하니
줄등을 헤여달고 부뚜막의 큰 솥 적은 솥을 모주리 뽑아놓고 재통에
간 사람의 목덜미를 그냥그냥 나려 눌러선 잿다리 아래로 처박고
그리고 새벽녘이면 고방시렁에 채국채국 얹어둔 모랭이 목판 시루
며 함지가 땅바닥에 넘너른히 널리는 집이다.

―「외가집」 전문

③ 아배는 타관 가서 오지 않고 산(山)비탈 외따른 집에 엄매와 나와 단
둘이서 누가 죽이는듯이 무서운 밤 집뒤로는 어늬 산(山)골짜기에서
소를 잡어먹는 노나리꾼들이 도적놈들같이 쿵쿵거리며 다닌다.

날기멍석을 져간다는 닭보는 할미를 차 굴린다는 땅아래 고래같은
기와집에는 언제나 니차떡에 청밀에 은금보화가 그득하다는 외발
가진 조마구 뒷산(山) 어늬메도 조마구네 나라가 있어서 오줌누러
깨는 재밤 머리맡의 문살에 대인 유리창으로 조마구군병의 새까만
대가리 새까만 눈알이 들여다보는 때 나는 이불 속에 자즈러붙어
숨도 쉬지 못한다.

또 이러한 밤 같은 때 시집갈처녀 막내고무가 고개너머 큰집으로
치장감을 가지고 와서 엄매와 둘이 소기름에 쌍심지의 불을 밝히고
밤이 들도록 바느질을 하는 밤같은 때 나는 아릇목의 삿귀를 들고
쇠든밤을 내여 다람쥐처럼 밝어먹고 은행여름을 인두불에 구어도
먹고 그러다는 이불 우에서 광대넘이를 뒤이고 또 누어 굴면서 엄
매에게 웃목에 두른 평풍의 새빨간 천두의 이야기를 듣기도 하고

고무더러는 밝는날 멀리는 못난다는 뫼추라기를 잡어달라고 조르
기도 하고

―「고야(古夜)」 부분

　백석시에서 기본이 되는 것은 어린 시절에 대한 그리움 또는 고향에 대한
추억이라고 할 수 있다. 이러한 유년 회상과 향수, 그리고 과거적 상상력이 백
석의 시에서 그 기저음을 형성하고 있기 때문이다.

　먼저 시 ①은 오줌싸개의 추억을 오브제로 하여 유년 시절의 삶과 꿈에 대
한 그리움을 드러낸다. 여기에는 봄철의 들불놀이와 여름밤의 모깃불, 겨울
밤의 요강 소리, 그리고 엄매·고무 등 가족에 대한 추억이 아련하게 담겨져 있
다. 그만큼 순진무구하기만 하던 유년에의 그리움과 다정하던 고향의 추억들
이 은은하게 아로새겨져 있는 것이다. 그런데 이러한 과거적 상상력을 일깨
워주는 촉매로써 공감각적 심상들이 활용되어 관심을 끈다. 즉 다양한 감각
들이 함께 사용됨으로써 보다 강한 서정적인 감각성을 불러일으키는 한편 생
명 감각을 환기해주는 것이다. 첫 연에서는 "잘망하니 누어 싸는 오줌이 넓적
다리를 흐르는 따끈따끈한 맛 자리에 평하니 괴이는 척척한 맛"처럼 촉감적
인 이미지가 제시된다. 그만큼 오줌싸개의 추억이 직접적인 감각으로 되살아
나면서 감각적인 그리움을 불러일으키는 것이다. 둘째 연에서는 여름날처럼
"모두 터앞에 나와서 물외포기에 당콩포기에 오줌을 주는 때 터앞에 밭마당
에 샛길에 떠도는 오줌의 매캐한 재릿한 내음새"처럼 후각적인 심상이 묘사
된다. 그러면서 '매캐한'과 '재릿함' 속에 모깃불이나 찬물로 멱감는 일 또는
참외 서리 등 여름밤의 풍정을 암시하고 있는 것이다. 셋째 연에서는 한겨울
밤 "재밤중에 나 혼자 일어나서 머리맡 쥐발같은 새끼오강에 한없이 누는 잘
매럽던 오줌의 사르릉 쪼로록하는 소리"와 같이 청각적 심상을 통해서 생명
감각을 환기한다. 한겨울밤의 무서우리만큼 고요한 분위기에 대조되어 요강
에 '사르릉 쪼로록' 오줌 누는 소리가 사람들이 살고 있음을 구체적·직접적으

로 증거해주는 것이다. 넷째 연에는 "살갗 퍼런 막내고무가 잘도 받어 세수를 하였다는 내 오줌빛은 이슬같이 샛말갛기도 샛맑았다는 것이다"처럼 시각적인 심상으로 결구가 짜여져 있다. "살갗퍼런 고무"와 "이슬같이 샛맑은 오줌"을 대비시켜 삶의 서글픔을 투영하면서 오줌을 받아마시는 일로써 민속신앙을 제시하고 있는 것이다.

이처럼 이 시는 촉각·후각·청각·시각 등과 같은 여러 감각을 공감각적 심상5)으로 결합하여 활용함으로써 서정성을 북돋우고 생명 감각을 고조시킨 데서 그 특징이 드러난다. 또한 시의 전개가 '봄→여름→겨울'이라는 순차적인 짜임새를 이루고 있는 점도 특이하며, 각 연의 종지를 '맛/내음새/소리'로 하고 마지막 연을 '~했다는 것이다'로써 마무리하는 솜씨 또한 개성적이라고 하겠다. 그만큼 유년 회상이 계절 감각과 기관(器管) 감각, 그리고 과거적 상상력으로 촉발되면서 살아가는 일로서의 생명 감각 또는 생활의식을 일깨워주는 것이라고 하겠다.

시 ②에는 어린 날에 느끼던 외갓집의 추억이 담겨져 있다. 그것은 다정하면서도 일견 무서운 모습으로 묘사된다. "안팎마당이 그득하니 하이얀 나비수염을 물은 보득지근한 복쪽재비들이 씨굴씨굴 모여서는 쨩쨩쨍쨍 쇳스럽게 울어대고"라는 첫 연은 바로 친근하고 다정스러운 외갓집의 초저녁 정경을 시각과 청각 이미지로 묘사하고 있다. 아울러 "무엇이 기왓골에 무리돌을 던지고 뒤울안 배남게에 째듯하니 줄등을 헤여달고 부뚜막의 큰 솥 적은 솥을 모조리 뽑아놓고/재통에 간 사람의 목덜미를 그냥그냥 나려눌러선 잿다리 아래로 처박고"와 같이 무언가 알지 못할 환상적인 무서움과 함께 해학적인 내용을 내포하고 있는 것이다. 어린 시절 본능적으로 빠져들던 환상의 세계 또는 미신적인 그 어떤 것에 대한 호기심과 두려움을 표출하고 있다는 뜻이

5) 공감각적 심상(synaesthetic image)이란 시각·청각·후각·미각·촉각 등 여러 감각 이미지가 서로 함께 쓰이거나 전이되는 것을 말한다. R. Wellek & A.Warren, *Theory of Literature*(Penguin Books, 1976), 187쪽.

다. 이 시의 전개도 역시 '초저녁→밤→새벽녘'과 같이 순차적인 시간 전개로 짜여져 있다.

그런데 이 시는 백석시의 어법상 중요한 한 특징이라 할 의성의태어, 즉 부사의 풍부한 쓰임새를 보여주고 있어서 관심을 끈다. "씨굴씨굴/짱짱짱짱/그냥그냥/채국채국/넘너른히" 등처럼 다른 시인들의 시에서 쉽게 찾아보기 어려운 독특한 부사어를 많이 활용한다는 점이다. 실상 백석의 시에는 "오불고불/쟝글쟝글/졸레졸레/재릿재릿/가스늑히/쇠리쇠리/지중지중/들믄들믄/쩌락쩌락/찌륵찌륵/짜랑짜랑/히물적/주준히/부숭부붕/쏠돈이/챙챙/디퍽디퍽/쓰렁쓰렁/사물사물" 등에서 보듯이 개성적인 의성의태어가 다양하게 사용되고 있음을 찾아볼 수 있다. 아울러 음상(音相)에 있어서나 색채어 등 감각어의 활용 또한 대단히 섬세함을 볼 수 있다. "히스무레한/기드러한/습습한/더북한/살틀한/시퍼러둥둥한/뽀오얀/뿌우현/어드근한/쇠리쇠리한/어득시근한/샛노랗고 샛노란/뜨수한/쨋쨋한/홰줏한/그느슥한/시금털털한/쟝글쟝글한/썩심한/뛰겁많은" 등과 같이 다양하면서도 섬세한 감각의 관형어와 음상의 활용을 보여주고 있는 것이다. "시름한 배척한 퀴퀴한 이 내음새 속에/나는 가느슥히 여진(女眞)의 살내음새를 맡는다//얼근한 비릿한 구릿한 이 맛 속에선/까마득히 신라(新羅)백성의 향수(鄕愁)도 맛본다"(「북관(北關)」에서)의 경우처럼 여러 감각들이 중첩된 특이한 용례를 찾아볼 수도 있다. 이러한 다양하면서도 섬세한 부사어 및 형용사어의 활용은 백석시가 지니고 있는 특유의 감각 능력과 함께 그가 얼마나 고유 시어에 깊은 관심을 기울였는가를 말해주는 단적인 예가 된다.

시 ③에는 엄마와 함께 보내던 어린 날의 모습이 동화적인 색채로 그려져 있다. 여기에서 "어늬 산(山)골짜기에서 소를 잡아먹는 노나리꾼들이 도적놈들같이 쿵쿵거리며 다니는" 소리로써 무서움증을 일깨워주는 청각 심상과, "오줌누러 깨는 재밤 머리맡의 문살에 대인 유리창으로 조마구(난장이;인용자)군병의 새까만 대가리 새까만 눈알이 들여보는 때"로서의 설레임 및 두려움의 시각 심상이 환기된다. 그러기에 "나는 이불 속에서 자즈러붙어 숨도 쉬지 못한다"처럼 유년 시절을 지배하던 시원적인 공포감에 떨게 되는 것이다. 그리고 보면 이 시에는 '소도둑놈이야기'라는 설화적 요소와 '난장이나라'라고 하는 환상적 요소가 함께 어우러져 동화적인 세계를 이루고 있음을 알 수 있다.

아울러 이 시에서 유년 회상 내지 동심 지향은 먹이 추억과 놀이 추억, 그리고 세시풍속과 밀접히 연결돼 있는 점이 특히 관심을 끈다. "쇠든밤을 내여 다람쥐처럼 밝어먹고 은행여름을 인두불에 구어도 먹고/그러다는 이불우에서 광대넘이를 뒤이고"와 같이 먹이와 놀이의 즐거운 체험이 함께 결합됨으로써 유년 회상의 즐거움을 더욱 구체적이면서도 실감 나게 만들어주는 것이다. 이 시의 뒷부분에 "곰국/조개송편/달송편/밤소/팥소/콩가루소" 등 맛있는 음식이 다수 제시되고, "치성이나 드리듯이 정한 마음으로 냅일눈 약눈을 받는다"라고 하는 냅일날[6]의 세시풍속이 곁들여지는 것도 이 시에 구체적 현장감과 사실감을 북돋우는 요인이 된다고 하겠다. 사실 이러한 먹이와 놀이 그리고 세시풍속의 결합에 의한 유년 회상은 그것이 단지 과거적 상상력의 한 반영으로서보다는 한국인의 민족적 삶의 현장성 또는 민중적 삶의 원형성을 드러내 주고 있다는 점에서 의미를 지닌다고 할 수 있겠다.

이렇게 본다면 백석시의 기저음이라 할 유년 회상과 동심 지향 또는 과거적 상상력의 의미가 자명하게 드러난다. 그것은 순수하고 아름답던 유소년과 동심의 세계에 대한 그리움과 향수를 드러내는 동시에 온갖 모순으로 점철되고 폭력과 부조리가 난무하는 당대 일제강점하의 현실에 대한 비판과 반성을 담고 있는 것으로 보인다. 비관적인 현실 인식과 부정정신이 작용하고 있다

---

6) 납일(臘日)날이란 한 해 동안 지은 농사 형편과 그 밖의 일을 여러 신에게 고하며 제사 지내는 날, 동지 뒤의 셋째 술일(무일(戊日)을 말한다. 이동하, 앞책 「낱말풀이」 참조.

고도 할 수 있을 것이다. 그러면서도 이 시는 그러한 동화적인 세계, 유년 회상 속에 한국인의 구체적인 삶의 모습을 드러냄으로써 민족적인 삶 또는 민중적인 삶의 원형성을 회복하고자 하는 갈망을 담고 있다고 하겠다. 그만큼 구체적인 삶의 모습이 생생하면서도 섬세하게 묘파되어 있는 것으로 풀이된다는 점에서 그러하다.

## 2. 민족시의 원형 또는 민중지향성

이러한 유년 회상과 동심 지향, 그리고 과거적 상상력은 백석시의 한 원형질을 이루면서 전개된다. 그러면서 그의 시는 한국적인 삶의 다양한 모습으로 확대되고 심화됨으로써 민족시·민중시로서의 한 전형성을 지니게 된다. 시인의 개성적 시점이 민족적 보편성의 관점으로 확대된다는 뜻이다.

① 명절날 나는 엄매아배 따라 우리집 개는 나를 따라 진할머니 진할 아버지가 있는 큰집으로 가면

얼굴에 별자국이 솜솜 난 말수와같이 눈도 껌벅거리는 하루에 베한 필을 짠다는 벌 하나 건너 집엔 복숭아나무가 많은 신리(新里)고무 고무의 딸 이녀(李女) 작은 이녀(李女)
열여섯에 사십(四十)이 넘은 홀아비의 후처가 된 포족족하니 성이 잘 나는 살빛이 매감탕같은 입술과 젖꼭지는 더 까만 예수쟁이 마을 가까이 사는 토산(土山) 고무 고무의 딸 숭(承)녀 아들 숭(承)동이
육십리(六十里)라고 해서 파랗게 뵈이는 산(山)을 넘어 있다는 해변에서 과부가 된 코끝이 빨간 언제나 흰 옷이 정하든 말끝에 설게 눈물을 짤 때가 많은 큰골 고무 고무의 딸 홍녀(洪女) 아들 홍(洪)동이 작은 홍(洪)동이
배나무접을 잘하는 주정을 하면 토방돌을 뽑는 오리치를 잘 놓는 먼섬에 반디것 담그러 가기를 좋아하는 삼춘 삼춘엄매 사춘누이

사춘동생들

이 그득히들 할머니 할아버지가 있는 안간에들 모여서 방안에서는
새옷의 내음새가 나고

또 인절미 송구떡 콩가루차떡의 내음새도 나고 끼때의 두부와 콩나
물과 뽁운 잔디와 고사리와 도야지비계는 모두 선득선득하니 찬
것들이다


저녁술을 놓은 아이들은 외양간섶 밭마당에 달린 배나무동산에서
쥐잡이를 하고 숨굴막질을 하고 꼬리잡이를 하고 가마타고 시집가
는 놀음 말타고 장가가는 놀음을 하고 이렇게 밤이 어둡도록 북적
하니 논다

밤이 깊어가는 집안엔 엄매는 엄매들끼리 아르간에서들 웃고 이야
기하고 아이들은 아이들끼리 웃간 한 방을 잡고 조아질하고 쌈방
이 굴리고 바리깨돌림하고 호박떼기하고 제비손이구손이하고 이
렇게 화디의 사기방등에 심지를 멫번이나 돋구고 홍게닭이 울어서
졸음이 오면 아릇목싸움 자리싸움을 하며 히드득거리다 잠이 든다
그래서는 문창에 텅납새의 그림자가 치는 아츰 시누이 동세들이
웅적하니 흥성거리는 부엌으론 샛문틈으로 장지문틈으로 무이징
게국을 끓이는 맛있는 내음새가 올라오도록 잔다

                           ―「여우난골족(族)」전문


② 승냥이가 새끼를 치기 전에는 쇠메든 도적이 났다는 가즈랑고개

가즈랑집은 고개 밑의
산(山)너머 마을서 도야지를 잃는 밤 즘생을 쫓는 깽제미 소리가 무
서웁게 들려오는 집
닭 개 즘생을 못 놓는
멧도야지와 이웃사춘을 지나는 집

예순이 넘은 아들없는 가즈랑집 할머니는 중같이 정해서 할머니가 마
을을 가면 긴 담뱃대에 독하다는 막써레기를 멫대라도 붙이라고 하며

간밤에 섬돌 아래 승냥이가 왔었다는 이야기
어느메 산(山)골에선간 곰이 아이를 본다는 이야기

나는 돌나물김치에 백설기를 먹으며
옛말의 구신집에 있는듯이
가즈랑집 할머니
내가 날 때 죽은 누이도 날 때
무명필에 이름을 써서 백지 달어서 구신간시렁의 당즈깨에 넣어 대
감님께 수영을 들였다는 가즈랑집 할머니
언제나 병을 앓을 때면
신장님 단련이라고 하는 가즈랑집 할머니
구신의 딸이라고 생각하면 슬퍼졌다

토끼도 살이 오른다는 때 아르대즘퍼리에서 제비꼬리 마타리 쇠조
지 가지취 고비 고사리 두릅순 회순 산(山)나물을 하는 가즈랑집 할
머니를 따르며
나는 벌써 달디단 물구지우림 둥굴레우림을 생각하고
아직 멀은 도토리묵 도토리범벅까지도 그리워한다

뒤울안 살구나무 아래서 광살구를 찾다가
살구벼락을 맞고 울다가 웃는 나를 보고
밑구멍에 털이 멧자나 났나 보자고 한 것은 가즈랑집 할머니다
찰복숭아를 먹다가 씨를 삼키고는 죽는 것만같어 하로종일 놀지도
못하고 밥도 안먹은 것도
가즈랑집에 마을을 가서
당세먹은 강아지같이 좋아라고 집오래를 설레다가였다
　　　　　　　　　　　　　　　　　　　－「가즈랑집」 전문


한편 백석의 시에는 대가족제하의 명절 모습과 함께 무속신앙의 모습이 생
생하게 묘사돼 있어서 관심을 끈다. 거기에는 일가친척들의 가족사와 함께

세시풍속으로서 민족적인 생활사가 요약적으로 제시돼 있는 것이다.

먼저 시 ①에는 명절날 일가친척들이 큰집에 모여 명절을 즐기는 모습이 구체적으로 나타난다. 구성상으로는 네 연으로 짜여졌지만, 이 시는 크게 보아 앞뒤 두 단락으로 묶어진다. 즉 앞 단락인 1·2연에는 여러 일가친척들이 등장한다. "엄매아배/진할머니 진할아버지/여러고무들/그들의 아들 딸들/삼촌과 숙모 사촌 형제자매들"이 바로 그들이다. 그런데 특히 이들 중 고모들에게는 각기 다른 용모와 성격 및 생애사 그리고 생활상이 압축적으로 제시돼 있어서 흥미롭다. 즉 이 시에 등장하는 세 고모들은 각각 얼굴이 얽은 신리고모, 후처살이하며 성 잘 내는 토산 고모, 과부로서 섧게 눈물 잘 흘리는 큰골 고모 등과 같이 가난하고 서러운 이 땅의 여인상이 묘사된다. "열여섯에 사십 (四十)이 넘은 홀아비의 후처가 된 포족족하니 성이 잘 나는 살빛이 매감탕같은 입술과 젖꼭지는 더 까만 예수쟁이마을 가까이 사는 토산(土山) 고무 고무의 딸 승녀(承女) 아들 승(承)동이"와 같이 하나의 연속된 시행을 통해서 팔자사나운 고모의 생애 모습[7]과 함께 성격·용모 및 거주환경까지 부가적으로 제시하고 있는 것이다. 어쩌면 이 단락에는 이 땅의 험난한 역사를 가난과 역경으로 새김질하며 살아온 기구한 여인수난사 또는 한스러운 운명론이 펼쳐져 있는지도 모른다.

한편 뒤 단락인 3·4연에는 명절날이 돼야 비로소 구경하게 되는 푸짐한 음식체험[8]과 함께 즐거운 놀이체험이 시간 순차로 나열되어 있다. 먼저 3연에서는 새옷 냄새와 음식 냄새로 명절 분위기가 고조된다. "인절미 송구떡 콩가

---

7) 실제로 백석의 시에는 여승·거적장사·붓장사·땜쟁이·애기무당·장꾼·홀아비·수절과부·노나리꾼·계집아이·촌에서 온 아이 등 비교적 소외계층이 그 주류 인물로 등장하는데 이것은 백석의 휴머니즘으로서의 민중의식을 반영한 것으로 이해된다.

8) 이러한 음식류로는 두부·인절미·붕어곰·곰국·엿·송이버섯·미역국·술국·달송편·송구떡·콩가루차떡·감·송구떡·두부산적·추탕·물구지우림·동글레우림·도토리범벅·회순·산나물·찹쌀탁주·무감자·사라리타래·조개송편·백설기·가지취·두릅순·산국·노루고기·호박떡·돌나물김치 등 서민적인 것들이 대부분이다.

루차떡의 냄새도 나고 끼때의 두부와 콩나물과 뽁운 잔디와 고사리와 도야지비계는 모두 선득선득하니 찬 것들이다"처럼 후각과 촉각·미각·시각들이 함께 동원되어 즐거운 분위기를 돋우는 것이다. 4연에서는 저녁술을 놓은 후 마당에서 뛰노는 모습과 더불어 깊은 밤에 방안에서 어울려 놀다가 잠이 들고, 이윽고 아침이 밝아오는 모습이 시간순으로 묘사돼 있다. "쥐잡이/숨굴막질/꼬리잡이/시집 장가가는 놀이/쌈방이질/바리깨돌림놀이/호박떼기/제비손이구손이놀이" 등 다양한 민속적 놀이 모습이 구체적으로 묘사된 것이다. 그리고는 다시 "시누이 동세들이 옥적하니 홍성거리는 부엌으론 샛문틈으로 장지문틈으로 무이징게국을 끓이는 맛있는 내음새"로부터 새날 아침이 시작되는 것이다. 앞 단락이 여러 친척들을 열거하며 공간구성으로 인생사의 굴곡을 펼쳐 보인 데 비해서, 뒷 단락은 시간 구성으로 명절 전야의 생활상을 사실감 있게 묘사하고 있다고 하겠다. 명절을 맞이하여 더욱 활기를 띠는 이 땅의 대가족제도의 풍성스러운 모습과 민속 풍정을 전체적으로 제시하면서 그 속에 인생사의 온갖 애환 및 구체적인 생활상[9]을 함축하고 있는 데서 이 시의 특징이 드러남은 물론이다.

아울러 방언을 활용하여 토속성과 친근감을 유발하고, '예수쟁이'라는 표현에서 보듯이 외래적인 것에 대한 거부감을 은연중 드러내는 등 민족적 주체성에 대한 인식을 담고 있는 것도 특기할 만하다 할 것이다. 무엇보다도 열거법 속에 판소리 사설이나 민요 · 민담 등 전통적인 문체를 되살리고 있다는 점도 그러하고 이야기 시적 요소, 즉 설화성을 함유함으로써 민속적인 내면 공간을 풍부하게 마련하고 있다는 점에서도 이 시는 단순한 풍물시[10]의 성격

9) 이러한 평북지방의 세시풍속과 민속은 이두현의 「황해·평남북지방의 세시풍속」, 『한국민속학논고(韓國民俗學論考)』(학연사, 1984)에 자세히 나타나 있다.

10) 1930년대에 쓰여진 이러한 풍물시로서는 노천명의 작품들을 들 수 있다. 시 「남사당」·「잔치」·「돌잡이」 등이 그 한 예들이다. 김재홍, 『한국현대시인연구』(일지사, 1986), 219~222쪽.

을 벗어나서 민중생활시로서의 차원에 이르게 됐다고 하겠다. 민족적 삶의 보편성을 지니면서도 구체적인 민중의 생활상에 뿌리내림으로써 포괄적인 의미에서 민족시·민중시로서의 성격을 분명히 한 것이라 하겠다.

시 ②에는 이러한 민족시·민중시로서의 성격이 드러난다. 특히 이 시는 민족적인 삶, 민중적인 삶의 원형성을 지니고 있으면서도 그것이 샤머니즘적인 색채와 식물적 상상력을 보여준다는 점에서 주목을 환기한다. 말하자면 무속(巫俗)신앙에 바탕을 둔 민중적 생활 감각과 농경사회적인 민족적 생활상이 이 시의 뼈대를 이룬다는 뜻이다. 먼저 이 시에는 "승냥이가 새끼를 치는 전에는 쇠메 든 도적이 났다는 가즈랑고개"에 사는 할머니, 즉 무녀인 가즈랑집 할머니와 화자로서의 '나'가 등장한다. 여기에서 가즈랑고개는 "간밤에 섬돌 아래 승냥이가 왔었다는 이야기/어느메 산(山)골에선간 곰이 아이를 본다는 이야기"처럼 원시적인 내면 공간으로서 설화성을 지닌다. 그런데 그곳에 사는 가즈랑집 할머니는 "내가 날때 죽은 누이도 날 때/무명필에 이름을 써서 백지 달아서 구신간시렁의 당즈깨에 넣어 대감님께 수영을 들였다는 가즈랑집할머니/언제나 병을 앓을 때면/신장님 단련이라고 하는 가즈랑집 할머니"처럼 무녀인 것이다. 특히 여기서는 무(巫)의 3대 기능인 사제자(司祭者, priest), 의무(醫巫, medicine man), 예언자(prophet)[11] 중에서 의무(醫巫)로서의 성격이 두드러지게 나타난다. 그것은 이 땅에서 민중의 삶이 온갖 질병에 시달리면서 살아갈 수밖에 없을 만큼 고통스러운 것이었다는 점을 시사한다고 하겠다. 실상 백석의 시에는 샤머니즘으로서의 귀신사상 또는 무격사상이 다양하게 나타나서 관심을 끈다.

자 방안에는 성주님/나는 성주님이 무서워 토방으로 나오면 토방
에는 디운구신/나는 무서워 부엌으로 들어가면 부엌에는 부뜨막에 조

11) 박용식, 『한국설화의 원시가교사상연구』(일지사, 1984) 7쪽.

앙님/나는 뛰쳐나와 얼른 고방으로 숨어버리면 고방에는 또 시렁에
데석님/나는 이번에는 굴통 모퉁이로 달아가는데 굴통에는 굴대장
군……중략……아아 말마라 내발 뒤축에는 오나가나 묻어다니는 달
결구신/마을은 온데간데 구신이 돼서 나는 아무데도 갈 수 없다
　　　　　　　　　　　　　　　　　－「마을은 맨천 구신이 돼서」 부분


어스름저녁 국수당 돌각담의 수무나무가지에 녀귀의 탱을 걸고 나
물매 갖추어놓고 비난수를 하는 젊은 새악시들/－ 잘 먹고 가라 서리
서리 물러가라 네 소원 풀었으니 다시 침노 말아라
　　　　　　　　　　　　　　　　　　　　－「오금덩이라는 곳」 부분


　그렇다면 백석의 시에 이처럼 귀신사상 또는 민속신앙으로서 샤머니즘이
관류하는 것은 무슨 까닭일 것인가? 샤머니즘이란 한마디로 말해서 인간중
심사상의 한 반영이면서 개인보다는 공동체 의식 속에서 존재 의미를 강조하
는 것[12]이라고 할 수 있다. 아울러 그것은 오랜 전통적인 존재로서 민간의 습
관이나 생활 속에 흡수된 일종의 생활양식이라 할 수 있으며, 그러므로 무당
을 중심으로 제의를 행하는 민속적인 신앙 즉 '무(巫)＋속(俗)'인 것이다. 바로
여기에서 백석시가 불교와 같은 고등종교보다도 무속과 같은 원시종교의식
을 짙게 반영하고 있는 뜻이 드러난다. 그것은 바로 민중사상이며 생명사상
이라고 할 수 있다. 오히려 이런 원시 종교사상이나 민중신앙 속에 가난하고
버림받은 진짜 민중적 삶으로서의 생생한 생명력이 굽이치고 있는 것[13]이기
때문이다. 실상 이처럼 민중적 생활양식과 생활감정을 다양하고 깊이 있게

12) 인간적인 신관을 바탕으로 한 Shamanism은 신 자체보다도 인간자체를, 그리고 저
　　승보다는 이승에서의 생활을 문제시한다. Shaman들의 관심사는 어디까지나 인간
　　자체인 것이다. ……중략…… 결국 한국의 Shamanism에서는 한 개인 혼자서의 존
　　재의미보다는 이웃과의 공동의식 속에서 존재의미를 강조한다. 한 개인의 책임의
　　식도 신(神)을 향해 있기보다는 가속과 이웃을 향해 있다. 또한 자기 내부의 문제를
　　통찰하기보다는 타인과의 관계에서 문제를 통찰한다. 박용식, 앞책, 26~27쪽.
13) 김지하, 「인간해방의 열쇠인 생명」, 『밥』(분도출판사, 1984), 33~44쪽.

펼쳐 보이는 경우가 백석시 외에 또 어떤 경우가 있겠는가. 이것은 소월시 보다도 한걸음 진전된 민중적 생명력의 표현이라고 할 수 있을 것이 분명하다.

아울러 이 시에는 식물적인 상상력이 지속적으로 작용하고 있다. "돌나물 김치/백설기/제비꼬리/마타리/소조지/가지취/고비/고사리/두릅순/회순/도토리묵/물구지우림/둥굴레우림" 등과 같은 산나물과 음식들이 그러한 식물적 상상력의 반영이라고 하겠다. 특히 "뒤울안 살구나무 아래서 광살구를 찾다가/살구벼락을 맞고 울다가 웃는 나/찰복숭아를 먹다가 씨를 삼키고는 죽는 것만 같어" 등의 구절 속에는 이 땅의 전통적인 농경사회적인 생활상과 함께 배곯으면서 가난하게 살아온 민중의 삶이 투영돼 있음이 분명하다. 그만큼 천재와 인재 그리고 배고픔과 각종 질병에 시달리면서 고통스럽게 살아온 민중의 척박한 삶이 구체적으로 제시된 것으로 이해되기 때문이다.

이렇게 볼 때 백석의 시는 한국인의 민족적인 삶, 민중적인 삶의 한 전형성을 지니고 있는 것으로 판단된다. 그의 시에 등장하는 무수한 상처받은 사람들과 그들의 고통스러운 삶의 모습이야말로 수난의 역사를 헤쳐온 이 땅 민족적인 삶의 전형이면서 민중적인 삶의 구체성에 해당한다는 뜻이다. 그것은 가족사와 풍속사로서의 구체적 현장성을 지니면서도 민중적인 샤머니즘과 연결된 데서 생생한 생명력을 갖는다는 점에서 특히 그러하다.


## 3. 북방(北方)정서와 방언주의(方言主義), 평등의 정신

백석시에 지속적으로 관류하고 있는 것은 북방정서와 함께 평북 방언의 적극적인 활용이다. 그의 시는 이 땅의 시들이 서울 지방의 표준어 중심으로 전개됨으로써 어느 면 결여하고 있던 북방적인 풍경과 언어 정감 및 생활 감각을 생동감 있게 펼쳐 보여줌으로써 30년대 우리 시의 정서와 언어를 다원화하는 데 크게 기여한 것이다.

① 거리는 장날이다
　장날거리에 녕감들이 지나간다
　녕감들은
　말상을 하였다 범상을 하였다 쪽재피상을 하였다
　개발코를 하였다 안장코를 하였다 질병코를 하였다
　그 코에 모두 학실을 썼다
　돌체돋보기다 대모체돋보기다 로이드돋보기다
　녕감들은 유리창같은 눈을 번득거리며
　투박한 북관(北關)말을 떠들어대며
　쇠리쇠리한 저녁해 속에
　사나운 즘생같이들 사러졌다
　　　　　　　　　　　　　　　　　─「석양(夕陽)」 전문


② 북관(北關)에 계집은 튼튼하다
　북관(北關)에 계집은 아름답다
　아름답고 튼튼한 계집은 있어서
　흰 저고리에 붉은 길동을 달어
　검정치마에 받쳐입은 것은
　나의 꼭 하나 즐거운 꿈이였드니
　어늬 아츰 계집은
　머리에 무거운 동이를 이고
　손에 어린것의 손을 끌고
　가파러운 언덕길을
　숨이 차서 올라갔다
　나는 한종일 서러웠다
　　　　　　　　　　　　　　　　　─「절망(絶望)」 전문


③ 접시 귀에 소기름이나 소뿔등잔에 아즈까리 기름을 켜는 마을에서
　는 겨울 밤 개짖는 소리가 반가웁다

　이 무서운 밤을 아래웃방성 마을 돌아다니는 사람은 있어 개는 짖는다

낮배 어니메 치코에 꿩이라도 걸려서 산(山)너머 국수집에 국수
를 받으려 가는 사람이 있어도 개는 짖는다

김치 가재미선 동치미가 유별히 맛나게 익는밤

아배가 밤참 국수를 받으려 가면 나는 큰마니의 돋보기를 쓰고
앉어 개짖는 소리를 들은 것이다

—「개」 전문

④ 오리치를 놓으려 아배는 논으로 나려간 지 오래다
　오리는 동비탈에 그림자를 떨어트리며 날어가고 나는 동말랭이
　에서 강아지처럼 아배를 부르며 울다가
　시악이 나서는 등뒤 개울물에 아배의 신짝과 버선목과 대님오리
　를 모다 던져버린다

　장날 아츰에 앞 행길로 엄지 따러 지나가는 망아지를 내라고 나
　는 조르면
　아배는 행길을 향해서 크다란 소리로
　— 매지야 오나라
　— 매지야 오나라

　새하려 가는 아배의 지게에 지워 나는 산(山)으로 가며 토끼를 잡
　으리라고 생각한다
　맞구멍난 토끼굴을 아배와 내가 막어서면 언제나 토끼새끼는 다
　리 아래로 달어났다

　나는 서글퍼서 서글퍼서 울상을 한다

—「오리 망아지 토끼」 전문

　백석의 시가 지닌 또 한 가지 특징은 북방정서와 방언 활용을 기반으로 하
고 있다는 점이다. 이러한 북방정서와 방언 활용은 서북지방으로서 주변부의

정서와 언어를 중심부의 그것과 대등한 위치로 끌어올리려는 노력을 보여준 것이라는 점에서 의미를 지닌다. 이러한 평안 방언의 다채로운 발굴과 쓰임새는 남도의 향토색과 방언미를 살려 시적 성공을 거둔 김영랑(金永郎)의 경우와 대비된다는 점에서 1930년대 한국현대시의 한 순금 부분을 열어젖힌 성과에 해당한다고 하겠다.

먼저 시 ①은 북관 지방 석양 무렵의 장날 풍경을 소재로 하여 투박한 듯하면서도 강인한 서북인들의 삶의 모습을 묘파하고 있어 관심을 환기한다. 특히 이 시는 평북 방언과 함께 속도감 있는 장구법이 구사되어 북방정서를 한껏 자아낸다고 하겠다. "녕감/족재피/쇠리쇠리한/북관(北關)말/즘생" 등의 방언은 표준어의 그것과 비교해볼 때 색다른 분위기를 느끼게 해준다. 아울러 "장날이다/지나간다/하였다/썼다/돋보기다/사러졌다"와 같은 종결어미의 반복적 사용은 부가구문으로 중첩되어 전개되는 백석시의 일반적인 유형과는 자못 구별된다고 하겠다. "녕감들은/말상을 하였다 쪽재피상을 하였다/개발코를 하였다 안장코를 하였다 질병코를 하였다"에서 보듯이 짧게 끊어치며 전개되는 행 구성은 속도 빠른 서북 사투리의 억양과 호흡을 통해 서북인들의 활동적인 모습을 연상시켜주기에 충분하다. 무엇보다도 "녕감들은 유리창같은 눈을 번득거리며/투박한 북관(北關)말을 떠들어대며/쇠리쇠리한 저녁해 속에/사나운 즘생같이들 사러졌다"라는 결구에서 보듯이 "유리창같은 눈"과 "투박한 북관말" 및 "사나운 즘생같이들"이 서로 대응되고, "번득거리며"와 "떠들어대며", "사러졌다"가 서로 호응되면서 강렬한 생의 의지를 유발하고 있다는 점이 주목된다. 어느 면에서 이러한 북관의 장날 풍경은 "투박한 북관말"과 "사나운 즘생"이 암시하듯이 서북인들의 강인한 생명력 또는 관북 지방 서민들의 해학 어린 생활상과 강건미를 반영한다고 할 것이다.[14]

---

14) 이밖에도 「나와 나타샤와 흰당나귀」·「산중음(山中吟)」·「물닭의 소리」·「함주시초(咸州詩抄)」·「넘언집 범같은 큰마니」·「삼방(三防)」·「탕약(蕩藥)」 등이 이러한 북방 정서를 드러내는 시편들에 해당한다.

시 ②에는 이러한 북방적인 강인한 생명력과 극복의지가 더욱 구체화되어 있다. "북관(北關)에 계집은 튼튼하다/북관(北關)에 계집은 아름답다"라는 핵심적인 구절이 그것이다. "머리에 무거운 동이를 이고/손에 어린것의 손을 끌고/가파러운 언덕길을/숨이차서 올라갔다"라는 구절에서 보듯이 온갖 삶의 간난을 이겨내고 힘차게 살아가고자 하는 극복의지 또는 건강한 생명력의 아름다움이 돋보인다고 하겠다. 실상 이러한 강인한 생명력과 극복의지는 "새벽마다 고요히 꿈길을 밟고 와서/머리마테 찬물을 솨— 퍼붓고는/그만 가슴을 드디면서 사라지는 북청(北靑)물장사//물에 저즌 꿈이/북청(北靑)물장사를 부르면/그는 삐걱 삐걱 소리를 치며/온자최도 업시 사라진다"라고 하는 김동환(金東煥)의 「북청(北靑) 물장사」의 북방정서(北方情緖)와도 연결되는 것15)임에 분명하다. 고향이 평북인 백석과, 역시 고향이 함북인 파인에게 있어서 남쪽 시들이 결여하고 있는 이러한 북방정서가 관류하고 있을 것은 자명한 이치이기 때문이다.

시 ③과 ④에는 북방정서와 함께 방언 활용이 특히 주목된다. 먼저 ③은 서북지방의 을씨년스런 밤풍정이 방언 가락에 실려 그 운치를 더해준다. "접시귀에 소기름이나 소뿔등잔에 아즈까리 기름을 켜는 마을에서는 겨울밤 개짖는 소리가 반가웁다"에는 "등잔불"과 "개짖는 소리"로 하여 고즈넉한 북방의 분위기가 고조된다. 여기에 "김치 가재미선 동치미가 유별히 맛나게 익는 밤/아배가 밤참 국수를 받으려가면"이 결합되어 기나긴 겨울밤의 미각적인 생활 감각과 낭만을 빚어낸다. 그러면서 "아즈까리/아래웃방성/어니메/치코/가재미선/아배/큰마니"와 같은 평북 방언이 어울려서 풋풋한 북방풍경을 더해주는 것이다. 아마도 이러한 평북 방언이 아니었다면 이 시는 그 독특한 정서의 울림으로서 환정성이 감쇄됐을 것이 분명하다. 시 ④에는 이러한 평북 방언이 더욱 적극적으로 활용되고 있다. 오리와 망아지·토끼 등 사람들과 친화

---

15) 김재홍, 앞책, 77~81쪽.

력을 지니고 있는 온갖 종류의 금수들이 등장하면서 정서적 건강미를 돋구는 것도 이 시의 한 특징이다. 특히 오리치를 놓거나 맞구멍 난 토끼굴을 막아서면서 야생오리와 토끼를 잡는 모습은 산간지방의 고유한 풍정이 아닐 수 없다. 여기에 평북 방언이 결합되어 북방적 야성미 또는 건강한 생명력을 환기해주는 것이다. "오리치/아배/동비탈/동말랭이/시악/아츰/엄지/매지/새하려/모다/오나라" 등과 같은 체언과 용언·부사어 등에 있어서의 평북 방언 활용은 향토적 생활 감각과 서정을 불러일으키면서 생명감을 돋구어주는 역할을 해준다. 실상 이러한 방언의 능동적 활용에 의해 북방정서가 더욱 탄력성을 확보하게 되는 것이며, 아울러 지역주민들의 삶이 지역적 구체성과 민족적 보편성을 획득하게 됨은 물론이다.

그렇다면 이러한 북방정서와 평북 방언16)의 적극적인 활용은 과연 어떠한 의미를 지닐 것인가? 한마디로 말해서 그것은 백석의 문학적 주체성의 발현이면서 동시에 평등정신의 능동적인 구현이라고 하겠다. 방언이란 무엇인가? 그것은 공통어 또는 표준어와 구분되는 어느 지역 특유의 언어를 말한다. 언어학적으로는 한 언어가 외적이거나 내적인 변화에 의해서 지역적으로나 계층적으로 분화되었을 때 그 지역 또는 계층의 언어체계를 총칭한다.17) 이러한 방언은 한 나라의 민족어를 구성하는 기본 자질에 속하며, 한 지역의 방언은 다른 지역의 방언과 서로 대등한 위치를 지닌다고 할 것이다. 현재 우리가 쓰고 있는 표준어도 실상은 서울·경기지역의 사투리, 즉 경아리를 공식화한 것이라는 점은 주지의 사실이다. 이 점은 나아가서 하나의 민족어가 다른 민족어에 비해 열등한 것이 아니라는 점과도 대응된다고 할 것이다. 각 나라의 언어가 모여서 세계의 언어를 풍요롭게 만들어가는 것처럼, 한 나라에 있어

---

16) 소월시에서 방언의 쓰임새에 관해서는 이기문(李基文)이 주목한 바 있다. 「소월시(素月詩)의 언어에 대하여」, 『백영정병욱교수환갑기념논집』(신구문화사, 1983), 또한 백석시의 방언 쓰임새는 필자의 지도로 작성된 김미수의 『한국현대시에서 방언쓰임새의 연구』(인하대학사, 1987)가 있다.

17) 서울대 동아문화연구소 편, 『국어국문학사전』(신구문화사, 1981), 256쪽.

서도 여러 지역의 방언들이 모여서 총체적인 민족어를 구성하는 것이다. 바로 이 점에서 제 고장의 지역어인 방언을 적극 활용한다는 것은 삶의 주체성을 반영하는 것이면서 동시에 인간적 평등의 정신을 구현하려는 노력을 담고 있다고 하겠다. 시인에게 있어서 궁극적인 사명의 하나가 민족어의 완성에 있다는 하이데거의 말에 비춰볼 때도 백석의 이러한 노력은 값진 일이 아닐 수 없다. 지역어의 심미적 가치, 정서적 가치에 섬세한 관심을 기울이면서 주변부어를 중심부로 이끌어 올리려는 시적 평등실현의 노력을 보여준 데서 백석시가 지닌 우수성이 드러난다고 하겠다. 이러한 시적 노력이야말로 주변부의 삶을 중심부화함으로써 주변부로서의 소외를 극복하고 만인평등사상을 실천하려는 소중한 노력이기도 할 것이 분명한 이치이다.

## 4. 이미지즘시의 한 모습

한편 백석의 시에는 특이하게도 이미지즘적인 방법이 다양하게 활용되고 있어서 관심을 끈다. 그의 시가 산문적인 호흡과 설화적인 내면 공간을 형상화해온 데 비해서 이러한 이미지즘적 방법론의 채용은 색다른 느낌을 던져주기 때문이다.

> ① 짝새가 발부리에서 닐은 논드렁에서 아이들은 개구리의 뒷다리를 구어먹었다
>
> 게구멍을 쑤시다 물쿤하고 배암을 잡은 늪의 피같은 물이끼에 햇볕이 따그웠다
>
> 돌다리에 앉어 날버들치를 먹고 몸을 말리는 아이들은 물총새가 되었다
> — 「하답(夏畓)」 전문

② 신살구를 잘도 먹드니 눈오는 아츰
　　나어린 안해는 첫아들을 낳었다

　　인가(人家)멀은 산(山)중에
　　까치는 배나무에서 즞는다

　　컴컴한 부엌에서는 늙은 홀아비의 시아부지가 미역국을 끓인다
　　그 마을의 외따른 집에서도 산국을 끓인다
　　　　　　　　　　　　　　　　　　　　　　　 －「적경(寂境)」전문

③ 흙꽃 니는 이른 봄의 무연한 벌을
　　경편철도(輕便鐵道)가 노새의 맘을 먹고 지나간다

　　멀리 바다가 뵈이는
　　가정차장(假停車場)도 없는 벌판에서
　　차(車)는 머물고
　　젊은 새악시 둘이 나린다
　　　　　　　　　　　　　　　　　　　　　　　 －「광원(曠原)」전문

④ 별 많은 밤
　　하누바람이 불어서
　　푸른 감이 떨어진다 개가 즞는다
　　　　　　　　　　　　　　　　　　　　　　　 －「청시(青柿)」전문

　백석의 일반적인 시 형태는 "육십리(六十里)라고 해서 파랗게 뵈이는 산을
넘어 있다는 해변에서 과부가 된 코끝이 빨간 언제나 흰옷이 정하든 말끝에
설게 눈물을 짤 때가 많은 큰골 고무 고무의 딸 홍녀(洪女) 아들 홍(洪)동이 작
은 홍(洪)동이"(「여우난골족(族)」에서)처럼 부가구문으로 중첩된 산문체를
기본으로 하고 있다는 것이 사실이다. 그렇지만 그의 시에는 구체적인 형상

성과 간명성 및 감각성을 중시하는 이미지즘의 시법이 구사되고 있어서 관심을 끈다. 그의 시가 설화성을 바탕으로 한 이야기시의 구조를 지니고 있으면서도 공감각적 심상을 활용하여 서정성을 우구고 시적 긴장을 지속시키고 있다는 점은 앞에서 살펴본 바 있다. 여기에서 한 걸음 더 나아가 그의 시에는 이미지즘의 방법과 원리를 활용한 시들이 다수 발견되어 관심을 환기하는 것이다.

먼저 그의 시들은 형태적인 면에서 짧고 간결한 시편들이 적지 아니 눈에 띈다. 인용한 네 편의 시들이 모두 여기에 해당한다고 하겠다. 때로는 "산(山)골에서는 집터를 츠고 달궤를 닦고/보름달 아래서 노루고기를 먹었다"(「노루」 전문)처럼 단 2행 또는 3행으로 구성된 시가 여러 편 발견되는 것이다. 아울러 공감각의 심상을 주된 정서 환기의 방법으로 활용하고 있음을 본다. 시 ①과 ②의 경우가 그것이다. ①은 "개구리 뒷다리를 구어먹었다/게구멍을 쑤시다 물큰하고 배암을 잡은……물이끼에 햇볕이 따그웠다/돌다리에 앉아 날버들치를 먹고 몸을 말리는 아이들"과 같이 미각·후각·촉각·근육감각·기관감각·시각적 이미지들이 함께 사용되어 여름날 무논가의 살아 있는 풍경이 선명하게 인각돼 있는 것이다. 아울러 여기에 대상과 상황 및 사건이 상호결합하여 이미지와 정서를 유발하는 객관적 상관물(objective correlatives)[18]의 기법이 활용된 것도 특기할 만하다고 하겠다. 시 ②에서도 "신살구/눈오는 아츰/까치는 배나무에서 즞는다/컴컴한 부엌/미역국을 끓인다"처럼 공감각적 이미지와 객관적 상관물이 활용되어 적막한 산촌의 생활 풍경을 잘 표현하고 있다.

시 ③에서는 시각적인 이미지가 주로 제시돼 있다. "흙꽃 니는 이른 봄 무연한 벌/경편철도/멀리 바다가 뵈이는/정거장도 없는 벌판/차(車)는 머물고/젊은 새악시 둘이 나린다"에서 보듯이 봄날 시골의 간이역풍경을 스케치하면서 넓고 넓은 들판의 모습을 선명하게 시각적으로 영상화하는 것이다. 마

---

18) T.S. Eliot, *Selected Essays*(Faber, 1976), 107~108쪽.

치 활동사진의 한 컷처럼. 시 ④의 경우엔 불필요한 말이 하나도 없이 여름밤 푸른 감이 떨어지는 순간의 고요한 정경이 인상적으로 묘사돼 있다. 그야말로 선적(禪的)인 정적미가 인화되어 있다고 하겠다. 이들 시편 이외에도 「초동일(初冬日)」·「미명계(未明界)」·「성외(城外)」·「추일산조(秋日山朝)」·「산(山)비」·「쓸쓸한 길」·「석류」·「머루밤」·「절간의 소이야기」·「창의문외(外)」·「삼방(三防)」·「통영(統營)」·「성주시초(成州詩抄)」·「산중음(山中吟)」 등 수많은 시편들이 이러한 이미지즘적인 원리19)와 방법을 활용하고 있음을 본다. 이렇게 이들 많은 시편들에서 백석은 어느 한순간에 있어서 지적이면서도 정서적인 복합체의 표현으로서 이미지와 이미지즘의 방법적 원리를 효과적으로 사용함으로써 설화적인 산문체 시가 초래할지도 모르는 시적 긴장의 이완과 산만성을 제어하는 데 성공하고 있다. 그렇지만 그는 이러한 이미지즘의 방법과 원리를 목적적인 것이 아니라 방법적인 것으로 활용한 데서 그 개성을 확보하게 된 것으로 이해된다.

그는 1930년대 중반 이 땅을 풍미하던 모더니즘의 범람 속에서 적확한 표현과 시어의 구체성 및 그 감각적 울림이라고 하는 이미지즘의 장점을 찾아내어 그것을 그 자신 특유의 설화적 내면 공간 또는 향토적 서정 공간 속으로 이끌어들임으로써 내면성과 표현성을 섬세하게 교직시키는 데 성공한 것이다. 바로 이 점에서 백석시의 사상성과 예술성의 조화가 함께 돋보인다고 할 것이다.

---

19) 파운드(E.Pound)는 이미지즘의 원칙을 1. 일상용어를 사용하되 정확하게 사용할 것. 2. 새로운 정조의 표현으로 새로운 리듬을 지어낼 것. 3. 주제의 선택을 자유롭게 할 것. 4. 이미지를 제시할 것. 5. 확연하고 눈에 보이는 시를 지을 것. 6. 중점집중(concentration of the very essence)을 이룰 것 등을 들고 있다. 김재근, 『이미지즘 연구』(정음사, 1973), 26~27쪽.

## 5. 한국적 비관주의와 운명애의 의미

백석의 시는 비관적인 세계인식과 함께 운명애의 따뜻함을 보여준다는 점에서 주목을 요한다. 그의 시에는 한국적인 허무주의의 한 원형성이 생생하게 담겨져 있으면서 동시에 그것을 이겨내고자 하는 운명애의 처연한 몸짓이 다뜻하게 밑물지고 있기 때문이다. 소월적(素月的)인 비관주의와 한(恨)의 모습과는 또 다른 한국적 허무주의의 처연함과 함께 달관 또는 운명사랑의 몸짓이 드러나 있는 것이다.

① 오늘저녁 이 좁다란 방의 흰 바람벽에/어쩐지 쓸쓸한 것만이 오고 간다/이 흰 바람벽에/희미한 십오독(十五獨) 전등이 지치운 불빛을 내어던지고/때글은 다낡은 무명샤쯔가 어두운 그림자를 쉬이고/그리고 또 달디단 따끈한 감주나 한잔 먹고 싶다고 생각하는 내 가지가지 외로운 생각이 헤매인다/그런데 이것은 또 어인 일인가/이 흰 바람벽에/내 가난한 늙은 어머니가 있다/내 가난한 늙은 어머니가/이렇게 시퍼러둥둥하니 추운 날인데 차디찬 물에 손을 담그고 무이며 배추를 씻고 있다/또 내 사랑하는 사람이 있다/내 사랑하는 어여쁜 사람이/어느 먼 앞대 조용한 개포가의 나즈막한 집에서/그의 지아비와 마조 앉아 대구국을 끓여놓고 저녁을 먹는다/벌써 어린 것도 생겨서 옆에 끼고 저녁을 먹는다/그런데 또 이즈막하야 어느 사이엔가/이 흰 바람벽엔/내 쓸쓸한 얼골을 쳐다보며/이러한 글자들이 지나간다/— 나는 이 세상에서 가난하고 외롭고 높고 쓸쓸하니 살아가도록 태어났다/그리고 이 세상을 살아가는데/내 가슴은 너무도 많이 뜨거운 것으로 호젓한 것으로 사랑으로 슬픔으로 가득찬다/그리고 이번에는 나를 위로하는듯이 나를 울력하는듯이/눈질을 하며 주먹질을 하며 이런 글자들이 지나간다/— 하눌이 이세상을 내일 적에 그가 가장 귀해하고 사랑하는 것들은 모두/가난하고 외롭고 높고 쓸쓸하니 그리고 언제나 넘치는 사랑과 슬픔 속에 살도록 만드신 것이다/초생달과 바구지꽃과 짝새와 당나귀가 그러

하듯이/그리고 또 <프랑시스 쨈>과 도연명(陶淵明)과 <라이넬
마리아 릴케>가 그러하듯이

—「흰 바람벽이 있어」전문

② 어느 사이에 나는 아내도 없고, 또/아내와 같이 살던 집도 없어지
고,/그리고 살뜰한 부모며 동생들까지도 멀리 떨어져서/그 어느 바
람 세인 쓸쓸한 거리 끝에 헤매이었다/바로 날도 저물어서/바람은
더욱 세게 불고, 추위는 점점 더해오는데/나는 어느 목수(木手)네
집 헌 삿을 깐/한 방에 드러서 쥔을 붙이었다/이리하여 나는 이 습
내나는 춥고, 누긋한 방에서/낮이나 밤이나 나는 나 혼자도 너무 많
은 것같이 생각하며/딜옹백이에 북덕불이라도 담겨오면/이것을 안
고 손을 쬐며 재 우에 뜻없이 글자를 쓰기도 하며/또 문 밖에 나가
디두 않구 자리에 누어서/머리에 손깍지벼개를 하고 굴기도 하면
서/나는 내 슬픔이며 어리석음이며를 소처럼 연하여 쌔김질하는
것이었다/내 가슴이 꽉 메어 올 적이며/내 눈에 뜨거운 것이 핑괴일
적이며/또 내 스스로 화끈 낯이 붉도록 부끄러울 적이며/나는 내슬
픔과 어리석음에 눌리어 죽을 수밖에 없는 것을 느끼는 것이었다/
그러나 잠시 뒤에 나는 고개를 들어/허연 문창을 바라보든가 또 눈
을 떠서 높은 천정을 쳐다보는 것인데/이 때 나는 내뜻이며 힘으로,
나를 이끌어가는 것이 힘든 일인 것을 생각하고/이것들보다 더 크
고, 높은 것이 있어서, 나를 마음대로 굴려가는 것을 생각하는 것인
데/이렇게 하여 여러 날이 지나는 동안에/내 어지러운 마음에는 슬
픔이며, 한탄이며, 가라앉을 것은 차츰 앙금이 되어 가라앉고/외로
운 생각만이 드는 때쯤 해서는/더러 나줏손에 쌀랑쌀랑 싸락눈이
와서 문창을 치기도 하는 때도 있는데/나는 이런 저녁에는 화로를
더욱 다가끼며, 무릎을 꿇어보며/어니 먼 산 뒤옆에 바우섶에 따로
외로이 서서/어두어오는데 하이야니 눈을 맞을/그 마른 잎새에는/
쌀랑쌀랑 소리도 나며 눈을 맞을/그 드물다는 굳고 정한 갈매나무
라는 나무를 생각하는 것이었다.

—「남신의주(南新義州) 유동(柳洞) 박시봉방(朴時逢方)」전문

백석의 시가 지닌 또 다른 특징은 그것이 한국적인 비극적 세계관 또는 체념과 달관의 미학을 보여준다는 점이다. 일찍이 한 평론가가 백석의 시 「남신의주유동박시봉방」을 일컬어 "페시미즘의 절창(絶唱)"20)이라고 한 것이나, 또 다른 평론가가 "한국시가 낳은 가장 아름다운 시 중의 하나"21)라고 꼽은 것도 바로 백석시가 지닌 탁월한 비극미를 지적한 것이라 하겠다. 특히 일제 강점 말기의 궁핍한 현실을 만주에서 떠돌면서 보내기도 하고, 해방 후의 혼란 속에서도 뚜렷한 정처를 찾지 못한 시인 자신으로서는 이러한 비관적인 현실 인식이 그 심도를 더해서 비극적인 세계관을 형성할 수밖에 없었을 것이 자명하다.

인용한 시 두 편에는 이러한 비관적 현실 인식과 달관의 정신이 잘 나타나 있다. 먼저 1941년에 발표된 시 ①에는 비관적인 현실 인식과 함께 체념과 달관의 미학이 잘 드러나 있다. 여기에서 화자는 때 절은 다 낡은 무명샤쯔를 입고 좁다란 셋방에 누워 흰 바람벽을 바라보며 쓸쓸한 생각에 사로잡혀 있는 모습으로 제시된다. 그는 "달디단 따끈한 감주나 한잔 먹고 싶다고 생각"하면서 "가지가지 외로운 생각"에 헤매는 허전한 모습이다. 여기에 "시퍼러둥둥하니 추운 날인데 차디찬 물에 손은 담그고 무이며 배추를 씻는/가난한 늙은 어머니"도 떠오르고, 또 "어린 것을 옆에 끼고/지아비와 마조 앉어 대구국을 끓여놓고 저녁을 먹는/내 사랑하는 어여쁜 사람"도 애절하게 그리워지는 것이다. 삶의 슬픔과 기쁨, 좌절과 위안이라는 두 대조적인 측면이 서로 교차하는 모습이라 하겠다. 그래서 흰 바람벽을 바라보며 슬픔을 느끼는 가운데 화자 '나'는 문득 이러한 가난과 외로움, 쓸쓸함이 바로 삶의 본모습이자 운명의 얼굴에 해당하는 것이 아닌가 하는 점을 깨닫는다. 그리고 그것은 또한 '뜨거운 것'과 '호젓한 것', '사랑'과 '슬픔'이라는 두 모순으로 존재함을 인식하게

---

20) 유종호, 『비순수의 선언』(신구문화사, 1962), 105쪽.
21) 김현 외, 『한국문학사』(민음사, 1973), 219쪽.

된다. 아울러 이러한 체념과 긍정의 순간에 운명에 대한 따뜻한 사랑이 발현되는 것이다. "그리고 이번에는 나를 위로하는듯이 나를 울력하는듯이/눈질을 하며 주먹질을 하며 이러한 글자들이 지나간다/─ 하눌이 이 세상을 내일 적에 그가 가장 귀해하고 사랑하는 것들은 모두/가난하고 외롭고 높고 쓸쓸하니 그리고 언제나 넘치는 사랑과 슬픔 속에 살도록 만드신 것이다/초생달과 바구지꽃과 짝새와 당나귀가 그러하듯이/그리고 또 <프랑시쓰 쨈>과 도연명(陶淵明)과 <라이넬마리아 릴케>22)가 그러하듯이"라는 이 시의 결구에서 볼 수 있듯이 비관적인 현실 인식과 체념이 좌절과 절망을 넘어서니 따뜻한 운명애(運命愛, amor fati)의 모습으로 고양되어 있는 것이다. 가난과 외로움, 쓸쓸함 그리고 사랑·슬픔들이 비참하고 고통스러운 것으로서가 아니라 오히려 소중하고 아름다운 것으로서 받아들여지는, 보다 능동적인 운명 인식으로 전환됨으로써 시적 비장미를 성취하게 되는 것이다.

시 ②에는 이러한 비극적인 세계인식이 보다 구체적으로 심화되어 나타난다. 그야말로 한국적 허무주의의 처연함이 잘 드러나 있는 것이다. 이 시는 대체로 기·승·전·결의 네 단락 속에 하나의 이야기를 담고 있는 것으로 보인다. 첫째 단락은 아내와 집을 잃고 부모형제와도 떨어져서 추위가 닥쳐오는 거리를 방황하다가 어느 목수네 집 방 한 칸을 얻어 든다는 사연이다. 둘째 단락은 "이리하여 나는 이 습내나는 춥고 누긋한 방에서"부터 "나는 내 슬픔과 어리석음에 눌리어 죽은 수밖에 없는 것을 느끼는 것이었다"까지인데, 여기에는 "낮이나 밤이나 나는 나 혼자도 너무 많은 것같이 생각하며/딜옹배기에 북덕불이라도 담겨오면/이것을 안고 손을 쬐며 재 우에/뜻없이 글자를 쓰기도 하며/또 문밖에 나가디두 않구 자리에 누어서/머리에 손깍지벼개를 하고 굴기도 하면서/나는 내 슬픔이며 어리석음이며를 소처럼 연하여 쌔김질하는 것이

22) 이러한 시어에서 단적으로 엿볼 수 있듯이 백석의 시는 윤동주의 시에 큰 영향을 미친 것으로 이해된다.

었다"와 같이 쓸쓸하게 뒤채이면서 삶의 비애와 부끄러움, 탄식과 자책을 되풀이하는 모습이다. 세 번째 단락은 "그러나 잠시 뒤에 나는 고개를 들어"부터 "이것들보다 더 크고 높은 것이 있어서, 나를 마음대로 굴려가는 것을 생각하는 것인데"까지로서, 여기에서는 사는 일의 고달픔 속에서 그 어떤 운명적인 큰 힘이 지배하고 있음을 깨닫는다. 아울러 마지막 끝 단락에서는 내면적인 정신의 암투 끝에 이러한 온갖 번뇌와 슬픔이 가라앉고, "나즌 이런 저녁에는 화로를 다가끼며, 무릎을 꿇어보며/어니 먼 산 뒷 옆에 바우섶에 따로 외로이 서서/어두어오는데 하이야니 눈을 맞을, 그 마른 잎새에는/쌀랑쌀랑 소리도 나며 눈을 맞을/그 드물다는 굳고 정한 갈매나무라는 나무를 생각하는 것이었다"라는 구절처럼 자기 정화(淨化) 속에서 새로운 운명애의 자세를 가늠하게 되는 것이다.

그리고 보면 이 시는 '상실과 방랑 끝의 세언어듦→좌절과 실의 속에 뒤채이면서 죽음까지 생각함→삶의 고달픔과 슬픔이 운명적인 것을 깨달음→겸허한 자세로 다시 운명을 긍정하고 굳고 정하게 살고자 다짐함'이라는 성장의 구성 또는 극복의 플롯을 지니고 있다고 하겠다. 눈물겨운 고심참담 끝에 좌절에서 위안을, 체념에서 달관을, 절망에서 희망의 모티브를 찾아냄으로써 비극적 세계인식이 자기 정화와 극복의 실마리를 열어가게 된 것이다. 특히 "슬픔이며 어리석음이며를 소처럼 연하여 쌔김질하는 것/내 슬픔과 어리석음에 눌리어 죽을 수밖에 없는 것을 느끼는 것/내 뜻이며 힘으로 나를 이끌어가는 것이 힘든 일인 것/이것들보다 더 크고, 높은 것이 있어서 나를 마음대로 굴려가는 것을 생각하는 것/무릎을 꿇어보며/그 드물다는 굳고 정한 갈매나무라는 나무를 생각하는 것"이라는 고심참담과 그를 통한 깨달음 및 새로운 다짐에로의 도달은 한국인의 전통적인 현실수용 태도와 그 극복과정의 내밀한 심리적 추이를 선명히 보여준 것이라고 하겠다. 그 속에는 불교적인 허무주의와 비극적 세계관, 유가적인 순응주의와 현실주의, 그리고 샤머니즘적인 인정주의와 운명론이 서로 뒤얽혀 한국적 허무주의의 처연하고 쓸쓸한 내면 풍경을 형성하고 있는 것이다.

비록 이러한 자기 정화와 달관 및 운명애의 비장함이 치열한 현실과의 맞섬이나 적극적인 투쟁의 결과로 얻어진 것이라고 할 수는 없으리라. 그러나 그것이 시는 일의 고달픔에 대한 깊은 깨달음과 뼈아픈 자책과 비탄 및 부끄러움이라는 자기 참회의 과정을 통해서 내발적으로 얻어진 운명애의 모습을 지닌다는 점에서 그 긍정적인 요소가 드러난다. 절망적인 환경이나 상황일수록 스스로를 구원할 수 있는 것은 자기 자신일 수밖에 없으며, 그 자기 구원의 방법은 운명에 대한 의지와 슬픈 긍정 및 따뜻한 사랑일 수 있기 때문이다.

이 운명애의 길은 그냥 단순히 관념적으로 도출된 것이 아니라 나름대로의 뼈아픈 자아 성찰과 통렬한 참회의 과정 속에서 도출된 것이라는 점에서 그 정직성의 힘, 수수함의 아름다움이 돋보이게 된다. 실상 이 점에서 우리는 백석의 시가 민중의 고달픈 삶의 굴곡을 담고 있으면서도 낱낱의 삶이 지닌 소중한 운명애의 진실을 간직함으로써 민족적 휴머니즘을 확보하고 있음을 확인하게 된다.


## 맺음말

백석의 시는 일제강점하의 국권 상실 시대에 민족정서와 혼의 상징인 민족어의 완성을 위해 진력한 데서 소중한 의미가 드러난다고 하겠다. 이러한 민족어 완성을 지향하는 노력은 그것이 민족 공동체 의식과 민족 정체성을 확보하는 데 기여를 한 것이다. 특히 그의 시는 주변부의 언어인 평북 방언을 문학어로 갈고닦아 현대시의 중심부로 이끌어들임으로써 문학적인 주체성과 평등정신을 고양하는 데도 이바지하였다. 또한 그의 시는 전통적인 민간신앙인 샤머니즘을 시적 표현으로 육화하여 한국시의 혈맥 속에 민중적 생명력을 제고하기도 하였으며, 북방정서를 발굴하여 민족정서의 변경을 확대하기도 한 것이다. 무엇보다도 그의 시는 대가족제 등 소멸해가는 한국인의 삶의 풍습에 애정을 기울이는 한편 소외계층의 삶에 대한 깊은 공감과 유대감을 표출한 데서 개성을 지닌다고 하겠다. 아울러 설화적인 내면 공간을 이야기체로써 형상화한 것은 1930년대 후반 시에서 매우 독보적인 위치를 지니는 것이 분명하다. 결국 백석의 시는 1930년대에 이 땅의 전통적인 민족적 삶의 원형성을 제시하고 민중적 삶의 전형성을 이루어낸 데서 시사적 의미를 확보하고 있는 것이다.

문학사적인 면에서 백석의 시는 소월과 파인 및 프로시들에 한 원천을 두고 있으며, 정지용과 영랑 시 등에서 촉발된 것으로 보인다. 그리고 노천명과 이용악·미당 등과 상호교류하면서 모더니즘의 세례를 받고, 뒤이어 등장하는 윤동주와 청록파, 그리고 분단 후의 박용래 등으로 이어지는 민족문학의 맥락 형성에 영향을 미친 것으로 받아들여진다.

한편 그의 시에는 다소의 약점 또는 한계점이 드러나는 것도 사실이다. 그의 시는 전체적인 면에서 지나치게 유소년회상에 따르는 과거적인 상상력 내지 수동적 정서에 편중돼 있는 것이 큰 약점이라 하겠다. 그의 시는 현실과 맞서서 개척하고 이겨나가려는 치열하고 능동적인 대결의 정신이 부족하며 미래지향의 역사의식이 부족한 것으로 판단되기 때문이다. 그저 소박하게 민족적 삶의 원형적인 모습에 관심을 갖고 민중의 생활상을 평면적으로 열거함으로써 단순화시킨 것도 아쉬운 점이라 하겠다. 또한 지나치게 소재주의에 경사돼 있는 점, 전체적인 면에서 스케일이 축소돼 있는 점, 그리고 비관주의와 운명론에 경사돼 있는 점 등이 그 한계점이라고 지적할 수도 있으리라.

그럼에도 불구하고 그의 시는 30년대 외래 지향성의 홍수 속에서 민족적 삶의 원형성을 탐구하고 소외계층의 삶의 진실에 깊은 관심을 기울임으로써 이 땅 현대시에 민족문학적인 내면 공간 형성에 있어서 순금 부분을 열어 보여주었다는 점에서 소중한 시사적 의미를 지닌다고 하겠다.

# 제4부
# 현대문학 100년, 그 고단한 삶의 역정

한국 서사시와 역사의식
한국 현대시의 민중·민중의식
현대시와 4·19혁명
광복 50년 남북한 시의 한 변모

# 한국 서사시와 역사의식

## 1. 장시와 서사시의 차이점

한국의 근대시를 살피다 보면 대체로 길이가 긴 작품군을 발견하게 된다. 서사시라는 제목이 붙은 유춘섭의 「소녀의 죽음」(『금성』 2호, 1924)과 안서가 서(序)에서 장편서사시라고 이름 붙인 김동환의 「국경의 밤」(한성도서, 1924) 이래로 이러한 긴 시의 양식은 근대시에서 중요한 한 형식으로 자리 잡아 왔다.

30년대만 하더라도 김억의 「지새는 밤」(1930), 김기림의 「기상도」(1936), 김해강의 「홍천몽」(1937), 김용호의 「낙동강」이 발표되었고, 40년대에도 김억의 「먼 동이 틀 제」(1947), 김상훈의 「북풍」(1948)이 단행본으로 간행되었다. 50년대에 이르러서는 김용호의 「남해찬가」(1952), 김종문의 「불안한 토요일」(1953), 민재식의 「속죄양」(1955~57), 송욱의 「하여지향」, 「해인연가」(1956~1959), 신석초의 「바라춤」(1959), 신동엽의 「이야기하는 쟁기꾼의 대지」(1959) 등 긴 시 형식이 하나의 유형을 이루었다. 60년대에도 김구용의 「구곡」(1960~), 전봉건의 「속의 바다」, 「춘향 연가」(1967), 신동엽의 「금강」(1967), 김해성의 「영산강」(1968), 김소영의 「어머니」(1969) 등이 지속적으로 발표되었다. 70년대에는 바야흐로 이러한 긴 시 형식이 크게 위세를 떨치게 된다. 김지하의 「오적」(1970), 「앵적가」(1971), 「비어」(1972), 모윤숙의 「논개」(1974), 양성우의 「벽시」(1977), 고은의 「갯비나리」(1978), 신경림의 「새재」(1978), 문병란의 「호롱불의 역사」(1978), 이성부의 「전야」(1978), 김성영의 「백의종군」(1979), 이동순의 「검정버선」(1979), 정상구의 「잃어버린 영가」(1979) 등이 바로 그것이다. 또한 이 시기에는 문예진흥원의 지원으로 많은 긴 시들이 한꺼번에 발표된다. 이인석의 「찬란한 생명―동명성왕」(1975)을 비롯하여 김춘수의 「남산의 악성― 백결선생」, 정한모의 「처용의 노래」, 조병화의 「고려의 별」, 김규동의 「망각의 강」, 김종해의 「천노, 일어서다」, 김광협의 「예성강곡」 등 32편이 『민족문학대계』 6권 (동화출판공사, 1975)에 수록되며, 김후란의 「세종대왕」, 이원섭의 「매월당의 생애」, 구상의 「황진이」, 박성룡의 「백자를 노래함」, 이형기의 「김정호」, 박희선의 「겨레의 시인 황매천」 등 10편이 동18권(1979)에 실림으로써 긴 시 형식이 근대시사에 확고하게 자리 잡게 되는 것이다.

한편 80년대에 들어서서는 이러한 긴 시 형식이 일대 유행을 보게 된다. 80년에만 하더라도 양성우의 「만석보」, 문충성의 「자청비」, 정상구의 「불타는 영가」, 안도섭의 「황토현의 횃불」 등이, 81년에는 신경림의 「남한강」, 이동순의 「물의 노래」, 김정환의 「황색예수전」 등이, 82년에는 김지하의 「대설·남」이 쓰여지기 시작한 것을 필두로 김창완의 「하늘나라의 넝쿨장미」, 장효문의 「전봉준」, 정상구의 「새벽의 영가」 등이 발표되었고, 83년에도 고정희의 「초혼제」, 김정환의 「회복기」, 문병란의 「동소산의 머슴새」, 양성우의 「넋이라도 있고 없고」, 김지하의 「남」 등이, 84년에도 박용수의 「바람소리」, 정상구의 「바람속의 영가」, 윤재철의 「난민가」, 박몽구의 「십자가의 꿈」, 감태준의 「사람의 집」, 「우리사는 세상」 등이 지속적으로 발표되었다. 특히 85년에는 정동주의 「논개」, 최두석의 「임진강」, 김용택의 「섬진강」, 감태준의 「종로별곡」, 박몽구의 「십자가의 꿈」, 배달순의 「김대건」 등이 간행되는 등 긴 시 형식의 활발한 대두 현상이 나타나고 있다.

　그런데 이 일련의 작품들은 많은 경우 장시, 서사시, 담시라는 여러 가지 표제를 달고 있어서 관심을 끈다. 그러나 실제로 작품들을 통독해보면 그러한 호칭이 객관적인 기준을 근거로 해서 붙여지고 있지 않음을 금방 알 수 있다. 또한 어느 정도 객관적인 호칭이라 볼 수 있는 경우에도 확실한 준거 틀을 마련하고 있지 못한 것이 사실이다. 이러한 사정은 비단 시사에서뿐 아니라 근대문학사 전반에서 두루 발견되는 문제점이기도 하지만 특히 서사시를 논할 때 가장 심각하게 부딪쳐 오는 난제인 것이다. 이렇게 볼 때 논의의 핵심은 장시와 서사시, 그리고 담시가 각각 어떻게 구별되며 그 범주를 어떻게 설정할 수 있을까 하는 것으로 요약된다.

　지금까지 이러한 문제에 대한 논의는 여러 차례 전개돼 온 것이 사실이다. 먼저 장시에 관해서는 김종길 교수 등에 의해 논의가 전개되어 있는바, 그 핵심은 첫째 긴 시면서 기존 양식― 서사시, 설화시, 연작시 등― 이 아니어야 하고, 둘째 그것이 통일된 계획이나 구성 아래 단일 주제로 통합되어 있어야 하고, 셋째 길이는 약 200행~3,000행 내외가 돼야 한다는 내용이다.[1] 그러나 이 주장은 서사시라는 말속에 장시라는 요건이 이미 포함되어 있다는 점에서 쉽게 무리가 드러난다. 장시는 장르 명칭이라기보다는 오히려 서정시의 길이에 따른 형식적 요건에 해당하는 것이기 때문이다. 연작시의 예를 보아도 장시가 하나의 장르 명칭이 되기 어려운 점은 쉽게 드러난다. 연작시는 한 편 한 편이 독립성을 지니면서도 전체적으로는 하나의 통일된 계획 아래 일관된 구성 및 내용을 지니기 때문에 이것을 연작장시로 불러 마땅한 것이다. 따라서 장시가 서사시·연작시 등 기존 양식에 속하지 않아야 한다는 주장은 논리적인 모순점을 지닌다. 또한 통일된 계획이나 구성 아래 단일 주제로 통

---

1) 김종길, 「한국에서의 장시의 가능성」, 『문화비평』 1권 2호(1969, 여름), 228~244쪽.

합되어 있어야 한다는 두 번째 주장 역시 합당치 않다. 서사시도 단형인 담시의 경우에는 단일구성과 단일 주제를 지니고 있으며, 연작시의 경우도 그와 유사하기 때문이다. 길이가 약 200~3,000행 내외가 돼야 한다는 주장은 더욱 난점이 있다. 이것은 서사시의 경우나 연작시의 경우에도 얼마든지 적용될 수 있기 때문에 따로 장시라고 부를 필요성이 없는 것이지, 전통적인 양식에 포함되기 때문에 장시라고 부르지 않는 것은 아닌 것이다. 따라서 장시라는 말은 다만 시가 길다는 형식적 요건을 지칭하는 것이지 장르 명칭은 아니라는 점을 확실히 알 수 있다. 이 점에서는 오히려 김기림의 주장이 더 설득력을 지닌다.

> 시(詩)는 첫째 형태적으로 단시와 장시로 구별된다. 시는 짧을수록 좋다고 할 때 「포ー」는 장시의 일을 잊어버렸던 것이다. 장시는 장시로서의 독특한 영분(領分)을 가지고 있다. 어떠한 점으로 보아 더 복잡 다단하고 굴곡이 많은 현대문명은 그것에 적합한 시의 형태로서 차라리 극적 발전이 가능한 장시를 환영하는 필연적인 요구를 가지고 있는 것처럼 보이기도 한다. 현대시에 혁명적 충동을 준 엘리어트의 「황무지」와 최근으로는 스펜더의 「비엔나」와 같은 시가 모두 장시인 것은 거기에 어떠한 시대적 약속이 있는 것이나 아닐까 나는 생각하고 있다.[2]

김기림의 이러한 주장은 장시가 형태 또는 길이의 개념이지 장르 명칭이 아님을 분명히 해준다는 점에서 의미를 지닌다. 그리고 장시가 복잡다단한 현대문명의 산물이며 시대적 약속의 한 반영이라는 점에서 온당한 의견이 아닐 수 없다. 다만 장시가 독특한 '영분(領分)'을 지니고 있다고 했음에도 불구하고 그에 대한 구체적인 실증이 없는 점이 결함으로 지적된다. 이 점은 리드(H. Read)의 다음 주장에 의해 보충할 수 있다.

---

2) 김기림, 『시론』(백양당, 1949), 141쪽.

장시(長詩)(long poem)란 짧은 시, 즉 서정시가 「단일 단순한 정서적 태도를 구현한 시, 연속적인 기분이나 영감을 직접 표현한 시」임에 대하여, 「수개 혹은 다수의 정서를 기교에 의하여 결합한, 어떤 복잡한 이야기를 포함한 일련의 긴 시」를 구별하기 위해 사용되는 용어이다. 장시는 서구문학의 경우 서사시(epic), 이야기시(narrative poetry), 그리고 길이가 긴 철학시(philosophic poem)와 부(賦, ode) 등을 포괄하는 개념이다.3)

그렇다면 장시는 단시와 구별되는 시의 한 형태로서 마치 소설 장르에서 장편소설이 단편소설과 구별되는 사실과 대응되는 것으로 볼 수 있다. 이것은 장르개념으로서의 서사시와는 엄연히 구별되는 것이 아닐 수 없다. 다시 말해서 서사시도 장시라는 요건을 전제로 하지만, 장시가 바로 서사시가 될 수 있는 것은 아니라는 점이다. 그렇다면 문제의 핵심은 자연히 서사시가 장시냐 아니냐 하는 문제가 아니라, 장시 가운데에서 어떤 것이 서사시에 해당하고 어떤 것이 서사시가 아니며, 그 근거는 무엇인가 하는 데로 집약된다. 단적으로 말해서 서사시는 '서사'로서의 기본 요건인 ①일정한 성격을 지닌 인물과 ②일정한 질서를 지닌 사건을 갖춘 ③있을 수 있는 이야기를 바탕으로 하는4) 비교적 길이가 긴 노래체의 율문이어야 한다. 따라서 서사시가 넓은 의미에서의 장시라는 말은 가능하지만, '기본적으로 서정시에 속하며 다수의 정서가 복합되어 있고 관념적인 이야기를 지니고 있는 길이가 긴 시'로서의 협의에 있어서의 장시와는 확연히 구별된다. 서사시에도 물론 길이가 방대한 것과 비교적 짧은 것이 있을 수 있지만, 그것이 서정시와 다른 점은 반드시 등장인물이 있어야 하고 일관된 행위와 통일된 사건이 전개돼야 하며 객관적 시점을 바탕으로 알려진 얘기를 해야 된다는 점에 놓여진다.

이렇게 볼 때 한국의 근대시사에서 발견되는 길이가 긴 일련의 작품들에서

---

3) H.Read, *Collected Essays in Literary Criticism*(London: Faber&Faber, 1950), 57~68쪽.
4) 조동일, 『서사민요연구』(계명대출판부, 1983), 43쪽.

문제가 되는 것은 그것이 서사적 요건을 갖춘 시, 즉 서사시에 해당하는가, 아니면 단순한 서정시로서 좁은 의미의 장시, 즉 '장편시5)'에 해당하는가를 구별하는 작업이 된다. 그리고 서사적 요건을 갖추고 있다고 해서 그대로 서사시라고 호칭할 수 있을까 하는 것도 문제로 남는다. 서두에서 열거한 일련의 작품들을 서사적 요건에 비춰볼 때 우리는 대략 그것들이 두 가지로 대별될 수 있음을 알 수 있다. 즉 「국경의 밤」에서 「남해찬가」, 「금강」, 「오적」 등으로 이어지는 계열과 「소녀의 죽음」에서 「기상도」, 「하여지향」, 「춘향연가」 등으로 이어지는 계열이 그것이다.6) 이 경우 전자는 서사적 요건을 지니고 있는 데 비해 후자는 그렇지 않음을 쉽게 알 수 있다. 이것을 필자는 대범하게 전자를 서사시로, 후자를 그냥 장편시(장시)라고 부르고자 하는 것이다. 이때 서사시라는 명칭이 또 문제가 될 것이다. 우리는 흔히 우리의 근대문학을 논하면서 서구의 문학개론이나 문예사전을 준거 틀로 사용해 왔기 때문에 그에 잘 맞아떨어지지 않을 경우 그에 대해 이의를 제기해 온 일이 적지 않았다. 「국경의 밤」이 서사시인가 아닌가 하는 논쟁이 그 대표적인 한 예가 된다. 서구적인 개념만으로 재단해 본다면 엄격한 의미에서 「국경의 밤」은 서사시라고 보기 어려운 면이 없지 않다.7) 그렇다면 애초에 우리의 문학개론이나 문학사에서는 서사시라는 용어를 빼버리는 것이 현명할는지 모른다. 그러나 서구적 개념이 아니더라도 우리 문학사에는 「동명왕편」과 같은 탁월한 서사시가 있어왔던 점에 비추어, 또한 판소리, 서사무가, 서사민요 등의 호칭이 정당한 것처럼 우리 실정에 맞는 서사시의 개념을 정립해야 하며 그에 걸맞은 준

---

5) 가설적으로 '장편시'라는 호칭을 붙여보기로 한다. 그것은 '장시'가 장르명으로서의 서정시의 긴 형식을 일컫기 때문이다. 짧은 서정시는 그대로 서정시로, 긴 형식의 서정시는 장편시(줄여서 장시)로서 불러보고자 하는 것이다. 이것은 마치 단편소설이 단일구성으로 이루어진 짧은 형식의 소설을 의미하고 장편소설이 복합구성으로 이루어진 긴 형식의 소설을 일컫는 것과 대응된다.

6) 염무웅, 「서사시의 가능성과 문제점」, 『한국문학의 현단계 I』(창작과비평사, 1982), 9쪽.

7) 오세영, 「국경의 밤과 서사시의 문제」, 『국어국문학』 75호(1977).

거 틀을 마련하면 하등 문제가 없을 것이다.8)

이 점에서 필자는 서사적 구조를 갖춘 시라면 굳이 서사시라고 부르지 못할 아무런 이유가 없다고 생각한다. 우리의 서사시는 우리의 서사시대로 고유의 성격과 구조를 지니고 있으며, 또한 필연적인 시대적·사회적·역사적·문학적 창작배경과 집필 동기를 지니고 있을 것이 분명하기 때문이다. 실상 내우외환에 시달리던 고려 무신정권하에서 「동명왕편」이 쓰여졌으며, 일제 수난기에 「국경의 밤」이 쓰여졌고, 가깝게는 6·25 수난기에 「남해찬가」가, 4·19 후에 「금강」이, 그리고 유신정변 무렵에 「오적」이 쓰여진 사실이 그러한 반증이 된다.

따라서 본고에서 필자는 「국경의 밤」 등 몇 작품을 중심으로 해서 우리의 서사시가 대략 어떠한 내용과 구조로 짜여져 있으며 그것이 역사적 상황과 어떻게 대응되는 의미를 지니는가를 소략하게나마 살펴보고자 한다. 한 가지 원래 의도는 장편시의 경우도 함께 비교 고찰할 예정이었으나, 주어진 지면 관계로 다음 기회로 미룬다는 점을 밝혀둔다.


## 2. 「동명왕편」과 민족주체성 모색

고려말 이규보가 그의 나이 26세 때 지은 「동명왕편」은 민족 영웅으로서의 동명성왕의 파란만장한 생애를 운문으로 기록한 장편서사시이다. 무려 1,405자의 본시와 2,200여 자의 주석 등 모두 4,000자 가까운 한문으로 쓰여진 서사시인 것이다.9) 이 시는 영웅의 파란만장한 생애를 그렸다는 점에서 영웅서사시에 속하고 민족의 성립과 국가 형성과정을 그렸다는 점에서는 민족서사시로 볼 수 있다.10) 특히 이우성은 「동명왕편」이 북방민족과의 대결

---

8) 조남현, 「파인 김동환론」, 『국어국문학』 75호(1977)도 이와 비슷한 논거이다.
9) 전형대, 『이규보의 삶과 문학』(홍성사, 1983), 65~89쪽.

속에서 주체적이며 진취적인 민족의식의 역사적 산물임을 주장한 바 있다. 아울러 조동일도 구귀족의 중국문화 추종과 그에 따른 주체성 상실의 태도를 비판하고 민족사에 관한 새로운 입장을 수립하기 위해서「동명왕편」을 썼다고 주장한 바 있다.11) 여하튼「동명왕편」은 민족적 주체성의 모색과 확립이라는 목표에서 쓰여진 것으로 보아 크게 무리가 없을 듯하다.

이「동명왕편」은 내용상 대략 세 부분으로 구분할 수 있다. 즉 동명왕 탄생 이전의 계보를 노래한 서장과, 동명왕의 출생으로부터 나라를 세우고 죽기까지의 과정 및 유리왕의 왕위계승까지를 다룬 본장, 그리고 이야기를 마무리하는 결장으로 구성된 것이다. 이렇게 본다면 이 작품의 기본구조는 동명성왕의 출생 이전과 출생 및 죽음, 그리고 유리왕의 등장으로 이어지는 '탄생－죽음－탄생'의 순환구조를 지니는 것으로 이해할 수 있다. 다시 말해서 죽음과 탄생, 이별과 만남이라는 운명적 사건을 뼈대로 하여 동명성왕의 파란만장한 생애가 펼쳐진 것이다. 그러므로 등장하는 인물들이 우선 다양하다. 해모수, 하백, 동명왕, 비류왕, 유리왕 등의 영웅들과 유화, 원화, 위화 등의 미녀들, 사자와 군사와 군신 등이 입체적인 관계를 형성하며 사건을 이끌어 간다. 또한 사랑과 질투, 대결과 도피, 음모와 혈투 등의 사건이 다양하게 펼쳐짐으로써 극적 긴장감을 고조시키기도 한다. 배경에 있어서도 하늘과 땅이라는 환상적인 요소와 함께 북방대륙과 압록강 등의 구체적인 장소가 서로 어울려 장대한 스케일을 이루어내는 것이다. 아울러 젊은 날의 유리왕이 부러진 칼을 찾아 고구려로 가서 부왕 동명성왕을 만나 서로 가진 칼을 합하니 피가 나면서 이어져 한 칼이 되고 마침내 이적을 행함으로 태자가 된다는 결구에서 볼 수 있듯이 전체적인 사건이 일관성과 집중성을 견지하고 있는 것이다. 또한 엄격한 오언고율(五言古律)로 되어있는 노래체 시 형식이 또한 돋보

---

10) 장덕순은 영웅서사시로 보며 이우성(李佑成)은 민족서사시로 본다. 김시업,「무신집권기의 문학적 전환」,『한국문학연구입문』(지식산업사, 1982), 216쪽.
11) 조동일,『한국문학사상사시론』(지식산업사, 1978), 85쪽.

인다고 하지 않을 수 없다.

이렇게 본다면「동명왕편」은 일정한 성격을 지닌 인물들이 다양하게 등장하고, 영웅의 한 생애가 구성적 질서로 통합돼 있고, 작품에 내포된 하나하나의 사실이 개별적 현실을 지시하지 않고 이야기로서의 전체적인 의미가 현실의 반영으로 이해될 수 있는 '있을 수 있는 이야기'로서 짜여져 있다는 점에서 서사적이며, 그것이 운문으로 쓰여졌기 때문에 서사시라고 일컬어 조금도 손색이 없는 것이다. 여기에서 군이 서구적 의미의 서사시 개념이나 표준을 들출 필요는 없다. 우리의 고전 작품 중에서도 서사시의 전범을 찾아낼 수 있다는 사실을「동명왕편」에서 확인할 수 있기 때문이다. 그렇다면 가장 핵심이 되는 것은 왜 이 서사시가 쓰여졌으며, 그것이 당대의 사회적·역사적 상황과 어떠한 함수관계를 갖는가 하는 문제가 된다. 실상 이러한 문제의 해명은 한국 고전 서사시의 구조적 특성을 제시하는 것일 수도 있을 것이다. 앞에서 언급했던 것처럼「동명왕편」의 의의는 민족주체성에 대한 자각과 민족사에 관한 새로운 입장의 수립에 놓여진다.

구삼국사(舊三國史)를 얻어서 동명왕본기(東明王本紀)를 보니 그 신이한 자취는 세상에서 말하는 것을 넘어선다. 처음에는 믿을 수 없어서 귀(鬼)이고 환(幻)이라고 생각했는데, 세 번 거푸 탐독하고 음미하니 점차 그 근원에 이르게 되고, 환(幻)이 아니고 성(聖)이며, 귀(鬼)가 아니고 신(神)이다…… 동명(東明)의 일은 변화(變化) 신이(神異)로써 사람의 눈을 현혹시키는 것이 아니고, 실은 바로 창국(創國)의 신이한 자취이다. 이것을 기술하지 않으면 후에 무엇을 보여줄 수 있겠는가? 시로 지어서 무릇 천하가 우리 나라는 원래 성인의 도(都)임을 알게 하겠다.12)

---

12) 조동일(趙東一),「동명왕편서」,『한국문학사상사시론(韓國文學思想史試論)』(지식산업사, 1978), 88~89쪽 재인용.

이 글에는 「동명왕편」의 집필 동기가 분명하게 제시된 것으로 보인다. 그 것은 바로 민족적 주체성에 대한 자각이며 민족적 자존심에 대한 고양의 의 지에서 「동명왕편」이 쓰여졌음을 설명해주는 것이 된다. 따라서 이러한 민족 적 주체성 자각과 자존심 고양이 새삼 필요한 이유가 무엇 때문인가 하는데 「동 명왕편」의 보다 큰 창작 배경이 설명될 수 있을 것이다. 이것은 이 작품이 쓰여 진 12~3세기 고려조의 정치·사회적 상황과 무관하지 않은 것으로 이해된다. 바로 이 시기는 정중부의 난에서부터 시작된 무신정권 시대에 해당한다. 또 한 이러한 무신들의 정권투쟁과 함께 각처에서 봉기하기 시작한 천민계층의 반란을 지적할 수 있다. 망이·망소이의 난(1176)과 만적의 난(1198) 등이 계 속 일어남으로써 사회적인 혼란이 야기된 것이다. 이러한 국내의 정치·사회 적 혼란은 또한 거란과 몽골의 지속적인 침탈과도 무관하지 않다. 실상 내우 외환의 와중에서 가장 절실한 것은 민족적 주체성의 확립과 자존심의 고양이 었던 것이다.[13] 따라서 신이로 가득찬 고구려 건국 영웅의 파란만장한 생애 를 노래함으로써 민족정신을 고양함은 물론 국난을 극복하려는 의지를 창조 적 열기로 뻗쳐오르게 한 것으로 해석할 수 있다. 영웅의 신이한 행적과 파란 만장한 일생을 표면적으로 노래하면서 당대의 혼란과 시련을 극복하고 민족 혼을 불러일으키려는 심층적 의도를 담고 있는 것이다.

이 점에서 서사시 「동명왕편」은 당대를 수난의 시대로 파악하고, 이것을 극복하려는 열린 정신의 분출이자 시대적 산물로 해석할 수 있음은 물론이 다. 또한 서사시가 민족의 수난기를 배경으로 하여 민족적 저력과 작가의 문 학적 상상력이 합치됨으로써 비로소 쓰여졌고 또 쓰여질 수 있는 역사적 장 르에 속한다는 점도 이해할 수 있는 것이다.

---

13) 장윤익, 『한국서사시연구』(명지대학교 박사학위논문, 1983)도 이러한 견해를 보 여 준다.

## 3. 「국경의 밤」, 혹은 식민지 현실의 상징화

파인 김동환의 시집 『국경의 밤』은 1925년 3월 한성도서주식회사 발행으로 출간되었다. 이 시집 속에는 잘 알려진 「북청물장사」 등 14편의 서정시와 서사시 「국경의 밤」이 함께 실려 있다. 이 「국경의 밤」에는 아무런 장르 명칭이 붙여져 있지 않다. 다만 앞머리에 안서가 쓴 '서(序)'에 그것이 '서사시', '장편서사시'이며, '우리 시단에 처음 있는 일'로 밝혀져 있어 관심을 끈다. 또한이 시집의 앞머리에는 파인이 스스로 지은 "하펌을 친다/시가가 하펌을 친다/조선의 시가가 곤해서 하펌을 친다//햇발을 보내자/시가에 햇발을 보내자/조선의 시가에 재생의 햇발을 보내자!"라는 「서시」가 실려 있다. 아마도 이 「서시」는 이 「국경의 밤」이 무언가 침체상태에 빠져 있는 20년 당대의 시단에 '재생의 햇발'로서의 신선한 기분을 불어넣고자 한 데서 이 새로운 형태의 시가 쓰여졌음을 강조하는 동시에, 그것이 바로 안서가 바로 앞의 '서'에서 말한 바 있는 장편서사시의 실험인 것으로 풀이된다. 여하튼 이 서사시 「국경의 밤」은 단시 또는 서정시 위주의 당대 시에 대한 하나의 반발에서 비롯된 새로운 시도임에 틀림이 없다.

> 아하, 무사(無事)히 것넛을까,
> 이한밤에 남편(男便)은
> 두만강(豆滿江)을 탈엽시 건너슬가?
>
> 저리 국경강안(國境江岸)을 경비(警備)하는
> 외투(外套)쓴 거문 순사(巡査)가
> 왔다ー 갓다ー
> 오르명 내리명 분주(奔走)히하는대
> 발각(發覺)도 안되고 무사(無事)히 것넛슬가?

이러한 대화체(독백) 허두로 시작되는 「국경의 밤」은 모두 72면 900여 행으로 짜여진 3부작으로 구성돼 있다. 두만강의 겨울밤을 배경으로 하여 남편을 소금실이 밀수출마차에 띄워 보내고 초조히 기다리고 있는 한 아낙네, 즉 순이를 묘사하는 장면으로부터 시작하는 것이다. 이러한 북국의 겨울밤의 음산한 풍정에 대한 묘사는 7장까지 계속되고, 8장부터 27장까지는 고향을 떠났다가 옛 애인을 찾아 돌아오는 한 청년과 순이가 재회하는 광경으로까지 이어진다. 제2부인 28장~57장까지는 이들 사이에 있었던 과거에 아름다우면서도 비극적인 사랑 얘기로 엮어진다. 비로소 본격적인 사건이 전개되는 것이다. 즉 순이는 그 옛날 고려 시절 윤관이 정벌했던 여진족의 패망한 후예들인 재가승의 딸이었다. 재가승은 재가승끼리 결혼해야 한다는 율법에 의해 순이는 사랑하던 '언문 아는 선비'로서의 소년과 헤어지고 동네 존위(尊位)집으로 시집가고 만다. 이에 소년은 마을을 떠나가 버리고, 그로부터 8년이 지난 겨울밤에 다시 재회하게 되는 것이다. 다시 3부는 1부와 호응 되어 현재시제로 돌아온다. 그 사이에 청년은 도회에서의 타락한 생활 끝에 새로운 삶을 찾아 옛 애인을 찾아온 것이다. 따라서 3부는 청년과 처녀의 대화체로 전개된다. 청년과 처녀의 현실적 갈등이 노골적으로 표출되는 것이다. 그것은 문명과 원시, 혹은 도회와 자연의 갈등이라는 표면적인 양상을 지닌다.

> 그래두실혀요 나는
> 당신갓혼이는 실혀요,
> 다른계집을 알고 또 돈을 알구요,
> 더구나 일본말까지 아니
> 와보시구려, 오는날부터 순사가 뒤따라 단닐터인데
> 그러니 더욱 실혀요 벌서 간첩(間牒)이라고 하던데!
> 그리고 내가 미나리 캐러단닐때
> 당신은 뿌리도 안 떠러줄걸요,
> 백은(白銀)길갓혼 손길에 흙이 뭇는다고

더구나 감자국에 귀밀밥을 먹는다면—

에그, 애닲어라
당신은 역시(亦是) 꿈에 볼 사람이랍니다, 어서 가세요.
— 58장에서

그러나 이들의 애틋한 대화는 남편 병남이 죽어서 시체로 돌아오는 데서 끝나고 만다. 순이에게 있어서 과거의 사랑도 비극적이었지만, 현실에서의 사랑은 더더욱 비극적인 종말을 맞이하고 마는 것이다. 이렇게 볼 때 이 작품은 '남편을 기다림— 남편의 죽음과 시신으로 돌아옴'이라는 현실적 비극이 핵심적인 이야기이고, 그 속에 '옛날 있었던 애인과의 비극적 사랑과 헤어짐 — 그 옛 애인과의 재회와 갈등'이라는 이야기를 내포하고 있음을 알 수 있다. 다시 말해서 현실적인 비극으로서의 남편의 죽음을 현실적인 본화로 하고, 그 안에 환상적인 비련의 얘기와 이룰 수 없는 사랑의 비극을 내화로써 담고 있는 중층구조로 짜여져 있는 것이다. 이러한 이중구조적인 짜임새는 이 작품의 비극성을 더욱 심화해주는 효과적인 장치가 아닐 수 없다.

이렇게 볼 때 얼핏 보기에는 이 작품이 청춘남녀의 비극적 사랑을 낭만적으로 묘파한 작품으로 생각하기 십상이다. 그러나 이 작품을 자세히 들여다보면 이 작품이 지닌 비극성이 사랑 얘기에서 파생되고 있는 것이 아니라, 국경 변두리 소외계층의 버림받은 삶과 그 덧없는 일생에 대한 깊은 통찰에서 비롯됨을 알 수 있다. 과거에 있었던 순이와 청년의 비극적인 사랑 얘기는, 순이와 남편이 처한 현실적 삶의 고통과 그 비극적 결말이라는 메인 플롯에 긴장감과 박진감을 불어넣기 위한 방법적 장치로서의 의미를 지닌다. 아울러 비극의 주인공으로서의 순이의 비참한 운명을 강조하기 위한 구조적 기법에 해당한다. 순이와 청년과의 관계는 이 점에서 에피소드적이며, 핵심은 순이와 병남의 고난에 가득찬 비극적 삶에 놓여져 있는 것이다. 그것은 이들 부부가 당대 조선의 백성이긴 했으나 기본적으로 나라와 땅을 잃어버린 여진족의 후예라는 사실 속에서 깊은 암유적 관계를 발견할 수 있다. 두만강가 변두리에서 밀수로 목숨을 부지하다가 어느 날 문득 비적의 총에 맞아 죽어간 병남과, 사랑하는 사람과 신분의 차이로 말미암아 헤어지고 몇 년 후 다시 남편마저 비운에 잃어버리고 마는 순이의 모습 속에는 일제에게 나라와 땅을 뺏겨버리고 간도로 쫓겨가거나 어이없는 죽음을 당하던 당대 조선 백성의 비참하고 덧없는 삶의 모습이 예리하게 반영되어 있는 것이다. 이 점에서 이 작품은 현실의식과 민족의식이 강하게 분출되어 있는 것으로 이해된다. 마지막 결구 부분에는 이러한 민족의식이 다소 우회적이긴 하지만 압축적으로 표출돼 있다.

> 거이 뭇칠때 죽은병남(丙南)이 글배우던 서당(書堂)집노훈장(老訓長)이,
> 「그래두 조선(朝鮮)땅에 뭇긴다!」하고 한숨을 휘ー쉰다.
> 여러사람은 또 맹자(孟子)나 통감(通鑑)을 읽는가고, 멍멍하였다.
> 청년(靑年)은 골을 돌리며
> 「연기(煙氣)를 피(避)하여간다!」하였다
>
> 강(江)저쪽으로 점심때라고
> 중국군영(中國軍營)에서 나팔소리 또따따하고 울녀들린다.
> ― 동(同) 71·72

여기에서 "그래두 조선(朝鮮)땅에 뭇긴다", "연기(煙氣)를 피하여 간다"라는 두 구절 속에는 이 시 전체의 핵심적인 의미가 상징적으로 제시돼 있는 것으로 보인다. 먼저 그것은 '조선땅'에 묻힌다는 평범한 사실만으로도 그것이 당대에는 매우 커다란 행운으로 받아들여질 수 있었음을 확인할 수 있다는 점에서 그러하다. 나라 잃고 떠도는 유랑민의 모습 그 자체로 당대 조선과 조선인의 현실이 인식되고 있는 것이다. 아울러 '조선땅'에 묻힌다는 구절 하나

만으로도 위안받는다는 사실은 마치 이상화가 "지금은 남의 땅— 빼앗긴 들에도 봄은 오는가?/그러나 지금은 들을 빼앗겨 봄조차 빼앗기겠네"라고 절규하면서 대지를 품에 안고 걸어가는 모습과 크게 다를 바 없는 것이다. '조선 땅'은 바로 생존권과 주권의 상징이면서 동시에 당대인의 가슴속에 살아 있는 조선정신의 표상이며 민족혼의 상징이기 때문이다. 이 점에서 이 구절에는 투철한 민족의식이 우회적으로 표출되어 있는 것으로 보인다. 아울러 "연기를 피하여 간다"라는 구절은 당대 현실이 마치 질식할 것 같은 절망과 암흑의 밤 또는 연기 속과 같은 것임을 비유한 것으로 보인다. 죽음이 더 행복한 것일는지도 모른다는 날카로운 현실풍자가 담겨 있는 것으로 이해된다는 점에서 그러하다.

이 점에서 「국경의 밤」은 비극적인 사랑 이야기를 표층구조로 하여 부정적인 현실 인식을 드러내고 그 심화된 비극을 통해서 민족혼을 강조하고자 하는 심층적 의미를 담고 있는 것으로 해석된다. 이것은 「국경의 밤」이라는 서사시가 쓰여질 수밖에 없는 필연적인 이유가 된다. 짤막한 서정시로서는 당대 식민지하의 현실 속에서 민족적 저항의식을 문학적 응전력으로 충분히 형상화할 수 없었던 까닭이다. 따라서 거듭되는 비극적인 사랑과 고난의 애기를 통해서 당대 민족이 처한 비극적 현실과 수난을 암유하고자 한 것이다. 아울러 민족적 비극의 의미를 심화하는 가운데 그 괴롭고 슬픈 현실을 극복하고자 하는 열린 의지가 담겨져 있는 것으로 이해된다. 주권과 민족상실이라는 역사적 수난에 처하여 민족혼의 부활이라는 소중한 의지를 서사시 「국경의 밤」으로 형상화한 데서 이 작품의 참된 의미가 드러나는 것이다.

여기에서 우리는 또 하나의 중요한 사실에 직면하게 된다. 그것은 이 「국경의 밤」이 만해의 시집 『님의 침묵』(1926)과 대응된다는 사실이다. 필자는 이미 『님의 침묵』이 88편으로 구성된 연작장시임을 밝힌 바 있다. 즉 『님의 침묵』은 88편의 시가 '님의 떠남→님이 떠난 후의 고통과 슬픔→슬픔의 극복과 희망의 생성→만남의 성취'라는 기·승·전·결의 극적 구성(dramatic plot)을 지닌 연작장시임을 밝히고, 이 점에서 『님의 침묵』은 이별과 슬픔의 시가 아니라 극복과 만남의 시임을 주장한 바 있다.[14] 이러한 사실은 다시 『님의 침묵』이 표면적으로는 사랑의 노래로 되어있지만, 심층에는 민족과 주권의 상실을 님의 상실로 비유하여 님과의 만남, 즉 국권의 회복을 갈망한 희망과 극복의 의지를 담고 있다는 해석을 가능케 한다. 따라서 『님의 침묵』은 처음부터 일관된 의도와 통일된 주제를 가지고 집중적으로 쓰여진 연작장시에 해당하며, 이러한 사실은 서사시 「국경의 밤」과 내면적인 상관관계를 지니는 것이 분명하다. 두 작품이 모두 비극적 사랑 얘기라는 표면구조와 비극의 심화를 통한 현실극복 의지의 구상화라는 심층적 의미라는 이중구조로 짜여져 있으며, 그것이 연작장편시 또는 장편서사시로서 형상화됐다는 사실이 서로 대응되는 점이다.[15] 비록 『님의 침묵』은 서정시 구조로 짜여져 있고, 「국경의 밤」은 서사시 구조로 이루어져 있다는 장르적 차이점이 있지만, 두 편이 다 역사의 수난기에 처해 민족의 정신적 저력을 문학적으로 표출했다는 점에서 커다란 의미를 지니는 점이다. 무엇보다도 이 두 작품은 어두운 시대의 비극을 고난의 과정으로 묘파한 데서 특징이 선명하게 드러난다. 이 두 작품이 우리에게 공감을 주는 것은 끊임없는 고통과 슬픔의 과정이며, 바로 이러한 고난의 과정이 민중문학으로서의 특징을 반영한 것이 된다. 두 작품은 모두 빼앗긴 시대, 억눌린 시대, 신을 상실한 시대에 쓰여졌기 때문에 마치 판소리에서의 그것처럼 표면적인 내용과 심층적인 의미가 이중구조성을 지닐 수밖에 없다.

특히 「국경의 밤」은 이러한 민족적 수난을 서사적 구조로써 응전했다는 데 의미가 드러난다. 다양한 사건의 전개와 에피소드의 삽입, 인물의 적절한

---

14) 졸저, 『한용운문학연구』(일지사, 1982), 99~107쪽.
15) 장편시도 서사시와 마찬가지로 문학의 사회적·역사적 대응력을 발휘할 수 있는 기능을 가질 수 있는 것으로 이해된다.

배치, 역사적 사실에 대한 해석, 시적 형식에 대한 섬세한 배려 등을 통해서 보다 스케일이 큰 대형시의 한 기틀을 마련했다는 점에서 시사적 의미가 주어진다. 물론 낭송을 전제로 하지 않았다든지, 영웅을 대상으로 하지 않았다든지, 파란만장한 사건의 전개가 이루어지지 않았다든지 혹은 작자 자신의 서사시에 대한 안목이 부족했다든지 하는 점에서는 완성된 서사시의 전범으로 볼 수 없을지도 모른다. 그러나 이 작품이 서구적인 서사시의 개념에 꼭 부합되지 않는다 하더라도, 수난의 시대에 고통받는 민중의 비극을 서사적 구조를 통해서 비교적 큰 스케일의 시로 형상화한 이 땅 근대서사시의 한 효시가 된다는 점은 주목하지 않을 수 없다.

## 4. 「남해찬가」와 민족 수난 극복의 희원

김용호의 「남해찬가」는 임진왜란이 있은 지 360년 후인 1952년 임진년에 충무공 이순신 장군의 생애와 업적을 기려서 쓰여진 장편서사시이다. 따라서 영웅의 파란만장한 생애를 그렸다는 점에서는 영웅서사시에 가깝고, 임진왜란에서의 민족적 수난을 묘파했다는 점에서는 민족서사시의 범주에 속한다.

이 작품의 구성은 서시와 17장의 본시로 짜여져 있다. 서시는 조상의 얼과 조국에 대한 찬미로 시작된다. 다시 본시는 이순신의 출생부터 활약·수난·인간성 및 장렬한 죽음에 이르는 1~16장까지와, 에필로그에 해당하는 17장으로 구분된다. 이렇게 본다면 대체로 '서사— 본사— 결사'라는 세도막 형식으로 짜여져 있음을 알 수 있다.

> 용비어천(龍飛御天)의 자랑은 시들고 죽어
> 나랄 사랑하기 보담 내 한몸이 귀엽고
> 나랄 위하기 보담 내 당파(黨派)를 앞세워

호령한 권세(權勢)와
살잡는 집권(執權)을 에싸고
날로 익고 달로 터지는
집안 싸움

보라!

꼬리에 꼬리를 물고
연달아 일어나는 피비린 사과(士過)

옳음보다는 악이 돋보이고
참보다도 거짓이 힘을 얻고
자리다툼에 밤낮을 주려
나라 잊고 백성들 져바리고
구중궁궐(九重宮闕)에 벌어진 뉘우침없는 이싸움
때는 바야흐로 십육(十六)세기의 중엽

— 1장에서

주지하다시피 조선조의 역사는 끊임없는 전란과 당파싸움의 연속이었고, 피비린내 나는 사화의 소용돌이에 사로잡혀 왔던 것이 사실이다. 바로 이러한 당쟁과 사화의 와중에서 권력층은 '나라 잊고 백성들 져바리고' 일신의 영화와 당파의 이익에만 급급하였던 나머지 왜적의 침입을 자초하는 결과를 빚고 말았던 것이다. 그것이 바로 1592년의 임진왜란이다.

이 참혹한 전쟁 속에서도 지배층은 동인(東人)과 서인(西人)으로 나뉘어 당쟁을 쉬지 않았으며, 그 결과 백성들은 도탄에 허덕이고 왜적의 살육에 희생물이 될 뿐이었다. 바로 이러한 국가와 민족이 위기에 처했을 때 사리사욕에 물들지 않고 풍전등화와 같은 조국의 운명을 구하기 위해 한평생을 바친 이순신 장군이야말로 진정한 구국 영웅이 아닐 수 없었다. "조정의 돌봄이야 있곤 없곤/반남아 썩고 낡은 배를 고치고/한척 또 한척 새 배를 만들고/화살 다 듬고/이름뿐인 수군을 가꾸고 길러" 왜적을 무찌르던 이순신 장군, 간신배들의 온갖 시기와 모함에도 불구하고 백의종군하면서까지 싸우다가 마침내 장렬하게 최후를 마친 이순신 장군의 생애야말로 민족의 귀감인 것이다. 따라서 이 서사시는 이순신의 탄생부터 죽음에 이르는 과정을 시간순대로 상세하게 재구성하면서 그의 출중한 전략과 전술, 뛰어난 인품과 덕성, 원균 등과의 갈등과 대립, 고행과 충정을 예리하게 부각하는 데 중점을 두고 있다.

　그러나 여기에서 중요한 것은 이순신 장군의 위대한 업적이나 탁월한 인간성에 대한 찬양 그 자체만이 이 시의 목표는 아니라는 점을 들 수 있다. 오히려 비중이 주어진 것은 개인적으로 볼 때 이순신이 겪은 고행의 과정이며, 민족적으로 볼 때 임진란이라는 역사적 수난의 과정이고 그에 대한 극복의 의지가 담겨져 있다는 점이다. 이 점에서 이 작품은 이규보의 「동명왕편」과 깊은 상관관계를 지니는 것으로 보인다. 고려조 이규보가 몽골 등 외적의 거듭되는 침탈과 무신정권의 전횡하에서 건국 영웅 동명왕을 통해서 민족적 주체성과 자주성을 확립하고 내우외환의 국난을 극복하려는 의지를 보여준 것처럼, 김용호는 육이오라는 전대미문의 동족상잔의 비극 속에서 임진란의 구국 영웅 이순신 장군을 노래함으로써 민족의 불행을 표출하는 동시에 위기에 처한 국난극복의 의지를 형상화한 것으로 이해되기 때문이다. 실상 임진왜란의 비극은 6·25의 참극과 여러 가지 의미에서 대응된다. 선조가 왜적에게 쫓기어 의주로 도망치던 한 광경만 해도 서울사수를 외치면서 먼저 남으로 철수해 버린 이승만 대통령의 모습처럼 6·25에서도 그 유사한 모습을 쉽게 찾아볼 수 있다.

　　　경주(慶州)가, 상주(尙州)가
　　　밀양(密陽), 청도(淸道)가, 경산(慶山), 대구(大邱)가
　　　함창(咸昌)이, 문경(聞慶)이 땅에 엎디자
　　　조령(鳥嶺) – 샛고개를 넘어서고

적(賊)은 서울을 향해 거침이 없었다
······중략······
무슨 슬픔이뇨 비는 나리고
가는 비
서울 장안에 소리없이 나리고

삶의 방팬양 백성들만 남겨두고
비나리는 어둔 밤을 헤쳐
임진강(臨津江) 저쪽으로 도망치는 선조(宣祖)
뒤따라가는 못난 신하(臣下)들,

— 2장에서

비록 임진란과 6·25가 역사적 성격이나 상황 전개는 다르다 해도 민족의
거대한 시련이며 국가의 절체절명 위기임에는 하등 다를 바 없다. 바로 이 점
에서 「남해찬가」의 의미가 놓여진다. 시인이 말하려는 것은 물론 과거의 사
실이며 이순신 장군의 위업이다. 그러나 이보다 더욱 중요한 것은 이 작품이
6·25라는 국난극복의 와중에서 쓰여졌다는 점이다. 1590년대의 상황은 1950
년대의 상황과 여러 면에서 유사성을 지니는 것이다. 전쟁이라는 상황이 우
선 그렇고, 파쟁 싸움이 그러하다. 더구나 동족끼리 서로 총을 겨누는 비극적
사실은 6·25가 지니는 비극적인 아이러니를 심각하게 드러내 준다. 오히려
이 작품에는 이러한 6·25의 불행에 국난극복의 위대한 영웅이 출현해야 할
것이라는 암유가 담겨 있을 수도 있다. 김용호의 시집 후기는 이러한 민족적
위기의 시대에 서사시가 쓰여질 수밖에 없던 사정을 잘 말해주고 있다.

올해는 임진년(壬辰年)입니다. 삼백육십년전(三百六十年前) 팔도강
산(八道江山)이 무너지던 바로 그 왜란(倭亂)의 그해입니다. ······중
략······ 아시다시피 우리 시단에 아직도 이렇다할 민족적인 서사시(敍
事詩)가 없습니다. 나는 재능의 부족과 노력의 미급(未及)함을 알면서

도 감히 이 길을 택해 보았습니다. 그러나 사실 이 광대무변한 인간적, 민족적 대인격을 되려 욕되게 하지 않을까하고 몇 번이나 붓을 던지고 스스로 탄(嘆)하고 망설인 때가 한두 번이 아닙니다. 그러므로 공과(功過)는 독자의 판단에 맡길 밖에 없읍니다만 여러가지 의미에 있어서 임진왜란(壬辰倭亂)에 못지않은 오늘날의 민족적 수난기에 있어서 성웅 이순신(李舜臣) 어른께 찬가를 드리는 동시에 그 정신을 받들어 우리들의 거울로 삼아야 되겠다는 미의(微意)에서16)······하략······

이 글에서 볼 수 있듯이 이 「남해찬가」가 오히려 충격하기를 희망하는 것은 과거의 사실보다도 당대의 현실 상황에 놓여져 있음을 알 수 있다. 형식의 면에서는 영웅서사시의 측면을 띠고 있지만 내용에 있어서는 민족서사시의 속성을 강하게 지니고 있는 것이다.

물론 이 작품이 지니고 있는 단점도 결코 적은 것은 아니다. 무엇보다도 지나치게 교훈적·설교적인 면을 드러내고 있는 점이 그러하며, 역사적 사실이 작가의 의도적인 재구성을 거치지 않고 도식적으로 나열되어 있다는 점이 더욱 그러하다. 바람직한 서사시는 역사적으로 잘 알려진 사실을 바탕으로 하되, 작가의 상상력이 강하게 작용함으로써 사실과 상상력의 팽팽한 긴장력이 지속적으로 형상화돼야 한다는 점에서 이 작품이 미흡한 것이 사실인 것이다. 그러나 6·25라는 민족의 수난기에 처해서 역사 속에서 국난극복의 영웅인 이순신 장군을 찾아내어 그의 파란만장한 생애를 서사시로 형상화함으로써 민족적 수난 극복의 신념과 의지를 일깨워주었다는 점은 소중한 일이 아닐 수 없다. 아울러 6·25 그 자체를 묘파한 것은 아니라도 이 시기를 바탕으로 하여 역사적 수난에 대한 한국시의 시적 응전력을 보여주었다는 점에서도 중요한 의미를 지닐 수 있을 것이다.17)

---

16) 김용호, 『김용호전집』(대광문화사, 1983), 669~670쪽.
17) 송욱의 장편시 「하여지향(何如之鄕)」이나 「해인연가(海印戀歌)」가 50년대의 혼란되고 타락한 현실에 대한 문학적 대응양식으로 쓰여졌다는 점은 20년대의 「국경

## 5. 「금강」, 민중혁명 정신 또는 분단극복 의지

신동엽의 「금강」은 1967년 펜클럽작가기금으로 쓰여져서 『한국현대신작전집』 제5권(을유문화사)에 발표된 서사시이다. 서화(序話)와 모두 26장으로 된 본시, 그리고 후화(後話)로 구성된 총 4,800여 행으로 구성된 장편서사시인 것이다. 우선 길이의 면에서만 하더라도 이 「금강」은 「국경의 밤」의 930여 행이나 「남해찬가」의 1900여 행에 비해서 월등히 방대함을 알 수 있다.

먼저 이 작품은 구성방식으로 보아서는 김용호의 「남해찬가」와 유사하다. 즉 서사(프롤로그)와 본시, 그리고 결사(에필로그)로 구성되어 있다는 점에서 우선 그러하다. 또한 「남해찬가」가 이순신 장군을 주인물로 임진왜란을 배경으로 하고 있듯이, 「금강」도 전봉준을 주인물로 동학란을 구체적인 무대로 하고 있기 때문이다. 이 점에서는 「금강」도 일종의 영웅서사시적 측면을 지니면서, 동시에 민족서사시적인 속성을 지니는 것으로 이해된다. 다만 「남해찬가」가 다분히 이순신 장군의 위업에 초점이 모여져 있는 영웅서사시적 측면이 강한 데 비해서, 「금강」은 전봉준의 활약보다는 민중의 봉기에 더 비중을 두기 때문에 민중서사시의 측면을 강하게 지닌다는 점이 크게 차이 나는 점이다.

「금강」은 형식상으로 보아 서정시로서의 부분, 서사시 내지 설화시적인 부분, 그리고 객관적으로 기술하는 부분 등 세 부분으로 나누기도 한다.[18] 그러나 필자 생각에는 서정과 서사 또는 객관과 주관이 복잡하게 얽혀 있어서 그것들을 확연하게 구별하기 힘들다는 점에서, 차라리 내용적인 관점에서 구분하는 것이 더욱 바람직한 것으로 보인다. 즉 각종 민란의 발생과 동학의 태동, 그리고 우리의 역사에 대한 소감과 60년대의 현실에 대한 비판 등이 서로 얽혀 있는 7장까지의 서사, 허구적 인물인 신하늬가 출생하고 실제 인물인 전

---

의 밤」과 연작장편시 「님의 침묵」과 유사한 상관성을 지니는 것으로 이해된다.
18) 앞에서 든 염무웅의 논문이 그 대표적인 한 예이다. 앞글, 24~25쪽.

봉준이 탄생하면서 동학혁명이 전개되며 소멸되어 마침내 전봉준 등 동학 지도자들이 죽음을 당하는 23장까지의 본사, 그리고 전체적인 찬양시와 진아의 후일담 및 아기 하느의 출생으로 마무리되는 결사의 세 토막으로 나누는 것이 보다 합리적인 것으로 판단된다는 점이다. 다시 말해서「금강」은 서사시가 지녀야 할 형식적 요건보다는 작가가 작중인물과 사건들을 통해서 말하고자 하는 서사적 내용이 중요성을 지니는 것으로 이해된다는 점이다. 물론「금강」은 일정한 성격을 지닌 인물들이 등장하고, 일정한 구조질서를 지닌 사건이 전개되고, 전체적 의미가 현실의 반영으로 파악되는 잘 알려진 이야기를 담고 있다는 점에서 전형적인 서사적 구조를 지니고 있는 것이 사실이다. 또한 노래체의 긴 시 형식으로 짜여져 있기 때문에 장편서사시의 범주에 속하는 것이 분명하다. 그리고 역사적 사실을 바탕으로 하면서 작가의 상상력을 마음껏 발휘하고 과거와 현재를 오가면서 종횡무진 비판을 가함으로써 역사와 상상력, 과거와 현재 사이에 팽팽한 긴장력을 강화한다는 점에서「국경의 밤」이나「남해찬가」의 약점인 구조적 평면성을 훨씬 뛰어넘는 것도 분명한 사실이다. 다만 객관적 시점을 견지해야 할 사건의 전개 과정에서 주관적인 작자 개입이 여러 차례 되풀이됨으로써 서사시로서의 견고한 구조형성에 실패한 것은 문제점이 아닐 수 없다. 이것은 시인 자신이 견고한 구조의 서사시 내지는 빼어난 서사시의 모델로서 이 작품을 제시하고자 하는 의도보다는, 하고 싶은 이야기를 보다 많이 또한 효과적으로 서사시라는 형식을 통해서 표출하고자 하는 의욕 과잉에서 기인한 의도의 오류에 해당하는 것인지도 모른다.

그럼에도 불구하고 이「금강」은 형식미학의 측면보다는 내용적인 의미에서 보다 큰 논의점을 내포하고 있는 것으로 받아들여진다. 무엇보다도 그것은 이 작품이 한국사에 대한 총체적 비판을 전개하고자 하는 의도를 담고 있다는 점에서 드러난다. 즉 직접적으로 이 작품이 다루고 있는 것은 민중혁명으로서의 동학란의 전개 과정이지만, 시인은 이 동학혁명이라는 과거적 사실이 수천년대 누적되어 온 한국사의 구조적 모순의 결과에서 비롯된 것이며, 동시에 그것은 해방 이후의 역사 전개와도 밀접히 대응되는 현재적 사건으로서의 의미를 지닌다는 점을 분명히 하고자 한 것으로 보인다. 다시 말해서 그가 말하고자 하는 것은 동학혁명의 타당성이나 고난의 전개 과정 또는 비극적인 결말 그 자체가 아니다. 오히려 그것은 동학혁명이라는 한 중요한 근대사의 사건을 통해서 우리의 지난날 잘못된 역사를 되돌아 비판해 보고 현재의 여러 가지 모순과 문제점들을 조명함으로써 당대 한국사와 현실이 당면하고 있는 구조적 모순과 현실적 어려움을 극복하고자 하는 의지를 담고 있는 것으로 보인다. 이 점에서 「금강」은 신동엽의 역사의식과 문학의식이 첨예하게 부딪쳐서 예술적 형상화를 성취한 씨의 문학적 결산으로 판단된다.

이 작품에서 신동엽이 제기한 문제는 대략 다음 몇 가지로 정리될 수 있다. 첫째 그것은 한국사의 근원적 모순과 부조리에 대한 비판을 전개하고 있다는 점이다. 그것은 다시 외세 의존성에 대한 비판과 중앙집권제에 의한 권력편중의 비판으로 요약된다. 삼국시대에 당나라를 끌어들여 신라가 통일을 이룬 것부터가 잘못된 것이며, 이러한 근원적 불행은 이 땅의 외세의존도를 심화시켜 온 데서 비롯된다는 역사인식을 담고 있다. "신라왕실이/백제, 고구려 칠 때/당(唐)나라 군사를 모셔왔지/우리들은 끄떡하면 외세를/자랑처럼 모시고 들어오지"(6장에서)라는 구절 속에는 신랄한 역사비판이 담겨져 있다. 이것은 또한 민족의 주체성과 자주적 역량 부족이 8·15 이후의 오늘날에도 가장 중요한 과제라는 점을 강조한 뜻이 담겨 있는 것으로 이해된다.

아울러 오늘날의 남북분단의 비극을 극복하는 길이 실상은 이러한 민족의 단합된 힘과 자주적 역량을 역동화하는 데 있음을 강조한 것이 된다. 아울러 "이조 오백년의/왕족/그건 중앙에 도사리고 있는/큰 마리 낙지/그 큰 마리 낙지 주위에/수십 수백의 새끼낙지/지방에 오면 말거머리/마을로 장으로/꾸물

거리고 다니는 건 빈대"(6장에서), "피기름 샘솟는/중앙 도시는 살찌고/농촌은 누우렇게 시들어가고 있다"(13장에서)라는 구절들에서는 이 땅에서의 과도한 중앙집권제의 병폐가 날카롭게 지적돼 있다. 또한 이것은 가진 자와 못 가진 자, 중앙에 있는 자와 변두리에 있는 자 등의 격차를 심화시킴은 물론 네 편과 내 편으로 갈라져서 파쟁을 일삼게 하는 중요한 요인으로 작용함으로써, 이 땅에서의 바람직한 역사 전개를 저해한 기본 원인으로 지적하고 있는 것이다. 물론 이것도 오늘날의 문제로 인식하고 있다는 점은 마찬가지이다. 오늘날 도시와 농촌의 격차, 가진 자와 못 가진 자의 대립 등의 사회적 모순과 문제점들은 중앙집권적 통치체제가 답습해 온 이 땅 역사의 구조적 모순에서 파생된 것이라는 역사 인식이 담겨져 있는 것으로 이해된다.

두 번째는 첫 번째 항에서 잠시 언급한 바 있지만, 8·15 이후의 혼란 속에서 민족적 주체성을 확립하고, 6·25 이후의 분단상황에 대한 극복의지를 담고 있다는 점이다. "8·15 이후 우리의 땅은/발디딜곳 하나 없이/지렁이 문자로 가득하다/모화관(慕華館)에서 개성(開城) 사이의 행길에 끌려나와/청(淸)나라 깃발 흔들던 눈먼 조상(祖上)처럼"(6장에서)이라는 구절 속에는 8·15 이후의 민족적 주체성 상실과 민족적 자존심 훼손에 대한 신랄한 야유가 들어 있는 것이다. 동학란 당시의 청·일의 진주와 해방 직후의 미·소의 진주가 근본적으로 다른 것은 아니라는 점에서 당대 현실의 비극성이 심화된다. 이 점에서 분단의 문제는 더욱 심각하게 인식된다. "갈라진 조국/강요된 분단선"(6장에서)이라는 한 구절이 내포하고 있는 조국분단, 민족 양단의 비극성은 그 어떠한 역사적 비극보다도 뼈아픈 것이 아닐 수 없다. 실상 「껍데기는 가라」에서의 "한라에서 백두까지"라는 구절도 분단극복의 의지를 압축적으로 제시한 것은 물론이다. 이렇게 볼 때 「금강」이 강조하고자 하는 것은 역시 과거의 사실이 아니라 현재의 상황인 것으로 보인다. 실상 모든 문학의 궁극적인 목표도 항상 당대적 삶과 미래적 삶에 충격을 줌으로써 보다 바람직한 인류사회건설이라는 명제와 무관하지 않기 때문이다.

셋째로「금강」은 민주주의 지향성 내지는 민중정신을 드러내고자 하는데 의미가 놓여진다. 실제로「금강」이 쓰여진 것은 4·19와 5·16이라는 역사적 사건을 직접적인 모티브로 한 60년대의 시대적 상황과 밀착되어 있다. 그것은 민주·민중혁명으로서 최초로 이 땅에서 성공한 4·19가 던져준 감동적인 충격과 그에 찬물을 끼얹은 군사정변으로서의 5·16에 대한 강한 반감이 복합적으로 작용하고 있음을 의미한다.

> ① 우리들은 하늘을 봤다.
> 1960년 4월
> 역사(歷史)를 짓눌렀던, 검은 구름짱을 찢고
> 영원(永遠)의 얼굴을 보았다
>
>                                                  — 서화·2

> ② 4월달, 우리들 밥은
> 익었었는데
> 누군가가 쉿가루 뿌려놓은 것 같구나
> 연인(戀人)이여, 너와 나의 쌀밥에
> 누군가 쉿가루 뿌려놓은 것 같구나
>
>                                                  — 6장에서

인용한 두 부분은「금강」의 대조적 성격을 잘 반영한다. 먼저 그것은 민주·민중혁명으로서의 4·19에 대한 찬양으로 나타난다. 특히 여기에서 '하늘'은 중요한 상징성을 지닌다.「금강」에서 지속적으로 나타나는 '하늘' 상징은 바로 이러한 영원한 자유민주주의 세상, 모든 사람들이 인간답게 살 수 있는 평화롭고 아름다운 세상을 향한 이념이며 동시에 이상의 표상인 것이다. 바로 이 점에서「금강」이 동학혁명을 골자로 하는 서사시이면서도 동시에 4·19 이

후 이 땅에서 지속적으로 모색되고 실천돼야 할 민족적 과제인 자유민주주의·민중·민권운동의 소중함을 강조하고자 하는 데 핵심이 놓여진다는 점을 확인할 수 있다.

따라서 「금강」은 ②에서처럼 '쇳가루'라는 비유를 통해서 5·16군사정권 또는 무력에 대한 강력한 거부감과 저항의식을 표출하게 된다. 이것은 「껍데기는 가라」에서의 '쇠붙이'와 마찬가지로 인본주의 정신 내지는 민본주의 사상에 대한 강한 지향성을 역설적으로 제시한 것이기 때문이다. 다시 말해서 「금강」은 동학혁명의 전개 과정과 비극적 결말, 그리고 민중들의 참혹한 패배의 과정을 서사시로 형상화함으로써 이 땅에 민주주의 실현과 정착이 얼마나 어려운 것이며 또 소중한 명제인가 하는 것을 4·19정신과의 연계성을 통해서 강조하고자 한 데 참뜻이 놓여진다. 실상 「금강」이 영웅서사시의 측면보다는 민족서사시 내지는 민중서사시의 측면이 강하다는 점도 여기에서 드러난다. 그것은 동학혁명이 상징하는 민족적 수난과 고통의 비극적 과정이 이 땅 근대사의 비극성을 생생하게 인식하게 해주며, 새삼 이 땅의 주인이 한민족 스스로이며 민중 그 자체임을 소중하게 일깨워주었다는 점에서 「금강」의 참된 의미가 놓여지는 것이다.

바로 이 점에서 「금강」은 해방 이후 특히 60년대 이 땅 역사가 당면한 문제점과 고민을 집약적으로 제시함으로써 문학의 역사적 응전력을 효과적으로 반영한 것으로 판단된다. 또한 이 점에서 서사시가 궁극적으로 역사적인 사실·사건·인물들과 대응되는 수난 극복의 문학 양식이며, 그렇기 때문에 서사시의 궁극적인 목표도 과거적 삶의 의미를 통해서 현재적 삶의 어려움을 극복하고 미래적 삶을 고양시키는 데 힘을 줄 수 있어야 한다는 사실에 놓여진다는 점을 새삼 확인할 수 있는 것이다.

## 6. 「오적」, 민족시의 길 민중시의 길

김지하의 「오적」은 1970년 『사상계』 5월호에 발표된 모두 288행의 긴 시이다. 이 시는 발표 당시 '담시'라는 표제를 달고 있는데, 이것은 시인 자신이 의도적으로 붙인 이름으로 보인다. 왜냐하면 담시란 명칭은 서구의 발라드(Ballad)의 번역어이기도 하지만, 그보다는 우리의 전승 구비문학인 민담에서 '담'자를 차용하여 이러한 민간전승의 이야기를 노래체의 율문으로 적었다는 뜻에서 담시라고 부른 것으로 보는 것이 적당하기 때문이다. 실상 시인 자신이 「풍자냐 자살이냐」(『시인』, 1970. 7), 「민족의 노래 민중의 노래」('민족학교' 1회강연초록, 1970. 11) 등의 글에서 우리의 구비문학을 올바른 방향에서 계승 발전시킨다면 현대적인 현실 내용의 날카로운 도전을 충분히 받아낼 수 있는 새로운 시 형식이 창조될 수 있을 것이라는 점을 누누이 강조하고 있는 것이다. 이 점에서 담시란 명칭19)이 서구 것의 차용이라기보다는 전통문학으로부터 추출된 우리적인 새로운 시 형식을 일컫는다는 점을 알 수 있다.

그렇다면 이 담시란 어떠한 구조적 특징과 원리를 지니는가 하는 점이 문제가 될 것이다. 서구문학에서 발라드란 대체로 ①이야기이고 이야기를 이루는 요소들 중에서 사건이 가장 중요하고 ②노래로 불리워지고 ③내용, 문체, 의미가 민중적이고 ④단일한 사건을 집중적으로 다루며 ⑤비개성적이라는 특징을 지닌다.20) 이것은 우리 문학에서 구비율문으로 된 구비서사시, 즉 서사무가, 서사민요, 판소리 중에서 특히 서사민요와 유사한 특징을 지닌다. 이렇게 본다면 김지하의 담시란 명칭은 서구적인 개념을 감안하였으되, 우리의

---

19) 담시란 명칭이 근대시사에서 처음 나타났던 것은 김상훈의 「북풍」에서였다. 『가족』(백우사, 1948) 그러나 여기에서의 담시란 명칭은 구비서사시의 전승과는 별로 상관없이 붙인 이름이었다.

20) M.Leach, "Ballad", Maria Leach ed, *Standard Dictionary of Folklore*, 조동일, 『서사민요연구』 51쪽 재인용. 이하 「오적」에 관한 논의는 조동일 교수의 조언과 여러 저서 내용에 힘입은 바 크다. 이에 감사를 표한다.

구비서사시의 서사민요를 현대적인 시 형식으로 변용·창작한 시 형식을 일컫는다는 점을 알 수 있다. 담시도 서사시이긴 하지만, 구비전승되던 서사민요와는 달리 담시는 현대적으로 변용된 개인창작 서사시에 속하는 것이다. 아울러 담시는 서사시 중에서 비교적 짧은 형식에 속하는, 구비서사시를 창조적으로 계승한 단형서사시를 특히 지칭한다. 왜냐하면 담시는 단일한 사건을 집중적으로 다루는 짧은 길이의 서사적 구조를 지니고 있기 때문에 파란만장한 영웅의 생애나 민족의 운명을 총체적으로 다루는 본격적인 장형서사시와는 구별되기 때문이다.

이렇게 볼 때 이 담시「오적」은 전통문학, 특히 서사민요, 서사무가 및 판소리 등 구비서사시를 바탕으로 하여 70년대에 쓰여진 단형의 개인창작 서사시라 할 수 있다. 이것은 담시가 개인 창작서사시이기 때문에 구비서사시라 부를 수 없으며, 단형이기 때문에 서구적 의미가 짙게 착색되어 있는 서사시(epic)라는 명칭을 사용하기도 어렵기 때문에 담시라는 제3의 명칭을 붙여본 것으로 이해된다. 따라서 이「오적」은 서사민요를 비롯한 제반 전통문학의 구조적 특성과 원리를 크게 활용하고 있는 것으로 풀이된다.

그러면「오적」의 전체적인 구성을 살펴보기로 한다.「오적」의 구성은「동명왕편」,「국경의 밤」,「남해찬가」,「금강」 등과 마찬가지로 서사, 본사, 결사 등 세 부분으로 나누어져 있지만, 그들과는 크게 다르다는 점을 알 수 있다. 먼저 서화부터「오적」은 특이하다.

> 시(詩)를 쓰되 좀쓰럽게 쓰지말고 똑 이렇게 쓰랐다.
> 내 어쩌다 붓끝이 험한 죄로 칠전에 끌려가
> 볼기를 맞은지도 하도 오래라 삭신이 근질근질
> 방정맞은 조동아리 손목댕이 오몰오몰 수물수물
> 뭐든 자꾸 쓰고 싶어 견딜 수가 없으니, 에라 모르겠다
> 볼기가 확확 불이나게 맞을 때는 맞더라도

내 별별 이상한 도둑이야길 하나 쓰겠다.

이러한 서화는 "북을 치되 잡스러이 치지말고 똑 이렇게 치랬다"로 시작되는 판소리 소설 '흥부전'의 서두와 흡사하다. 다시 말해 서화는 판소리 '흥보전'의 구성양식을 차용하고 있는 것이다. 본화의 경우에는 대략 서사민요에서처럼 구성상의 큰 단위인 단락과 작은 단위인 소단락으로 구분할 수 있다.

가. 옛날 다섯 도둑이 모여 살았다.[21]
나. 어명이 떨어져서 포도대장이 오적을 잡으러 나선다.
　　1. 힘없는 놈 아무나 잡아 족친다.
　　2. 좀도둑 꾀수가 잡혀 고문을 당한다.
　　3. 꾀수를 회유하여 오적이 있는 곳을 안다.
　　4. 오적을 잡으러 포도대장 출도한다.
다. 휘황찬란한 오적들의 잔치에 오히려 포도대장 기가 죽는다.
라. 포도대장 오적에게 혼나고 오히려 꾀수만 잡아 감옥에 보낸다.
　　그러다가 오적과 포도대장 급살맞아 죽어버린다.

이 본화에서의 사건은 아주 단순하게 전개된다. 즉 오적들이 판치는 곳에 포도대장이 잡으러 가지만, 오히려 그들의 위세와 회유에 녹아떨어지고 기가 죽어서 불쌍한 좀도둑 꾀수만 무고죄로 잡아서 감옥에 보낸 후 급살맞아 죽고 만다는 짤막하고 단순한 이야기인 것이다. 다만 비교적 단순한 사건 전개이지만, 그것이 극적 구성방식을 취하고 있는 것이 특징이라면 특징이다. 등장인물은 오적, 포도대장, 꾀수 등이지만 특히 문제가 되는 것은 꾀수의 경우이다. "전라도 갯땅쇠 꾀수놈이 발발 오뉴월 동장군(冬將軍) 만난듯이 발발발

---

21) 오적의 명칭은 모두 동물명칭으로 되어 있는바, 이렇게 동물명칭을 한자로 차자(借字)한 것은 풍자적 효과를 살리며 우회적인 상징성을 강화하기 위한 기법이다. 그 근원을 민담에서의 동물담이나 고전우화소설 혹은 개화기 우화소설에서 영향받은 것으로 이해된다.

떨어댄다"는 구절에서처럼 꾀수는 무력하고 보잘것없는 일상 인물인 것이다. 또한 오적과 꾀수 사이에 놓여 있는 포도대장 역시 강자에게는 약하고 약자에게는 강한 상투적 인물상인 것이다. 다만 포도대장은 희화적으로 처리됨으로써 이 작품의 골계적인 특성을 드러나게 하는 촉매로 작용한 것이 특징이다. 따라서 꾀수가 불러일으키는 비애의 정서와 포도대장이 유발하는 해학이 함께 존재하게 되는 모순의 정조를 지닌다.

어휘 면에서는 일상생활에서 흔히 쓰이는 말들이 풍부하게 구사되어 있다. 다만 문체 면에서는 대화체, 서술체, 묘사체 등이 다양하게 구사됨으로써 판소리의 그것을 연상케 한다. 후화 부분에 이르러서는 그 뒷이야기로서 사건의 휘갑을 친다. 즉 꾀수가 감옥에 가고 난 후 어느 날, 포도대장은 오적의 솟을대문 옆 개집 속에서 한동안 잘 살다가 갑자기 벼락을 맞아 급살하고, 오적 또한 육공(六孔)에서 피를 토하고 죽었다는 풍자적인 얘기로 대미가 처리되어 있다. 또한 이 후화에서는 3인칭 서술에다가, "인구에 회자하는 이야기라서 시로 써서 전한다"라는 1인칭 개입서술방식으로 작품을 마무리함으로써 판소리의 그것과 유사한 결구 방식을 취하고 있다. 이렇게 본다면 대략 서화가 후화로 연결되고, 그 속에 본화를 담고 있는 중층구조로 짜여져 있음을 알 수 있다. 그리고 대략 서화와 후화는 판소리의 구성양식을 모방했고,[22] 본화는 서사민요의 구성 방법과 원리를 원용했다는 사실도 찾아낼 수 있다.

특히 「오적」은 앞에서 지적한 것처럼 서사민요의 구조와 원리를 직접 적용했다는데 중점이 놓여진다. 조동일 교수의 연구성과에 따르면 서사민요의 특징은 대략 ①서사적 구조를 지니고 노래체의 율문으로 이어지는바, 서구의 발라드와 비슷한 구비서사시이다. ②인물은 일상적이고 평범한 인물인 경우가 대부분이다. ③문체는 규칙적이고 단순하다. ④사건은 단일사건이며 현실적이면서도 극적으로 전개된다. ⑤비애와 골계가 공존하되 구조나 내용은 비

---

22) 강한영, 『신재효 판소리사설 여섯마당집』(형설출판사, 1982) 참조.

애를 지니고 이를 나타내는 문체는 골계스러운 경우가 많다. ⑥일반적으로 슬픔의 정서를 지니고 있다. ⑦효과는 골계가 비애를 차단함으로써 비판적 주제의 성립을 가능케 해주고 비판적 리얼리즘의 길을 열어준다[23] 등으로 요약할 수 있다. 이러한 조동일 교수의 이론을 준거 틀로 삼아서「오적」을 살펴본다면, 우리는「오적」이 바로 서사민요의 구조와 방법적 원리를 거의 그대로 반영하고 있음을 확인할 수 있다. 여기에다가 부분 부분들이 각각의 세련을 추구하면서도 또한 작품의 전체 흐름을 지배함으로써 정서적 긴장과 이완을 반복하는 판소리의 구조적 원리[24]와 문체를 결합하고 있는 것이다.

따라서「오적」은 서사민요와 판소리의 특징[25]을 최대한 살림으로써 전통의 현대적 계승을 성취한 소중한 전범이 되는 것으로 판단된다. 실상 이 점이 이 작품의 내용이나 주제가 사회의 모순과 비리를 흑백논리 또는 단선적 시각으로 파악하여 일방적인 비판과 야유를 퍼붓는 데 집중되어 있다는 점에서의 이 작품이 내포한 취약점·비판점을 극복할 수 있게 해주는 원동력이 된다. 다시 말해서 가진 자들을 '오적'으로 묶어 통틀어 비판의 대상으로 삼는 일방적 시각은 이 작품이 예리한 지성과 부분적 진실까지도 섬세하게 포괄해야 하는 시적 상상력보다도 정치적 상상력이 우세하게 작용한 결과라는 점에서 부정적인 면이 있는 것이다. 그러나「오적」은 그러한 부정적 측면이 있음에도 불구하고 오늘날 이 땅의 명제가 참된 인간해방, 즉 자유와 평등의 실현에 있음을 강조한 데서 참뜻이 드러난다.[26] 이 작품에서 꾀수는 권력으로부터

---

23) 이상은 조동일의『서사민요연구』를 필요에 따라 정리한 것이다.
24) 김흥규,「판소리의 서사적 구조」, 조동일 외 편,『판소리의 이해』(창작과비평사, 1983), 124~125쪽.
25) 판소리가 표면 주제와 이면 주제의 이중구조로 되어있으며, 그 중심 사상이 억눌린 시대에 민중들의 경험적 갈등론을 제시하면서 기존사회의 허위와 불평 등을 비판한 것이라는 점도 이와 관련된다. 조동일,「판소리의 전반적 성격」, 상게서, 26~28쪽.
26) 이것은 4·19 이후 이 땅에서 지속적으로 문제가 되어왔던 자유민주주의 지향과 60년대 말부터 급격히 대두하기 시작한 파행적인 근대화가 야기한 사회구조의 모순과 부조리, 특히 평등의 문제에「오적」이 대응하고 있음을 말해준다.

소외되고 물신의 폭력 앞에서 형편없이 초라해진 이 땅 민중들의 비참하고 덧없는 실존을 표상한 것이 된다. 그러면서도 이 작품은 슬픔을 슬픔으로 나타내지 않고 도리어 우습게 나타냄으로써 슬픔이 지닌 의미를 한편으로 더욱 강조하면서 고난의 극복을 시도하고 있다는 점에서 주목을 끈다.

> 포도대장 뛰어나가 꾀수놈 나꿔채어 오라묶어 세운 뒤에
> 요놈 네놈을 무고죄로 입건한다
> 때는 노을이라
> 서산낙일에 객수(客愁)가 추연하네
> 외기러기 짝을 찾고 쪼각달 회게 비껴
> 강물은 붉게 타서 피흐르는데
> 어쩔거나 두견이는 설리설리 울어쌌는데
> 콩알같은 꾀수묶어 비틀비틀 포도대장 게트림에 돌아가네
> ……중략……
> 꾀수는 그길로 가막소로 들어가고
> 오적은 뒤에 포도대장 불러다가 그 용기를 어여삐 녀겨 저희집 솟을대문,
> 바로 그곁에 있는 개집속에 살며 도둑을 지키라하매, 포도대장 이 말 듣고 얼씨구 좋아라
> 지화자 좋네 온갖 병기(兵器)를 가져다가 삼엄하게 늘어놓고 개집속에서 내내 잘살다가
> 어느 맑게 개인날 아침, 커다랗게 기지개를 켜다 갑자기
> 벼락을 맞아 급살하니
> ……하략……

여기 인용한 구절들은 골계에 의해 비애를 차단함으로써 안타고니스트들에 대한 소극적 항거를 적극적 항거로 바꾼[27] 대표적 구절의 한 예가 된다.

---

27) 조동일, 『서사민요연구』, 123쪽.

다시 말해서 비판적인 리얼리즘의 길을 열고 있는 것이다. 바로 이 때문에 「오적」이 예리한 비판의식과 저항의지를 담고 있으면서도, 그것이 단순한 야유나 적대감정으로 가득찬 저급한 정치시로 떨어지지 않고 예술적인 형상성을 견고하게 유지하게 되는 바탕을 마련한다. 또한 「오적」이 70년대의 대표적인 저항적 풍자시로서 이 땅 서사문학이 나아가야 할 한 방향성을 뚜렷하게 제시한 것으로 이해된다. 그것은 한 시대가 바로 어둠과 모순으로 가득찼다면, 시도 그에 대한 예술적 응전력을 확보함으로써 삶과 시, 현실과 예술이 결코 유리되어서는 안 된다는 깨달음을 반영한 것이 아닐 수 없다. 이 점에서는 시인 자신의 다음과 같은 발언이 주목할 만하다.

> 우리말의 고유한 본질과 구조, 예술적 표현, 특히 풍자에 대한 그 적합성에 따라서 민예와 민요는 풍자와 해학을 그 주된 전통으로 창조하였다. 서정민요, 노동요 등 광범한 단시들과 서사민요, 판소리의 풍자와 해학은 문학으로서의 탈춤대사 등과 더불어 현대 풍자시의 보물창고이다. ……중략…… 민요는 아직도 강력한 효력을 민중 속에 가지고 있으며 이 효력은 한국시가 풍자와 해학에 눈뜰 때 말할 수 없이 크게 확대될 것이다. 올바른 저항적 풍자와 민중적 해학의 시를 통하여 전통과 만나고, 전통 민요와 현대생활언어의 고양된 시적 통일을 통하여 시의 효력과 현실과 민중에 대한 시정신의 에네르기가 강화되고 민중 속으로 폭발적인 힘을 가지고 확대되어 나갈 것이다. ……중략…… 시인이 민중과 만나는 길은 풍자와 민요정신의 계승의 길이다. 풍자, 올바른 저항적 풍자는 시인의 민중적 혈연을 강조한다. 풍자만이 시인의 살길이다. 현실의 모순이 있는 한 풍자는 강한 생활력을 가지고, 모순이 화농하고 있는 한 풍자의 거친 폭력은 갈수록 날카로워진다.[28]

다소 길게 인용해 본 이 글에서 김지하는 '①우리 문학의 전통은 저항적 풍

---

28) 김지하, 「풍자냐 자살이냐」, 『타는 목마름으로』(창작과비평사, 1982), 154~156쪽.

자와 민중적 해학에 있다. ②민예와 민요 등은 현대 풍자시의 재원이기 때문에 이것을 올바로 계승하는 데서 시 정신의 에네르기가 강화되고 민중적인 생명력이 분출된다. ③시인은 풍자와 민요 정신에 바탕을 둔 생명력 있는 민중시를 써야 한다. ④수난과 모순의 시대일수록 시인은 풍자를 무기로 하여 현실적·사회적인 대응력을 길러야 한다'라는 점 등을 강조하고 있는 것이다. 다시 말해서 우리의 전통 문학 속에 담긴 민족정신의 발굴·계승 및 민족주체성의 확립을 강조했다는 점에서는 민족시의 올바른 방향을 일깨웠으며, 문학이 궁극적으로 인간적인 삶과 밀착되어야 하며 민중적 생명력을 예술적으로 고양시켜야 한다는 점을 강조했다는 점에서는 민중시의 참된 지향점을 제시한 것으로 이해된다.29) 특히 그것이 어디까지나 풍자와 해학 등 문학적인 방법을 통해서 성취되어야 한다는 점을 강조함으로써 문학의 예술성 또한 결코 경시하고 있지는 않음을 분명히 하고 있다는 점이 주목을 요한다.

　바로 이러한 점에서 김지하의 「오적」은 기존 서사시의 한계를 한 단계 뛰어넘은 것으로 판단된다. 「국경의 밤」 등 앞에서 논의한 서사시들이 각각 민족이 처했던 당대의 고난과 불행을 비극적인 것으로 노래했던 데 비해서, 「오적」은 전통 문학에서 스스로 찾아낸 해학에 의한 비극적인 것의 파괴를 통하여 수난과 고통의 극복을 성취하고 있는 것이다. 기존의 서사시들이 민족이 겪은 수난과 고통을 슬픔으로 노래하여 소극적 저항을 보여주었다면, 「오적」은 풍자와 골계 등 여러 문학적 방법을 다양하게 활용함으로써 시가 취할 수 있는 가장 적극적인 항거를 보여 준 것으로 이해된다. 그것은 단순히 정신적인 것이거나 예술적인 것만이 아니라 두 가지가 결합된 차원에서 어느 정도 기존 서사시의 한계를 뛰어넘은 것이다.

　다만 아쉬운 것은 「오적」이 짤막한 담시형식에 머물고 말았다는 점이다. 그렇게 축소됨으로써 서사시의 이상적 목표인 당대 사회의 총체적 반영과 시

---

29) 김지하의 평론 「민족의 노래 민중의 노래」도 이와 비슷한 내용이다.

의 역사적 대응력 확보라는 명제에서 볼 때는 「오적」이 다소 미흡한 것으로 평가될 수도 있기 때문이다. 서사민요와 판소리의 장점을 잘 살리고 있으면서도 정작 총체적 장르로서의 판소리의 스케일을 살리지 못하고 당대 사회의 모순의 한 단면만을 단선적 틀로 제시하는데 그친 것은 분명 아쉬운 점이 아닐 수 없다. 이 점에서 아직도 이 땅의 시사에 있어서 이상적인 전범의 서사시 출현은 미래완료형으로 남아 있을 수밖에 없다. 80년대 이후 이 땅에서 활발하게 시도되고 있는 서사시들[30]은 이러한 김지하의 성공─ 전통·문학의 창조적·주체적·비판적 계승으로 민족시·민중시의 가능성을 제시한 점─ 과 실패─ 총체적 진실과 부분적 진실의 예리한 화합력 부족 및 정치적 상상력에의 편중─ 를 꿰뚫어 봄으로써 한 차원 더 도약해야 할 것으로 판단된다.

## 7. 결론: 한국 서사시의 지평

지금까지 살펴본 것처럼 아직 근대문학사에서 서사시의 올바른 개념과 그 바람직한 향방에 대한 논의는 부족한 실정이다. 이것은 어쩌면 이 땅에서 문학 이론과 실천비평과 문학사연구가, 그리고 인접 관련 학문이 각 부분별로 상당한 성과에 이르고 있으면서도 그것들이 유기적·총체적으로 통합되고 있지 못하다는 사정을 반영하는 것일지도 모른다. 서사시에 대한 논의는 그러한 제 분야의 연구성과가 집약되는 데서 효율적인 해명이 기대될 수 있기 때문이다.

지금까지 소략하게 논의한 바에 따르면 다음의 몇 가지 사실을 확인할 수 있었다. 먼저 서사시에 대한 명확한 개념과 그 구조적 방법과 원리 및 갈래 체

---

30) 80년대 중반에 들어서는 문병란의 『동소산의 머슴새』(일월서각, 1984), 정동주의 『논개』(창작과비평사, 1985), 배달순의 『성(聖)김대건』(문학세계사, 1985), 고은의 『백두산』『실천문학』(연재중) 등이 주목할 만한 예가 된다.

계가 정립돼야 한다는 점이다. 흔히 서사시는 장시와 혼동되어 사용되고 있는바, 서사시는 장르 명칭인 데 비해 장시는 길이 개념임이 확실히 구별되어야 한다. 다시 말해서 서사시는 기다란 장시 형식으로 되어 있지만, 서정시인 장시(필자의 명칭으로 '장편시')와는 근본적으로 다른 것이다. 즉 서정시가 개인적인 정서를 주로 주관적 시점에서 인상적으로 노래하는 시 양식인 데 비해서, 서사시는 영웅이나 민족 또는 민중의 고난에 찬 생활사를 서사적 구조를 통해서 객관적으로 형상화하는 시 양식인 까닭이다. 따라서 다음과 같은 구분을 제시할 수 있다.[31]

> 서정시 – 장형서정시 – 장(편)시(복합정서, 관념적 통일성 내포)
> 연작서정시 – 연작시(부분적 독자성, 전체적 통합성)
> 단형서정시 – 서정시(단일정서, 순간적 인상 중시)
> 서사시 – 장형서사시 – 서사시(총체적 사실, 복합적 서사구조)
> 단형서사시 – 담시[32](부분적 사실, 단선적 서사구조)

또한 서사시는 표기 면에서는 구비서사시와 기록서사시, 인물 면에서는 영웅서사시와 민중서사시, 제재 면에서는 역사서사시와 민속서사시, 풍물서사시 등으로 구분해 볼 수도 있을 것이다. 그 어떤 경우라도 서사시는 ①서사적 구조를 지니고 있을 것. ②역사적 사실과 연관·대응될 것. ③사회적 기능을 지니고 있을 것. ④집단의식을 바탕으로 할 것. ⑤당대 현실과 암유적 관계를 지닐 것. ⑥노래체의 율문으로 짜여질 것. ⑦길이가 비교적 길어야 할 것 등을

---

31) 여기에서의 '서정시', '서사시'는 각각 단형서정시, 장형서사시라고 불러야 하겠으나 적당히 줄여서 부르기 어렵고 또 이것이 각각 장르의 원형적 개념이기 때문에 그대로 서정시, 서사시라고 불러도 무방하리라 생각된다. 단 이럴 경우 이 명칭은 제한적일 수밖에 없을 것이다.
32) 이 경우도 호칭이 적당치 않다. 담시란 구비전승적 내용이나 방법을 계승한 단형서사시에는 적당한 명칭이나, 이광수의 「우리영웅」 등과 같이 구비전승되지 않고 창작된 단형서사시도 있을 수 있기 때문이다.

그 범주로 설정할 수 있다고 본다.

또한 우리의 서사시 몇 편을 고찰하면서 다음과 같은 사실을 알 수 있었다.

첫째, 우리의 서사시는 주로 민족이 수난을 겪고 있는 시기에 주로 쓰여졌으며, 따라서 그러한 역사적 수난과정에 대한 문학적 응전양식으로서의 의미를 지니고 있다.

둘째, 그렇기 때문에 표면에서 전개하고 있는 사건은 영웅담이나 사랑 이야기 혹은 동물우화담 등일 수 있지만, 내면에는 민족적 삶의 앙양이나 수난과 고통의 극복이라는 보다 큰 주제를 담고 있는 입체적 구조성을 지니게 된다.

셋째, 과거의 잘 알려진 이야기를 객관적으로 펼쳐가는 방식이지만, 현재 상황과 주관 시점을 접합·교차시킴으로써 당대의 역사적·사회적 상황과 긴밀히 연결되어 있다.

넷째, 우리의 전통시에도 「동명왕편」이나 서사무가 등 영웅서사시가 얼마든지 있으며, 서사민요, 판소리 등 구비·민중서사시도 풍부하고 다양한 형태로 존재해 왔다. 다만 그러한 풍요로운 문학적 보물창고가 제대로 인식되지 못하였으며 또한 근대서사시로 연결되지 못한 것이 아쉬운 점이다.

다섯째, 이 땅의 근대서사시는 「국경의 밤」에서 의도적으로 시도되었고, 「남해찬가」에서 실험되고 「금강」에 와서 하나의 틀을 마련하게 되었으며, 「오적」에 이르러서 비로소 전통의 현대적 계승을 부분적으로나마 성취했다는 점에서 바람직한 방향을 정립하게 되었다. 특히 「오적」은 민족·민중문학의 자산인 비애와 풍자 및 해학을 시의 구조로 상승시킴으로써 운동성과 예술성 사이의 창조적 접합을 이룩하여 이 땅 서사시의 나아갈 길을 올바로 제시하였다.

여섯째, 서사시는 영웅적이거나 민족적 또는 민중적인 삶을 포괄적으로 다루고 있다는 점에서 민족문학, 민중문학[33]의 대표적 양식이라고 할 수 있다.

---

33) 민중문학에 대한 개념도 올바르게 정립되어야 한다. '민중'이 지닌 경색된 개념은 지양되어야 하리라 생각된다. 가진 자·못 가진 자, 지배자·피지배자로서의 극단적 대립개념보다는 자유와 평등에 기초를 둔 인간다운 삶을 지향하는 모든 사람을 민

따라서 서사시는 한 민족 또는 시대정신의 총화 또는 정수라는 점에서 지속적·의욕적으로 탐구되고 창작될 정신사 및 예술사적 맥락에서 정립돼야 하며 그 나름대로의 갈래 체계와 준거 틀이 정치하게 마련되어야 한다. 아울러 앞으로 이 땅에서 쓰여져야 할 서사시는 다음 몇 가지 점을 깊이 인식해야 할 것이다.

첫째, 전통 문학의 정신과 방법에 뿌리를 두어야 한다. 그 속에 무진장하게 담겨 있는 한국적인 정신과 사상 및 정서를 심화하고, 다양한 문학적 방법을 계발하여 새로운 현대적 변용을 성취해 나아가야 한다.

둘째, 잘 알려진 역사적 대사건, 특히 수난을 극복하려는 민족의 의지와 저력을 깊이 있게 탐구하되 문학의 문학다움을 잃지 않아야 한다. 역사적 사실과 작가의 예술적 상상력이 팽팽하게 또 아름답게 긴장력을 형성하는 데서 서사시의 지평이 찾아질 수 있다는 점이 소중히 인식되어야 할 것이다.

셋째, 생생한 역사적 삶에 기초하여 현실적 삶에 이바지하여야 한다. 이것은 민족적 주체성과 자존심을 고양하는 민족적 삶, 자유와 평등이 실현되는 민중적 삶에 바탕을 두되 참다운 인간해방과 인간구원에 목표를 두어야 한다.

마지막으로 서사시가 충격하기를 희망하는 것은 과거의 역사가 아니라 현재의 삶이며 미래의 역사라는 점이다. 따라서 역사를 총체적으로 날카롭게 통찰하고 현재를 정당하게 파악하고 비판하여 슬기로운 미래를 개척하려는 미래지향의 시 정신이 무엇보다 절실하다. 이것은 이제부터 이 땅의 서사시가 본격적으로 쓰여져야 한다는 현실적 필연성을 의미하는 동시에 당위성을 지니고 있는 것으로 판단되기 때문이다.

---

중으로 불러야 하며, 또한 그것이 문학인 한에 있어서는 문학의 문학다움도 확보해야 할 것이다. 근래의 우리 문단에 팽배한 민중 프레미엄과 민중 콤플렉스 현상이 극복되는 데서 바람직한 우리 문학의 지평이 전개될 것이다. 민중문학 논의는 다음 기회로 미룬다.

# 한국 현대시의 민중·민중의식

## 1. '민중'의 개념

70~80년대 들어서 오늘날까지도 가장 광범위하게 쓰이는 말 중의 하나가 아마도 '민중'이라는 용어일 것이다. 민중종교·민중문학·민중문화·민중극·민중시·민중미술 등과 같이 문화예술의 전 영역에 걸쳐 사용되다시피 하고 있는 이 용어에 관해서 이미 다양한 논의가 있어왔다.

지금까지 민중에 관한 논의는 주로 문학 혹은 예술 분야에서 활발하게 이루어지고 있으나 사회학·역사학·신학 쪽에서의 접근도 아울러 시도되고 있다. 그러나 거듭되는 논의에도 불구하고 '민중'의 개념, 즉 '민중이란 무엇이며 또 누구인가'라는 점은 아직 명확하게 제시되지 않고 있는 실정이다. 이러한 논의의 어려움은 '민중'이란 개념 자체의 복합성에서 기인되는 것이지만, '민중'을 실천이념으로 끌어안고 그것을 운동 차원에서 파악하려는 속에서 자칫 빠지기 쉬운 '우상화' 현상과, 반대편에서 보여주는 민중 '불온시' 내지 '금기시' 태도 역시 올바른 논의를 어렵게 하기 때문이다. 이 글에서는 위 같은 일방적인 논의를 가급적 지양하고, 기왕의 민중 논의를 수렴하여 이를 근거로 현대문학의 흐름 속에서 드러나는 민중문학과 민중문학론의 특징을 개략적으로 살펴보기로 하겠다.

민중이란 무엇인가. 민중에 대응하는 서구어는 쉽게 발견되지 않는다. 민중이란 말이 흔히 대중(mass)이란 말과 유사한 듯하지만 양자는 구별된다. 민중이 우리 사회에서는 좀 더 자각적이고 적극적이며 행동적인 의미로 쓰이고 있음에 비해 대중은 단순히 양적인 의미로 사용되는 경우가 많기 때문이다. 또한 대중이란 말이 긍정적이라기보다는 부정적으로 사용되고 있는 것도 그 까닭이다. 그것은 대중이 지니고 있는 무원리·무자각성 때문에 일종의 수동적 군중으로 파악되는 것이다. 그래서 대중문화가 가끔 이념의 정당화를 설득하는 수단으로 이용되기도 하며, 대중사회가 스스로 절대적인 지배를 자초하기도 한다.[1]

따라서 민중이란 말은 이와 같이 대중의 개념이 지닌 단순하며 부정적 의미의 양적 다수를 뜻하는 것이 아니라 양적 개념이면도 동시에 의식화로서의 질적 개념이며 일종의 실천 개념 내지 가치 지향적 의미를 띠고 있는 것으로 생각된다.

대중(mass)뿐만 아니라 '피플(people)', '파퓰러(popular)', '퍼블릭(public)', '시티즌(cityzen)', '폴크(volk)' 등등의 서구어들이 있지만, 어느 것도 우리말의 민중이란 말과 엄밀하게 부합되는 것 같지 않다. 그것은 위의 용어들이 대체로 서구의 민주사회의 발전과정에 따라 그 개념이 점진적으로 확립돼온 데 비해 '민중'은 다분히 한국사적 특수성에서 생성된 개념 혹은 제3세계적 개념이라고 여겨지기 때문이다.[2]

그런데 민중의 개념을 좀 더 뚜렷이 하자면 지금까지의 논의를 살펴볼 필요가 있다. 민중의 성격과 개념을 규명하려는 작업은 여러 가지로 분류해 볼 수 있으나, 그 접근 태도에 따라 다음과 같이 나누어 보기로 한다.

---

1) 박순영, 「대중사회와 대중문화」, 『현상과 인식』 2권 4호(1978).
2) 송건호 역시 민중을 동양적 개념으로 받아들이고 있다. 「민중의 개념과 실체」, 『월간대화』(1976 · 11) '좌담' 참조.

첫째로, 정치·사회학적 관점으로, 이 관점을 대표하는 한 사람은 한완상이라 하겠는데 그는 정치·경제·문화의 피지배 집단 혹은 소외계층을 민중이라고 파악하고 있다.[3] 따라서 민중에는 정치적 지배 관계에서 드러나는 정치적 민중과, 경제적 지배 관계에서의 경제적 민중, 문화적 지배집단에 대해서는 문학적 민중이 있게 되는 것이다.

둘째로, 경제학적 관점을 들 수 있는데 이에는 박현채의 견해가 대표적이다. 그는 민중이 "직접적 생산자이면서도 노동 생산의 결과, 즉 사회적으로 생산된 경제 잉여의 정당한 참여에서 소외된 광범한 사람들로 주로 구성된다"[4]고 하였다.

셋째, 이만열의 소론과 같은 역사학적 관점이다. 이 교수는 한국사의 흐름 속에서 민중의 개념을 도출해내고 있는데, '민중'을 "한국사에 보이는 '민·농민·인민과 노비·노복·천민' 등의 피지배 계층을 망라하는 어휘"[5]라고 풀이하였다. 한편 조동걸도 역사학적 관점에서 민중의 성격을 검토하고 있는데, 그는 '민중'을 근대 사회와 더불어 형성된 사회계층이라고 전제하고 있다. 즉, 봉건사회에서도 신분적 계급에 따라 서민이 있었지만, 그것은 사회계층으로서 역사 발전에 추진력을 발휘할 만큼 조직적이지 못했음을 지적하고, 민중이 나타나는 것은 이와 같은 서민이 사회 구조상의 모순을 의식하고, 자기 위치를 자각하여 그 모순에 도전하는 계층으로 성장했을 때이며, 역사적으로는 봉건사회의 붕괴와 근대사회의 형성이 진행되는 시기라고 주장하였다.[6]

넷째, 지금까지의 논의와 달리 민중을 성서신학적 입장에서 파악한 학자들이 있다. '민중이 민족사를 열 주체'로 파악하고 있는 서남동은, 다음과 같이 민중의 성격을 규정했다. ①인간성이나 인간적이라는 말 대신 민중이나 민중

---

3) 한완상, 「민중의 사회학적 개념」, 『문학과지성』(1978).
4) 박현채, 「민중과 경제」, 『한국민중론』(한국신학연구소, 1984), 226쪽.
5) 이만열, 「한국사에 있어서의 민중」, 유재천 편, 『민중』, 66쪽.
6) 조동걸, 「식민지 사회구조와 민중」, 『한국민중론』, 180쪽.

적이라고 쓴다. 민중은 집단적 개념이며 사회의 기본단위이다. ②민중이란 말은 백성, 시민, 프롤레타리아와 구별된다. ③민중은 외세의 침략에 저항하면서 민족의 주체성을 찾으려고 투쟁한 제3세계의 세력이다.[7] 서남동이 민중을 백성, 시민, 프롤레타리아와 구별된다고 강조한 점은 주목할 만하다. 여기서 그가 백성·시민과 민중을 구별하는 데는 납득할 수 있었지만, 프롤레타리아와 민중이 어떻게 다른가 하는 문제는 충분히 해명하지 못한 듯하다. 김용복도 기독교적 전통과 관점에서 민중을 이해하고 있는데, 그는 "민중은 항구적인 영원한(종말론적) 역사의 실체"[8]이고, 또한 "민중은 역동적이고 변화적이고 복합적인 살아 있는 실체(nature)이기 때문에 그리 쉽게 설명되거나 정의될 수 있는 개념이나 대상이 아니다"라고 했다.[9]

다섯째로는 전서암으로 대표되는 불교적 관점의 민중 논의가 있다. 전서암 역시 김용복과 마찬가지로 민중은 다수이며 성격적으로 억압자 혹은 가진 자의 의도에 어느 정도 희생당하는 비특권 계층을 의미한다고 하고, 중생이 보살정신에 의해 적극적이고 행동주의적으로 나타나고 역사적 현실에서 구체화할 때 그것이 바로 민중이라고 하였다.[10] 김지하의 경우는 엄격히 불교적 관점이라 할 수 없지만, 불교의 중생관과 민중종교의 후천 개벽사상 등의 관점에서 민중을 바라보고 있다. 그는 "민중이란 살아 움직이고 있는, 끊임없이 살아 움직이고 있는 생명체이므로 절대적 규정을 할 수 없다"[11]고 했다. 다만 그가 말하는 '생명의 세계관'에 입각하여 생동성 있게 인식하고 '실천하는 모색 과정 가운데서 민중의 실체가 역동적으로 드러날 수 있다'고 하였다.[12] 여기에서는 '생명'의 모호성이 문제로 남는다.

---

7) 서남동, 「민중(씨 올 )'은 누구인가?」, 『민중』, 87~104쪽.
8) 김용복, 「메시아와 민중」, 『민중』, 105쪽.
9) 윗글, 같은 곳.
10) 전서암, 「민중의 개념」, 『월간대화』(1977 · 10).
11) 김지하, 「생명이 담지자인 민중」, 『밥』(분도출판사, 1984), 129쪽.
12) 윗글, 같은 곳.

여섯째, 심우성,[13] 김열규,[14] 조동일 등에 의한 민속학적 접근이 있다. 특히 조동일의 '민중·민중의식·민중예술'은 민중이란 말이 어떤 역사적 변천 과정을 거쳐 왔는가를 치밀하게 검토하고 있어서 주목을 요한다. 그는 민중을 "소수의 집권층과 구분되는 다수의 예사 사람을 한꺼번에 지칭하면서 그 주체적 성향과 집단적 행동을 부각시키는 용어"로 정의하고, 구체적으로 "사회 집단으로서의 민중은 원래 '농(農)'을 위시해서 '공상(工商)'이 포함되며 '사(士)'도 그 처지에 따라서 민중의 일원일 수 있다"고 하였다.[15] 이는 기왕의 민중 논의에서 한 발짝 나아간 것임에 분명하지만, 오늘의 현실에서 볼 때 얼마만큼 유효성을 지닐까 하는 것이 과제로 남는다 하겠다.

마지막으로 문학 비평적 관점에서의 민중 논의를 들 수 있다. 70년대 이후 본격적으로 전개된 민중을 둘러싼 논의가 가장 활발한 기세로, 그리고 심각하게 이루어지고 있는 분야가 바로 문학비평 쪽이다. 이는 '민중'이란 용어를 본격적으로 제기한 쪽이 다름 아닌 문학 분야인 탓도 있지만, 시대정신의 중심 테마가 되고 있는 이 용어가 문학 이론, 비평이론의 깊은 영역에 근접해 있기 때문이다. 중견 비평가인 김주연은 민중이란 그 실체는 대중이고 사실상은 지식인의 관념의 그림자라고 하면서 민중의 실체성에 대해 회의를 표하고 있다. 때문에 그는 '대중'의 실체를 인정하고 '민중'을 실체 아닌 방법·정신으로 인정함으로써 문학의 민주화를 향한 정직한 방법론을 개발할 수 있으리라고 전망하고 있다.[16]

이러한 논리는 발터 벤야민, 호르크하이머, 아도르노 등의 프랑크푸르트학파로 대표되는 '대중비관론'이 퇴조하고 콘 하우저(Konhauser) 같은 '대중낙

---

13) 심우성, 「민족문화와 민중의식」, 『뿌리깊은 나무』(1978. 6).
14) 김열규, 「한국민속과 민중」, 『한국의 민속문화 : 그 전통과 현대성』(한국정신문화연구원, 1979).
15) 조동일, 「민중·민중의식·민중예술」, 『한국설화와 민중의식』(정음사, 1985), 305쪽.
16) 김주연, 「민중과 대중」, 『한국민중론』, 38~39쪽.

관론'이 점증하고 있는 서구의 사조를 주된 바탕으로 하고 있는데, 한국적 상황에 대한 조명이 불충분한 듯하다. 그리고 '민중'을 지식인의 관념적 투영으로만 본 것 역시 문제점으로 남는다 하겠다.

이와 달리 염무웅은 이 시대가 다름 아닌 '민중의 시대'라 주장하고, "민중은 그 역사의 실체가 자신을 민중으로 각성하는 정도에 따라 내용이 주어지게 될 말"17)이라는 견해를 내놓았다. 또 "민중이 역사의 주인이라는 말이 아직은 역사적 현실의 표현이기보다는 가능성의 표현에 불과하다"18)고 함으로써 민중이란 개념 속에 가치 지향적 요소가 짙게 드리워져 있음을 시사하였다.

한편, 백낙청은 「민중은 누구인가」라는 글에서, "민중을 소수의 지도자 또는 지배자가 아닌 다수의 국민 정도로만 풀이해 놓으면 그 이상의 정의가 필요 없게 된다"고 하면서, 역사적 상황에서 민중이 실제로 처했던 위치를 면밀하게 살피면 민중의 실상이 드러날 수 있다고 하였다.19) 이러한 소박한 관점이 오히려 설득력을 지닐 수 있는 것은 지금까지의 일부 논의가 민중 현실—과거에 처했던 상황을 포함하여— 을 도외시한 채 개념적인 파악에 급급하여 민중의 성격을 올바르게 이해하지 못하고 오히려 혼란만 불러일으킨 경우가 종종 있었기 때문이다.

이제 논의에서 민중의 윤곽이 어느 정도 드러났다고 할 수 있지만 여러 가지 정리되지 못한 문제점들이 남아 있다. 첫째로, 민중을 개념적으로 정의하는 것 자체가 불가능하거나 회의적이라는 의견이 있다. 여기에는 주로 종교적 관점에서 민중을 다룬 논자들이 포함된다. 그러나 결국 그들도 나름대로의 민중관을 피력하고 있으며, 사회 과학 분야에서는 과학적 정의가 가능하다는 주장이 지배적이기 때문에 개념적 정의가 전혀 불가능한 것이라고 판단되지는 않는다.

---

17) 염무웅, 『민중시대의 문학』(창비사, 1979), 3쪽.
18) 윗책, 4쪽.
19) 백낙청, 「민중은 누구인가」, 한국신학연구소 편 『한국민중론』(한국신학연구소, 1984)

둘째로, 민중은 실체가 아니라 관념이거나 이념적 합의에 불과하다고 주장하는 이도 있다. 이는 김주연의 주장에서 한 예가 드러나는 것인데, 자칫하면 지금까지의 민중 논의를 무기력화시키는 논리이다. 그는 "민중은 역사의 발전과정에서 오랫동안 소외당해 온 피지배 계층과 깊은 관계를 갖고 있는 사회적 연상으로서 떠오르고 있는 것"[20]이라고 했다. 그렇다면 역사상 소외되어 온 피지배 계층이란 현재에는 존재하지 않는, 그리고 한낱 '연상'에 불과한 것이 된다. 또 "시민혁명 이후 근대 자본주의 사회가 형성되면서 '민중'이라는 표현은 '시민'이라는 표현 속으로 함축되었다[21]고 주장하고 있으나 그것은 서구의 예가 아닌가. 그는 '대중'이란 말이 지닌 실체성과 소위 '대중 낙관론'을 강조한 탓으로 민중이란 말이 지니고 있는 '실체성'을 부정해 버리고 있음이 지적된다. 대부분의 논의에서도 드러났듯이, 민중이란 실체를 지칭하는 동시에 거기에는 일종의 가치 혹은 이념이 부여된 개념으로 보는 것이 온당할 것이다.

셋째로, 민중을 자각된 주체로만 한정하느냐 않느냐 하는 문제이다. 이는 섣불리 단언하기 어려우나, 스스로 민중임을 자각하고 있지 못한 사람들도 일단 민중의 범위에 포함시켜야 될 것이라고 생각된다. 다만 민중 가운데서도 그 자각성 여부에 따라서 즉자민중(卽自民衆)과 대자민중(對自民衆)으로 나눈다거나,[22] 조동일처럼 '생활로서의 민중'과 '의식으로서의 민중'[23]으로 나누는 것은 가능할 것이다. 과거 허균은 민중을 '항민(恒民)', '원민(怨民)', '호민(豪民)'[24]으로 나누기도 했다. 다만 이러한 분류는 민중의 성격을 좀 더 분석적으로 파악하기 위한 것이어야지, 어느 민중이 참 민중이라는 선민의식

---

20) 김주연, 「민중과 대중」, 유재천 편, 『민중』(문학과지성사, 1984), 77쪽.
21) 윗글, 같은 곳.
22) 한완상, 『민중과 지식인』(정우사, 1978), 15쪽.
23) 조동일, 앞책, 같은 곳.
24) 허균, 『허균전집 · 11』(대동문화연구원, 영인).

으로 나아가서는 아니 될 것이다. 왜냐하면 자각하지 못한 민중들의 몽매함 그 자체는 자각한 민중보다 심각한 소외의 결과일지도 모르기 때문이다.

넷째, 지식인도 민중인가 하는 문제이다. 이는 지식인 계층이 지닌 복합적인 성격에서 기인한다. 이 점에 대해 한완상은 지식인에는 지배 엘리트의 일부로 통합된 '지식기사'와 민중의 권익을 위해 노력하는 '지식인'이 있다고 하면서, '지식인'은 대자적 민중의 일부가 된다고 하였다. 또한 백낙청, 송건호, 박현채, 정창렬 등도 지식인을 민중의 일부로 보았다. 지식인이 매우 유동적인 성격을 지니고 있기는 하지만 지식을 반민중적으로 악용하거나, 민중을 억압하는 지배계층을 위해 직접·간접으로 기여하는 부류를 제외한 지식인, 즉 자신이 지닌 지식과 정보를 바탕으로 민중과 함께 사회적 모순을 시정하기 위해 노력하는 사람이라면 민중의 구성원으로 보아야 할 것이다.

마지막으로 민중을 계급적 개념으로 파악하고 이를 불온시하려는 태도가 있다. 이는 원형갑 등의 주장에서 드러나는바, 그는 "이론가로서의 마르크스가 내건 프로레타리아의 개념보다도 혁명 정치가 레닌의 그것에 훨씬 가까운 민중개념을 보게 되었다"[25]고 하였는데 이는 논란거리가 아닐 수 없다. 물론 여러 민중론 가운데에는, 민중이 겪고 있는 억압과 소외를 강조하는 가운데 사회주의적 계급개념과 중복되는 요소가 나타날 수도 있을 것이다. 그러나 대부분의 논의는 민족·시민·대중·인민 등등의 여러 유사 개념을 포용하는 상위 개념으로 파악하고 있는 것으로 보여지기 때문에, 민중개념을 그와 같이 좁은 의미로 받아들이는 태도는 납득하기 어렵다.

이제까지의 논의를 정리해 보자면, 우선, '민중'이라는 개념은 계급·민족·시민·대중 따위의 유사 개념을 포괄하는 유개념이라는 것과 '민중'이 곧 실체는 아닐지라도, 일종의 가치 혹은 이념이 부여된 실체라는 점을 전제로 하여, ①민중은 민족을 구성하는 다수이며 민족사의 주체라는 점, ②민중은 역사적

---

25) 원형갑, 『월간문학』, 1986년 2월호의 토론 참조.

으로 정치·경제·문화적 피지배계층 혹은 소외계층으로 존속해 왔다는 점 등을 제시할 수 있다. ③사회집단으로서의 민중에는 노동자·농민을 근간으로 하여 구성되며, 지식인도 포함될 수 있다는 점 등을 제시할 수 있다. 여기에서 보탤 것은 민중의 개념 속에 포함되어 있는 당위적 명제인데, 이는 ②상태의 회복을 지향하는 것이 될 것이다.

이처럼 이 시대의 중심 어휘가 되고 있는 '민중'이라는 개념을 소박하게 평가하자면, 이제까지 막연한 상태로 언급되던 소외계층의 모습을 좀 더 구체적인 모습으로 파악해 보려는 노력의 일환에 다름 아닌 것이다. 따라서 우리는 민중개념을 지나치게 편협된 관점으로 파악하려는 태도는 그것이 어느 쪽이든 경계하여야 할 것이지만 그 개념이 지닌 긍정적인 부분은 적극적으로 수용해야 될 것이라고 생각한다.

## 2. 민중의식

민중문학이 무엇인가를 설명하기 위해서는 민중의식의 해명이 선결 과제이다. '의식'은 단순한 감정이 아닌 명료한 지향 정신 현상을 지칭하는 것이다. '의식'이란 서구어 consciousness처럼 '어떤 일이나 대상에 대한 비교적 자각적인 생각'으로 풀이해 볼 수 있다. '역사의식'에서의 의식이 역사에 대한 올바른 생각을 의미하는 것으로 받아들여지고 있다는 것이 그 예이다. 그런데, '군인의식', '선구자의식'이라고 할 경우에는 군인 혹은 선구자라고 스스로 느끼는 생각과 군인·선구자가 마땅히 가져야 하는 생각이라는 의미가 동시에 부여된다. 민중의식이라는 말도 이와 같은 차원에서 이해할 수 있다. 즉, 민중의식이란 민중이 스스로 민중이라고 느끼는 생각이며, 민중으로서 마땅히 가져야 할 생각이란 무엇인가 하는 것을 자각하는 태도를 말한다. 그것은 물론 민중이 처하고 있는 현실에 대해 바르게 생각하는 것이 될 것이다.

그런데 모든 민중이 그러한 의식을 가지고 있다면 민중의 생각은 모두 민중의식이라고 부를 수 있겠지만, 현실적으로 모든 민중이 이 같은 민중의식을 갖고 있기 때문에 문제가 생겨난다. 같은 민중의 생각임에도 불구하고 어떤 것은 민중의식이라 하고, 또 어떤 것은 민중의식이 아니라고 해야 될 것이기 때문이다.

　참된 민중의식이 무엇인가를 알아보기 위한 방법으로서 민중의 각성 여부에 따라 갈라볼 필요가 있다. 민중을 갈라보는 것은 허균의 '호민론'에서도 발견된다.26) 허균은 백성을 세 부류로 나누었는데, 항민·원민·호민이 그것이다. 항민이란 무식하고 천하며 자기 이익이나 권리를 주장하려는 의식이 없는 우둔한 민중이고, 원민이란 수탈당하는 계급이란 점에서는 항민이나 마찬가지인데도 스스로 착취 받고 있다는 사실을 깨닫고 그를 못마땅하게 여기는 민의 무리라고 했다. 이와 달리 호민은 자기가 받고 있는 부당한 대우와 사회의 부조리에 과감하게 도전할 수 있는 무리라고 했다. 허균이 말하는 호민은 바로 각성된 민중이고 항민은 각성되지 못한 민중이다. 원민은 요즈음 말로는 '소시민'에 해당한다고 할 수 있는데, 그 각성이 분명하지 못하거나 잠재적인 상태에 놓여 있는 경우라 하겠다.

　한편, 한완상은 민중을 '즉자민중'과 '대자민중'으로 구분해 보았다.27) 그가 말하는 즉자적 민중이란 "자기가 민중이란 자의식을 갖지 못한 채 기존 구조의 틀 속에서 숙명적으로 살아가는 사람들로서, 자기들이 억울하게 지배당해 왔음에도 불구하고 그것을 가슴 아프게 생각하여 극복하려고 애쓰지 않는 민중"이며, "자기가 부당하게 빼앗겨 왔고 눌려 왔고, 차별당해 왔음을 깨닫는다. 그리고 이 깨달음을 지연시켜준 지배세력이 지닌 허위의식의 정체도 날카롭게 꿰뚫어 볼 줄 안다. 그뿐 아니라 잘못된 기존 질서를 변화시키기 위

---

26) 허균, 앞책.
27) 한완상, 『민중과 지식인』(정우사, 1978), 15쪽.

하여 행동에 나설 줄 아는 이들이 바로 대자적 민중"[28]이라고 한다. 조동일의 '생활에서의 민중'이라는 말과 '의식에서의 민중'이라는 말을 사용한 것은 이와 같은 맥락에 있다. 이렇게 볼 때 민중의식이란 허균의 '호민', 한완상의 '대자민중' 그리고 조동일의 '의식에서의 민중'이 가지는 의식으로서, 당연히 모순이나 부조리를 비판하고 그것을 극복하려는 의지를 가리키는 것이라고 규정할 수 있겠다. 그러나 이러한 의식에는 이르지 못하였더라도, 민중 자신이 생활하면서 느끼는 꾸밈없는 감정 역시 넓은 의미의 민중의식에 포함시킬 수 있으리라고 본다.


## 3. 민중문학의 내용과 형식

박현채는 민중문학이란 '민중에 의하여 만들어지고 민중에 의해 읽혀지고 노래불려지고 전파되는 것이어야 하며, 민중을 위해 만들어지고 민중의 생활 감정을 반영한 것이어야 한다[29]고 했다.

이는 민중문학의 개념이라기보다는 그것이 성취해 나아가야 할 이념태에 가까운 것이다. 오늘날 이러한 요건을 한꺼번에 만족시키는 작품을 찾아보기란 어려운 형편이다. 물론 과거 구비문학적 유산, 예컨대 민요, 민담, 판소리 등 쪽으로 눈을 돌린다면 사정이 달라질 것이다. 그러나 불행히도 그러한 양식들은 각종 제약에 의해 온전하게 계승되지 못한 탓으로, 현재 우리들이 접하는 문학이란 앞서 제시한 민중문학과 부합하기 어려운 것이다.

그래서 현실적으로 적용 가능한 민중문학의 개념을 제시하자면, 민족이 처한 현실 문제를 다룬 문학으로서 '민중의식을 담은 문학'이라 하겠다. 이는 엄밀한 개념 규정에서 오는 불편함을 피하면서 현실적 효용성을 얻기 위함이

---

28) 한완상, 『민중과 지식인』(정우사, 1978), 15쪽.
29) 박현채, 「민중과 문학」, 『한국문학』, (1985·2).

다. 만약 민중이 창작 주체여야 한다는 것과 민중적 친화력을 지녀야 한다는 명제를 지나치게 강조하게 되면 대부분의 우수한 문학 작품들이 비민중적 문학이 되거나 '민중지향적'이라는 술어가 첨가되어야 하는 불편이 따른다.

그렇다면 문학에서의 민중의식은 어떻게 수용될 수 있을까. 문학에 담긴 민중의식 역시 우리가 흔히 말하는 역사의식과 같은 차원에서 이해된다. 다만 여기서 주체가 민중이라는 사실이 강조된다. 그것은 민중 자신이 처한 경제적·정치적 수탈과 억압 상태를 극복하려는 의지이다. 이러한 의식의 구체적인 모습은 다양할 것이지만, 다음과 같이 크게 범주화하는 것이 편리할 듯하다.

첫째, 농민과 농촌문제를 다루는 작품군을 들 수 있다. 농민은 생산 주체임에도 불구하고 역사상 언제나 수탈의 대상으로 남아 궁핍한 삶을 강요당해온 대표적인 민중의 한 모습이기 때문이다.

둘째, 도시 빈민과 노동자 및 산업화의 진행으로 인한 소외현상을 다루는 작품군도 민중문학에서 높은 비중을 차지하고 있다. 도시 빈민과 노동자들은 대부분 농민 출신이지만 서구식 자본주의의 유입, 식민지 수탈의 강화, 급격한 산업화로 인하여 저임금과 열악한 생활환경에 처한 소외계층으로 양적 증가추세에 놓여 있다.

셋째, 사회 전반의 모순이나 부조리에 저항하여 반봉건적 의식과 민주화를 지향하는 내용을 담은 작품군을 들 수 있다. 이 계열의 작품들은 민중 소외현상의 근본적인 원인이 사회구조의 모순, 즉 봉건적 잔재나 비민주성에 있음을 비판하게 된다.

넷째, 민중을 둘러싼 열악한 환경공해라든가 생명적인 것을 해치는 것들과 맞서 싸우는 내용을 들 수 있다. 근래의 녹색운동으로서 생명 운동이 그 대표적인 예라고 할 것이며, 반핵 문제가 가장 큰 내용이라고 할 것이다.

다섯째, 반외세와 민족자주의식을 담은 작품군이다. 이는 조선 말엽부터 오늘에 이르기까지 우리의 근대사가 동서 열강의 제국주의적 침략에 유린당해 왔으며, 그 직접적인 피해자는 바로 민중 자신들이었기 때문이다. 그래서 민중들이 즐겨 부르는 민요, 특히 「아리랑」 등에는 이러한 외세에 대한 증오감이나 경계심을 일깨우는 내용이 많이 나타남을 볼 수 있다.

여섯째, 분단의 아픔과 통일에의 염원을 내용으로 하는 작품군이다. 그것은 민중들이야말로 분단과 6·25로 인한 가장 직접적인 수난을 입은 사람들이며, 오늘날까지 그 상처가 치유되지 않고 있을 뿐만 아니라, 여전히 그로 인한 유형무형의 제약을 감수해야만 하는 사람들이기 때문이다. 그래서 이 작품들에는 분단으로 인한 민중들의 구체적인 상흔, 진정한 민족통일에 대한 소망을 담게 되며, 통일을 가로막고 있는 냉전 이데올로기에 대한 강한 거부감을 담게 된다.

그런데 여기에서 제시한 범주들은, 구체적인 작품 속에서는 여러 가지 형태로 결합되어 나타난다. 그 범주들은 독자적이라기보다는 어떤 형태로든 상호 인과관계를 맺고 있기 때문이다. 또한 위에서 제시한 범주들은 역사적 상황의 특수성에 따라 그 비중이 상대적으로 변동된다. 일제 초기에는 도시 빈민 및 노동자 문제보다 농민·농촌 문제가 더 많이 다루어졌으나, 최근에는 그 위치가 역전되고 있는 것이 그 한 예라 할 수 있다.

위에서 살펴본 민중문학의 범주들은 시의 경우에도 별 수정 없이 적용될 수 있다. 다만 시의 경우에는 형식과 방법론의 문제가 남아 있다. 그것은 민중의식에 걸맞은 형식과 방법론이란 무엇인가 하는 문제이다. 우선 고려해 볼 수 있는 것은, 민족형식 가운데서 민중 자생적인 양식이면서 오늘날까지도 그 이월가치가 인정되는 양식들과 그 양식들이 지닌 주된 미학 원리이다. 민요와 판소리, 사설시조와 탈춤 대사, 그리고 근대민요 아리랑이 그 대표적인 예가 될 것이다.

따라서 진정한 민중시의 한 모델은 민중의식을 그 내용으로 하고, 민족(중)

형식과 그 미학 원리에 의해 형상화된 것이라 할 수 있겠다. 그러나 여기에는, 근대문학사 이후 서구의 문학 양식이 우리 문학의 각종 영역에 깊숙한 영향을 끼쳐왔다는 사실을 감안해야 한다. 다시 말해 이러한 서구문학 양식은 거부해야 할 대상이 아니라, 그것을 민족형식들과 함께 포괄해서 창조적으로 극복해내야 할 대상이라고 믿는다. 그리고 어떤 문화적 산물이건 그것을 지탱하고 있는 사회 문화적 환경과 유리될 때는 참된 생명력을 지니기 어렵다는 사실을 염두에 두어야 한다. 지금 우리가 접하고 있는 대부분의 민족형식들은 조선 후기 농촌 공동체 사회를 그 토대로 하는 양식들이다. 따라서 그것은 대부분 유려하면서도 안정감 있는 4음보의 가락을 바탕으로 한다. 또한 그것은 창으로 구연되거나, 집단 가무 혹은 각종 노동요의 형태로 불렸던 양식이란 점이다. 이러한 제반 조건들과 오늘날의 조건들 사이에 존재하는 차이점들을 진지하게 고려하지 않은 전통형식의 복원이란 그 의의가 감소될 수밖에 없을 것이다.


## 4. 결론

'민중', '민중의식'이라는 용어가 사용돼 온 것은 비교적 오래전부터의 일이지만, 한 시대의 첨예한 문제적인 용어로 급격히 부상한 것은 오늘날의 일이다. '민중'이라는 용어를 사용하거나 개념적인 정리를 시도할 때 그것을 지나치게 편협된 관점에서 파악하려는 자세는 가급적 지양해야 할 것임은 물론이다.

필자가 보건대 민중문학론과 민중시가 우리 문학에 기여한 의의는 다음과 같이 요약할 수 있다.

우선 민중시는 참된 의미의 휴머니즘을 지향한다는 점이다. 그것은 소외받고 있는 이웃에 대한 따뜻한 애정, 그리고 그들을 소외시킨 부당한 힘에 대한 정당한 분노를 주된 내용으로 삼았기 때문이다.

둘째, 민중시는 삶을 관념적으로 인식하지 않고 객관적 삶의 현장에 근거한 구체적 현실 인식 자세를 강조하고, 건강한 생명력을 환기시켜 주었다는 점이다.

셋째, 우리 문학이 서구 사조에 무분별하게 경사되었던 오류에 반성을 촉구하였으며 난해시의 극복에도 주목할 만한 기여를 하였다는 점이다.

넷째, 민중문학론과 민중시인들은 전통의 현대적 변용이라는 문학사적 과제를 깊이 인식하고, 이를 실천적으로 탐구하려 노력하였다는 점이다.

이러한 의의와 별도로 민중시는 몇 가지 문제점들을 지니고 있는데, 그중 다음 사항을 지적해두고자 한다.

우선 민중시는 그 이념의 당위성에도 불구하고 아직은 민중의 시가 되지 못하고 있다는 점을 반성해야 할 것이다. 즉 대부분의 민중시는 여전히 지식인이나 학생들의 독서물로 존재할 뿐, 당대 민중들과는 먼발치에 있다. 물론 이 문제는 문학 외적인 여러 상황과 관련되는 것이겠지만, 민중시가 해결해야 할 우선적인 과제가 아닐 수 없다. 이 점에서 대중화 문제에 따른 논의와 실천적인 시도가 요청된다 하겠다.

둘째, 민중시의 민족형식 탐구가 시의 아류화 내지 복제품화 현상을 야기할 위험성을 지적해두고자 한다. 구비문학적 유산의 시적 변용에 따르는 제반 조건에 대한 진지한 검토를 결한 채 민요리듬이나 판소리의 사설을 기계적으로 답습하고 있는 현상이 늘어나고 있다. 물론 양적인 확산 없이 새로운 질적 비약이 이루어지지 않겠지만, 자칫하면 그러한 현상은 독서 대중으로 하여금 전통형식에 대한 식상함을 안겨줄 수도 있기 때문이다.

셋째, 민중시는 난해시를 거부하고 쉬운 시가 되고자 한다. 그것은 여러 가지 면에서 설득력과 타당성을 지닌다. 그러나 우리는 그 쉬움이 말 그대로의 단순함이라든가 평면성 혹은 도식성을 의미하는 것으로 받아들이지 않는다. 특히 구호에 접근하고 있는 시들이 지닌 문제는 과소평가할 수 없다. 시란 최소한의 형상성을 갖추지 않고서는 성립될 수 없다. 양보하여 시라는 문학 양식을 빈 넋두리나 선전일지라도, 그것은 위안이나 선전의 효과를 달성하지 못하게 될 것이라고 여겨진다. 그것은 시가 아니기 때문에 당연히 문학의 영역에서 벗어나게 되며, 그것의 평가 역시 다른 영역에서 이루어져야 할 것이다.

넷째, 최근 서사시와 연작 장시 그리고 산문시들이 민중시인들에 의해 다양하게 시도되고 있으며, 양적으로 급증추세에 놓여 있음을 볼 수 있는바, 이에 관한 문제점을 지적하고자 한다. 이러한 추세는 오늘의 시로 하여금 단순한 서정의 세계 또는 노래의 영역에 머물게끔 하지 않는 사회적 배경에서 기인하는 것으로 보인다. 즉 80년대의 제반 충격적인 사건과 상황들이 시인으로 하여금 아름다운 이미지를 조형하고 서정적인 울림을 절제된 양식으로 표현하기보다는, 산문적으로 기술하거나 현실의 제반 모순과 부조리를 나열함으로써 독자들에게 고통스러운 신음을 전달하고자 하는 의도를 강하게 지니고 있다. 그러나 시는 언어의 절제를 미덕으로 하는 문학 양식으로 요컨대 고통스러운 현실을 사설체로 열거하는 것보다는 그것을 과감히 절제하고 극기함으로써 보다 높은 서정의 차원으로 상승시키지 못할 때는 시적 감동과 설득력을 확보하기 어려울 것이라는 사실이다. 그것은 표현의 시와 전달의 시, 긴 시와 짧은 시, 이야기하는 시와 상징하는 시를 효과적으로 교차함으로써 시적 긴장을 지속시킬 수 있다는 판단에 근거한 것이다.

마지막으로, 이 땅의 민중시는 1980년대 중반 이후 특히 90년대 접어들면서 하나의 전환점에 접어들고 있는 것으로 판단되는데, 이는 1980년대 초의 요란스러움에서 벗어나 이제 내적 성숙의 바탕을 마련하고 있는 것이 아닌가 짐작된다. 도시 빈민들과 농민의 척박한 삶을 노래하면서도 그것이 전투적인 구호와 적개심만을 드러내는 차원을 넘어서서 고은의 「만인보」나 「백두산」 등에서 볼 수 있듯이 보다 큰 의미에서의 자유와 평등, 평화의 사상을 시적 형식으로 담아내는 데 성공하기 시작한 것으로 여겨지는 것이다.

사실 민중시는 무엇보다도 도식적인 소재와 제재 그리고 동어 반복에 떨어진 공허한 분노와 저항의 목소리를 지양하면서, 진정한 인간애의 길, 자유에의 길을 향한 자기반성과 자기 극복의 몸부림을 보여주어야 할 것이다.

  우리는 문학 행위가 열린 정신을 탐구하는 것이자 인간답게 사는 길을 추구하는 길, 즉 휴머니즘 완성에의 길이라고 믿고 있다. 따라서 문학은 삶의 온갖 내용을 포괄하는 다양한 가치들을 포용할 수 있는 것이 되어야만 하는 것이다. 이 점에서 아직도 우리 문학계에 완전히 극복되고 있지 못한 각양각색의 분단의식은 물론 편협된 민중 알레르기 현상과 함께 과장된 민중 프레미엄 현상도 냉철하고 진지한 자기 극복이 촉구된다고 하겠다.

# 현대시와 4·19 혁명

## 1. 서론

1960년대 이후 이 땅에선 4·19가 이승만 정권의 독재, 그리고 부정부패에 대한 항거로서의 학생의거인가, 아니면 진정한 자유민주주의의 실현을 위한 전민중적 투쟁으로서의 혁명인가에 대한 논란이 심심치 않게 전개돼 왔다. 이 논란은 4·19 직후엔 '혁명'으로 5·16 후에는 '의거'로서 그 관점과 호칭이 변화됐으며, 이후 해를 지나는 동안 그것을 해석하는 입장과 관점, 그리고 상황에 따라 유사한 동어 반복 과정을 되풀이하였다. 4·19는 4·19로서 그것을 기억하려는 자, 실천하려는 사람들에 있어서 생생하게 살아 있으면 그뿐이다. 그것은 어떤 한 시대의 정권담당자층의 일방적 관점이나 역사학자들의 화석화한 평가를 떠나서, 4·19 자체로서 역사 속에 엄숙히 존재하고 민족·민중의 가슴속에 생생한 의미를 지니고 있으면 그만인 것이다. 4·19는 동학혁명과 3·1운동, 그리고 식민지하 광주학생운동의 연장 선상에서 파악될 수 있는 치열한 자주독립·자유민주·민족민권을 위한 이 땅 시민혁명의 시발점이자 애국애족 운동의 실천적 투쟁에 있어 시금석으로서의 상징적 의미를 지닌다.

이에 본고에서 필자는 4·19가 1960년 이후 이 땅 현대시에 어떻게 수용되었으며 또 '80년대에 이르기까지 어떠한 변모를 겪고 있는가를 간략히 살펴보고자 한다. 4·19는 당시에 이미 『뿌린 피는 영원히』(한국시인협회 편, 춘조사, 1960. 5), 『불멸의 기수』(김종윤·송재주 편, 성문각, 1960. 6), 『피어린 사월의 증언』(이상로 편, 연학사, 1960. 6), 『항쟁의 광장』(김용호 편, 신흥출판사, 1960. 6), 『학생혁명기념시집』(중동화 편, 교육평론사, 1960. 7) 등의 많은 사화집을 남길 정도로 광범위하고 치열한 시적 응전력을 보여주었다. 또한 『사상계』 등의 잡지와 『동아일보』, 『조선일보』 등 각종 신문과 대학신문 등에도 기념시·특집시가 발표되는 등 활발한 문학적 형상화 작업이 전개되었다. 그러나 4·19가 일어난 지 벌써 25년이나 경과하였으며, 아직도 4·19는 당대 현실과 의식의 앞뒤에서 커다란 영향력을 발휘하고 있음에도 불구하고 이것의 문학적 수용에 관한 비평적 성찰이나 문학사적 의미의 검토는 제대로 이루어지지 않고 있는 실정이다.

이 점에 비추어 4·19의 현대시적 수용에 따르는 그 특징과 문제점 및 의의에 관해서 살펴보는 일은 오늘날 문학의 활성화를 위해서 또한 현대시의 정신사적 생동력 제고를 위해서 유익한 일이 아닐 수 없다.


## 2. 4·19와 현장시

4·19는 그 자체가 전국민적이고 격렬했던 만큼 다양하고 치열한 현장 시편들을 남기고 있다. 국민학생으로부터 중학생·고등학생·대학생, 그리고 기성 시인에 이르기까지 많은 사람들이 상황시·찬양시·추도시·격시·조시를 발표하였다. 다음은 한 학생이 쓴 4·19시의 대표적인 한 예이다.

아! 슬퍼요
아침 하늘이 밝아오며는

달음박질 소리가 들려옵니다
저녁 노을이 사라질 때면
탕탕탕탕 총소리가 들려옵니다
아침하늘과 저녁노을을
오빠와 언니들은 피로 물들였어요

오빠언니들은
책가방을 안고서
왜 총에 맞았나요
도둑질을 했나요
강도질을 했나요
무슨 나쁜짓을 했기에
점심도 안먹고
저녁도 안먹고
말없이 쓰러졌나요
자꾸만 자꾸만 눈물이 납니다

잊을 수 없는 4월 19일
그리고 25일과 26일
학교에서 파하는 길에
총알은 날아오고
피는 길을 덮는데
외로이 남은 책가방
무겁기도 하더군요

나는 알아요 우리는 알아요
엄마 아빠 아무말 안해도
오빠와 언니들이 왜 피를 흘렸는지를……

오빠와 언니들이
배우다 남은 학교에서

배우다 남은 책상에서
우리는 오빠와 언니들의
뒤를 따르렵니다

이 작품은 4·19 당시 서울 수송국민학교 4학년 재학생이던 강명희 양의
「오빠와 언니들은 왜 총에 맞았나요」라는 시이다. 수송국민학교는 주지하다
시피 시위가 가장 격렬하고 희생자가 많이 났던 광화문 근처에 자리한 관계
로 4·19 시위의 현장이나 다름없었다. 따라서 이 작품은 현장과 가장 밀접한
자리에서 어린 학생의 눈으로 바라보고 느낀 감정을 진솔하게 노래한 직접적
인 현장시로 볼 수 있다. 이 시는 새삼 설명이 필요 없을 정도로 쉽게 쓰여졌
으며, 또 어린이의 시점을 통해서 표현됐기 때문에 그 비통함을 더욱 고조시
킨다. 무엇보다도 그것은 순진성의 아이러니(naiveté irony)가 불러일으키는
비극적 아이러니의 애절함이다. 가령 전쟁의 거대한 잔혹상을 어린이의 시점
으로 묘사할 때 발생할 수 있는 비극성의 고조 혹은 처절함의 심화 효과인 것
이다. 그리고 이 시는 대조와 반복, 의성어의 활용, 반어법, 실제 묘사, 영탄,
생략 등의 다양한 수사적 기법을 구사함으로써 감동의 밀도를 더해 준다. 이
것이 꼭 원문 그대로의 학생작품일까 하는 의구심을 떨쳐버리기는 어렵지만,
그러한 문제는 이미 이 작품이 불러일으키는 설득력의 강도와는 관계없는 영
역에 속한다. 주제의 강렬함과 구성의 신선함, 그리고 시각의 진솔함이 4·19
의 비극성을 깊이 있게 일깨우고, 그 희생의 의미를 새삼 깨닫게 하며 새로운
결의를 다짐하게 만들기 때문이다.

이 점에서 이 작품은 4·19의 대표적인 현장시 또는 상황시로서, 또한 한 전
범으로서 오랫동안 생생하게 살아 있는 것이다. 그러나 이러한 현장시들의
문제점도 적지 않다. 그것은 '피/혁명/죽음/저주/눈물/분노/울음/함성/깃발/총/
부정/불꽃/사악/노도' 등 천편일률적인 시어의 반복이나, '절규!/외침!/독재
여!/그네들이여!/젊은이여!/꽃이여!' 등 무수한 영탄의 남발, 그리고 '민주/자

유/정의/불의/희망/영광' 등 수많은 관념어의 나열 등 주제의 도식성이나 관념적 허구성 또는 수사적 미문화로 떨어짐으로써 감동의 깊이나 철학적 유현성, 혹은 의식의 치열성을 오히려 감소시키는 경우가 허다한 것이다. 흔히 사용되는 관념적 상징어만도 '꽃/깃발/피/새/탑/태양/화산/비/함성' 등 오히려 진부한 느낌을 주는 경우가 대부분이며, 그렇기 때문에 더욱 설득력의 깊이를 저해하고 대동소이한 동어 반복으로 머물고 만 것이다.

그렇지만 우리는 상황시의 한 성공적인 전범으로 신동문의 「아! 신화(神話)같은 다비데군(群)들」을 들 수 있을 것이다.

서울도
해 솟는 곳
동쪽에서부터
이어서 서남북
거리거리 길마다
손아귀에
돌, 벽돌알 부릅쥔 채
떼지어 나온 젊은 대열
아ㅡ 신화같이
나타난 다비데군(群)들

혼자서만
야망 태우는
목동이 아니었다
열씩
백씩
총알 총알 총알 앞에
돌 돌
돌 돌 돌
주먹 맨주먹 주먹으로

피비린 정오의 가도에 포복하여
아— 신화같이
육박하는 다비데군(郡)들

제마다의
가슴
젊은 염통을
전체의 방패삼아
과녁으로 내밀며
쓰러지고
쌓이면서
한발씩 다가가는
아— 신화같이
용맹한 다비데군(群)들

충천하는
천씩 만씩
어깨 맞잡고
팔장 맞끼고
공동의 희망을 태양처럼 불태우는
아— 새로운 신호같은
젊은 다비데군(郡)들
……중략……
아— 다비데여 다비데여
승리하는 다비데여
쓰러진 다비데여
누가 우는가
너희들을 너희들을
눈물아닌 핏방울로
누가 우는가
역사가 우는가

세계가 우는가
신이 우는가
우리도
아— 신화같이
우리도
운다

    이 시는 수만 군중이 시위하는 모습을 화사한 비유와 점층 및 지속적인 반복을 사용함으로써 4·19를 장엄한 신화(神話)의 한 장면으로 형상화하는 데 어느 정도 성공한 작품으로 받아들여진다. 현장의 폭발적인 분노와 함성을 리얼하게 묘사하면서도 예리하고 풍부한 문학적 표현기법을 구사하여 한 폭의 거대한 4·19 신화도(神話圖)를 완성한 것이다. 무엇보다 이 시의 형상적 우수성은 시공간적 점층법을 통해서 시위군중의 모습에 역동성과 박진감을 불어넣은 데서 찾을 수 있다. 각 연의 전개를 "떼지어 나온→(맨주먹으로) 육박하는→(쓰러지고/쌓이면서) 한 발씩 다가가는→어깨 맞잡고→희망을 태양처럼 불태우는→(무차별 총구 앞에/맨주먹) 돌알로써 대결하는→(총알 총알/아우성/안간힘/요동치는 근육/뒤틀리는 사지/약동하는 육체의) 조형의 극치이루며 싸우는→(일사불란/해일처럼) 전진하는→(피묻은 옷자락/목숨의 대가를/절규로 내혼들며) 승리의 다비데군들→풀라, 싸우라, 이기라→(승리하는/싸우는/쓰러진) 다비데여→(눈물아닌 핏방울로) 누가 우는가"와 같이 점층과 반복형태를 집중화함으로써 4·19 현장의 폭풍 같은 혈투와 승리의 모습을 감동적으로 묘사해준 것이다. 실상 「아! 신화(神話)같이 다비데군(群)들」이라는 제목 자체에 이미 이 땅 역사상 최초로 성공한 민권운동인 4·19의 역사적 장면이 장엄하고 아름다운 신화로서 제시되어 있는 것이다.

    이 시가 비록 4·19의 이념이나 의의에 대한 깊이 있는 통찰력 개진이나 비판 전개 그리고 그 당위성에 대한 사회사적·철학적 성찰을 보여주고 있지 못한 것은 사실이다. 그러나 당대 현장과 밀착된 거리와 시점에서 형상화한 비교적 스케일이 큰 작품이라는 점을 감안한다면, 오히려 우리는 이 작품을 가장 뛰어난 4·19 현장시의 한편으로 인정할 수도 있을 것이다. 많은 현장시·상황시들이 관념의 나열이나 영탄의 반복, 혹은 공허한 수사의 요란한 치장에 치우쳤던 데 비해 이 작품은 현장을 능동적인 시각에서 역동적·유기적·입체적으로 밀도 있게 형상화해 주었기 때문이다. 특히 수많은 송가(頌歌)·만가(輓歌)·적시(吊詩) 등에서 습관적으로 사용된 의례적 문투와 상투적인 상징어들은 오히려 심도 있는 감동을 불러일으키거나 설득력을 고양하는 데 저해요인이 되기도 했던 것이다.

4·19의 정신적 지향이나 이념, 그리고 의의 및 과제에 관해서 현장과 밀착된 거리에서 문학적 형상화가 이루어진 작품으로는 박두진의 다음 작품을 들 수 있다.

> 우리는 아직도
> 우리들의 깃발을 내린 것이 아니다
> 이 붉은 선혈로 나부끼는
> 우리들의 깃발을 내릴 수가 없다.
>
> 우리는 아직도
> 우리들의 절규를 멈춘 것이 아니다.
> 그렇다. 그 피불로 외쳐 뿜는
> 우리들의 피외침을 멈출 수가 없다.
>
> 불길이여! 우리들의 대열이여!
> 그 피에 젖은 주검을 밟고 넘는
> 불의 노도, 불의 태풍, 혁명에의 전진이여!
> 우리들 아직도
> 스스로는 못 막는

우리들의 피 대열을 흩을 수가 없다
혁명에의 전진을 멈출 수가 없다.

민족. 내가 살던 조국이여.
우리들의 젊음들.
불이여! 피여!
그 오오래 우리에게 썩어내린
악으로 불순으로 죄악으로 숨어내린
그 면면한
우리들의 속의 썩은 것을 씻쳐내는,
그 면면한
우리들의 핏줄 속에 맑은 것을 솟쳐내는,
아, 피를 피로 씻고,
불을 불로 사뤄,
젊음이여! 정한 피여! 새 세대여!

너희들 이미 일어선 게 아니냐
분노한 게 아니냐?
내달린 게 아니냐?
절규한 게 아니냐?
피 흘린 게 아니냐?
죽어간 게 아니냐?

아, 그 뿌리어진
임리한 붉은 피는 곱디고운 피꽃잎,
피꽃은 강을 이뤄,
강물이 갈앉으면 하늘 푸르름,
혼령들은 강산 위에 햇볕살로 따수어,
아름다운 강산에 아름다운 나라를,
아름다운 나라에 아름다운 겨레를
아름다운 겨레에, 아름다운 삶을

위해,
우리들이 이루려는 민주공화국
절대공화국

철저한 민주정체,
철저한 사상의 자유,
철저한 경제균등,
철저한 인권평등의,
우리들의 목표는 조국의 승리,
우리들의 목표는 지상에서의 승리,
우리들의 목표는
정의, 인도, 자유, 평등, 인간애의 승리인,
인민들의 승리인,
우리들의 혁명을 전취할 때까지,

우리는 아직
우리들의 피깃발을 내릴 수가 없다.
우리들의 피외침을 멈출 수가 없다.
우리들의 피불길,
우리들의 전진을 멈출 수가 없다.

혁명이여!


『학생혁명시』(교육평론사, 1960. 7)에 수록된 이「우리들의 깃발을 내린 것이 아니다」에는 4·19의 성격과 이념이 선명히 드러나 있다. 그것은 4·19가 민족의 자유와 민주, 인권과 평등, 인도와 정의, 그리고 인간애의 실천을 위한 '우리' 즉 '민중을 위한', '민중에 의한', '민중의' 혁명이라는 점을 확연하게 천명한 데서 찾아진다. "철저한 민주정체/철저한 사상의 자유/철저한 경제균등/철저한 인권평등"을 목표로 하는 '정의, 인도, 자유, 평등, 인간애'의 투쟁인 것이다. 무엇보다 중요한 것은 이 시가 4·19를 단순히 지나간 역사적 사건 또는 과거완료형으로 파악하고 있지 않은 점이다. 이 시에서 시인은 "우리는 아직도/우리들의 깃발을 내린 것이 아니다/우리들의 깃발을 내릴 수가 없다/우리들의 혁명을 전취할 때까지/우리들의 전진을 멈출 수가 없다"라는 구절에서 볼 수 있듯이 4·19를 현재진행형 또는 미래완료형으로 파악하고 그의 실천을 향한 지속적인 투쟁과 노력을 강력히 주장하고 있는 것이다. 4·19는 분명히 이 땅에서 1960년 4월 19일에 일어난 반독재·반봉건·반인권에 대한 저항운동이라는 혁명적 성격을 지니는 것이 사실이지만, 동시에 앞으로의 이 땅 역사 전개에 있어서도 지속적으로 추진되고 실천되어야 할 진행형 혁명[30]이어야 한다는 깨달음이 자리 잡고 있는 것이다.

　이 점에서 우리는 시인 박두진(朴斗鎭)이 지닌 예언적 지성으로서의 면모를 읽을 수 있다. 그가 일찍이 식민지하 어둠 속에서 "해야 솟아라. 말갛게 씻은 얼굴 고운 해야 솟아라. 산 넘어서 산 넘어서 어둠을 살라먹고, 산 넘어서 밤새도록 어둠을 살라먹고, 이글이글 앳된 얼굴 고운 해야 솟아라"(「해」에서)라고 노래함으로써 민족의 독립, 광복을 상징적으로 예언하고 갈망했던 것처럼, 4·19시에 있어서도 그 혁명적 이념의 실천이 앞으로의 이 땅 역사 전개에 있어 얼마나 지난한 일일 것인가를 슬기롭게 예감한 것으로 보이기 때문이다. 이 점에서 이 시가 '깃발/선혈/절규/피외침/젊음/전진/혁명' 등 상황시에서 발견되는 상투적 시어를 반복적으로 사용한 약점을 지니고 있음에도 불구하고 신동문(辛東文)의 「아! 신화(神話)같이 다비데군(群)들」과 함께 당대에 쓰여진 가장 뛰어난 4·19 혁명시의 한 편으로 평가될 수 있는 소이가 발견되는 것이다. 실상 이러한 미완성 혁명으로서의 4·19에 대한 이해는 한 젊은 학생의 시에서도 나타난 바 있다.

---

30) 신경림, 「우리 시에 비친 4월혁명」, 신동엽 편, 『4월혁명기념시전집』(교육평론사, 1960), 368쪽.

일은 아직 끝나지 않았다.

이제, 먼저
가신 형제들의 승화한 넋으로
장엄하고 처절한 서곡은 울려지고
민주주의란 이름의 화려한
오페라의 막은
오르려 한다.
그러나 일은 아직 끝나지 않았다.

막을 올려
그 아름다운 영창(詠唱)을 들어야 하지 않겠느냐!
일은 아직 끝나지 않았다.
　　　　　　　　　－「일은 아직 끝나지 않았다」 전문


　당시 경기중학 3학년생이던 김동녕이란 학생에 의해 1960년 4월 25일 쓰여진 이 시는 어린 학생으로서 생각한 4·19관을 보여 준 것으로서 관심을 끈다. 그것은 자유·민주주의를 향한 민주·민권운동으로서의 4·19가 '끝난 것'이 아니라 '막이 오르려 한다'와 같이 4·19로부터 시작될 민족사적 과제임을 제시한 것으로 볼 수 있기 때문이다. 따라서 박두진과 학생의 시편들은 4·19를 승리한 '사건'으로만 바라보고 흥분에 들떠 있던 당대의 많은 시민·학생·시인들과는 구별되는 예리하고 깊이 있는 예언적 지성을 실천적으로 드러내 보여 준 것으로 이해된다.

　이처럼 4·19 현장시는 각계각층의 수많은 사람들에 의해 쓰여지면서도 몇몇 시인들에 의해 치열하면서도 예리한 문학적 표현을 어느 정도 성취해냈다는 점에서 의미를 지닌다.

## 3. 1960년대의 4·19시(詩)

4·19가 수많은 현장시 · 상황시를 남겼던 것은 사실이다. 그러나 1960년대 전반을 통틀어 볼 때 정신적 치열성이나 깊이가 성공적으로 예술적 형상성을 획득한 경우는 그리 많지 않은 것으로 보인다. 그중 '60년대의 시 가운데에서 김수영의 다음 작품은 4·19가 시적으로 잘 형상화된 한 전범으로 인정할 수 있으리라 생각된다.

> 푸른 하늘을 제압하는
> 노고지리가 자유로왔다고
> 부러워하던
> 어느 시인의 말은 수정되어야 한다
>
> 자유를 위해서
> 비상하여 본 일이 있는
> 사람이면 알지
> 노고지리가
> 무엇을 보고
> 노래하는가를
> 어째서 자유에는
> 피의 냄새가 섞여 있는가를
> 혁명은
> 왜 고독한 것인가를
>
> 혁명은
> 왜 고독해야 하는 것인가를

서구풍의 모더니즘시로 출발했던 김수영은 4·19를 전후하여 급격한 시적 변모를 겪게 된다. 그것은 모더니즘 취향에서 사회적 관심으로의 전환이다.

이 「푸른 하늘을」은 1960년대 이 땅 참여시의 한 수준을 알 수 있게 해주는 대표작의 하나이다. 이 작품은 4·19 직후인 1960년 6월 15일의 작품임에도 불구하고, 직설적인 구호의 남발이나 관념적인 영탄의 나열이 거세되고 실천적 리얼리즘에 근접하고 있다는 점에서 관심을 끈다. 먼저 이 시는 자유에 대한 기왕의 통념에 대한 강한 반발에서 시작된다.

그것은 "노고지리가 자유로왔다고/부러워하던/어느 시인의 말은 수정되어야 한다"라는 첫 구절을 통해서 선명히 드러난다. 이 구절에는 자유가 타인 혹은 외부로부터 주어지는 수동적·소극적인 개념이 아니라 투쟁해서 획득해야 하는 적극적·실천적 개념이라는 데 대한 확신이 담겨져 있다. 또한 이 구절 속에는 노고지리나 읊어서 자유를 노래하던 기존 시인들의 온건주의 또는 순응주의에 대한 비판도 담겨져 있는 것으로 보인다. 아울러 고전 정서나 서정 일변도의 시 정신에 깊이 침윤돼 있던 당대 시와 시인들에 대한 강력한 저항을 시도한 것으로 이해된다. 자유를 위한 비상, 그것은 단순한 노고지리 예찬이나 시인의 노랫가락 혹은 말로 도달할 수 있는 안이한 영역이 아니다. 그것은 오히려 땀과 눈물과 피를 통해서 조금씩 성취해 갈 수 있는 투쟁과 실천의 과정 속에 놓여지는 데 참뜻이 있는 것이다. "자유를 위해서/비상하여 본 일이 있는/사람이면 알지/어째서 자유에는/피의 냄새가 섞여 있는가를"이라는 구절 속에는 바로 이 자유가 피나는 투쟁과 노력의 과정을 통해서만이 전취될 수 있는 인류의 지고최상(至高最上)의 명제라는 데 대한 깨달음이 담겨져 있는 것으로 보인다. '푸른하늘'로서의 높고 아름다운 자유를 향한 비상은 '피의 냄새'라는 구체적이면서도 실천적인 투쟁과 노력을 통해서만이 비로소 근접해 갈 수 있는 이념태(理念態)로서 존재하기 때문이다. '푸른 하늘'과 '피의 냄새'의 선명한 대응 속에는 자유를 향한 이상과 현실, 이념과 실제, 그리고 존재와 당위 사이의 첨예한 갈등이 포괄적으로 제시돼 있다. 특히 이 두 대조적 상징의 자연스러운 결합은 푸름과 붉음이라는 색감과 그 표상성이 불러일으키는 심미성과 사실성의 조화로 말미암아 이런 류의 시가 자칫 떨어지기 쉬운 관념적 도식성을 극복하고 예술성과 실천성의 행복한 조화를 성취하게 만드는 원동력이 된다.

무엇보다 이 시가 성공적인 것은 다음 구절, 즉 "혁명은/왜 고독한 것인가를"이라는 깨달음을 제시한 데서 찾아볼 수 있다. 피의 냄새가 섞여 있을 수밖에 없는 투쟁적·적극적 개념의 자유, 그것을 성취하기 위한 거대한 혁명이 왜 고독한 것이고 또 고독해야만 하는가 하는 질문의 제기는 분명 아이러니칼한 일이 아닐 수 없다. 여기에서 운명과 자유, 집단공동체와 단독자로서의 개인 상호 간에 있어서의 갈등의 문제가 제기된다. 집단행동으로서 끊임없이 피와 눈물을 필요로 하는 자유를 위한 투쟁 혹은 혁명은 필연적으로 개인의 희생을 요구하고, 그에 따른 좌절과 절망을 겪게 만든다. 혁명은 필연적으로 집단과 개인, 역사와 현실, 그리고 이념과 실제의 괴리와 충돌을 유발할 수밖에 없으며, 이 과정에서 자유의 본질과 현상에 대한 절망적인 깨달음과 함께 단독자로서의 자아에 대한 무력감과 뿌리 깊은 고독감을 절감하게 만들기 때문이다. 따라서 혁명이 고독하고 고독해야 한다는 것은 바로 자유 그 자체가 고독한 것이며, 고독한 것일 수밖에 없다는 자유의 본질에 대한 소중한 깨달음을 제시한 것으로 판단된다. 자유는 인간의 본질이며, 인간이 인간다울 수 있는 표징이지만 동시에 그에 따른 실천적 어려움과 요구가 있게 마련이다. 자유는 무한개념이지만 동시에 현실에 적응해야 하는 실천적 개념이기 때문에 해방의 자유와 함께 운명적 구속을 테두리로 삼을 수밖에 없다. 바로 이 점에서 자유는 해방과 구속, 열락과 고독을 함께 포괄하는 양면성을 지니는 것이다. 바로 이러한 자유와 혁명이 내포하고 있는 양면성에 대한 깨달음이 분명하게 제시돼 있다는 점에서 이 시의 탁월성이 드러난다. 민중혁명으로서의 4·19에 대한 실천적 이념이 예술적 형상성으로 승화된 것과 함께 자유와 혁명의 본질과 현상에 대한 깊이 있는 통찰이 담겨 있다는 점에서 이 시는 4·19

혁명이 문학적으로 성취한 1960년대 시의 한 성과로 판단되는 것이다.

박봉우도 시 속에서 4·19를 능동적으로 수용한 시인의 한 사람이다.

> 4월의 피바람도 지나간
> 수난의 도심은
> 아무렇지도 않는
> 표정을 짓고 있구나.
>
> 진달래도 피면 무엇하리.
>
> 갈라진 가슴팍엔
> 살고 싶은 무기도 빼앗겨 버렸구나.
> 아아 저녁이 되면
>
> 자살을 못하기 때문에
> 술집이 가득 넘치는 도심.
>
> 약보다도
> 이 고달픈 이야기들을 들으라
> 멍들어 가는 얼굴들을 보아라.
>
> 어린 4월의 피바람에
> 모두들 위대한
> 훈장을 달고
> 혁명을 모독하는구나.
>
> 이젠 진달래도 피면 무엇하리.
>
> 가야 할 곳은
> 여기도,

저기도, 병실.

모든 자살의 집단, 멍든
기를 올려라
나의 병든 데모는 이렇게도
슬프구나.

　박봉우는 1956년 『조선일보』 신춘문예에 「휴전선」으로 등단한 이래 당대 현실과 사회에 관한 관심을 시로 표현하는 데 힘을 기울여 왔다. 특히 4·19에 관해서는 "사월은 피로 덮인/그만큼 잔인한 달인가"라고 노래한 시 「젊은 화산」 등과 같이 폭발적인 열정을 유감없이 과시하였다. 그런데 4·19의 흥분과 열기가 차츰 가라앉기 시작할 무렵인 1961년 3월 쓰여진 앞의 인용시는 4·19가 스쳐 지나간 뒤의 좌절감과 허탈감을 적절히 표출하여 또 다른 관심을 불러일으킨다. 즉 「진달래도 피면 무엇하리」라는 이 시는 4·19의 격정과 흥분과는 거리가 먼, 절망과 좌절 그리고 허탈을 노래한다는 데서 4·19시의 색다른 면을 보여주는 것이다. "4월의 피바람도 지나간/수난의 도심은/아무렇지도 않는/표정을 짓고 있구나"라는 구절 속에는 역사의 무상함과 인사(人事)의 덧없음이 담겨져 있는 것으로 보인다. 그러기에 "진달래도 피면 무엇하리"라는 회한과 탄식에 젖어 드는 것이다. 이러한 탄식은 마치 진달래꽃처럼 산화해 간 4·19 희생자들에 대한 애절한 추모의 정과 함께 인생의 덧없음에 대한 비애를 담고 있는 것으로 보인다. 아울러 4·19 이후 나날이 변질되고 퇴색해 가는 4·19 정신에 대한 좌절감 혹은 배신감을 표출한 것으로도 풀이된다. 그렇기 때문에 "저녁이 되면/자살을 못하기 때문에/술집이 가득 넘치는 도심"이라는 비관적·타락적 징후를 노래하게 되는 것이다.

　4·19가 비록 이(李) 정권의 몰락과 그에 따른 정권의 변동을 가져왔지만, 진정한 의미의 혁명으로서는 실패한 것일 수밖에 없다는 깨달음이 표출된 것

일 수도 있다. '자살'과 '술집'이라는 시어 속에는 4·19 이후 자생적인 민주역량의 부족으로 혼란과 무질서를 되풀이하고 있던 당대 현실에 대한 자조와 자학의 분위기가 상징적으로 표현돼 있는 것으로 보이기 때문이다. 4·19가 수많은 젊은이들을 떨어진 진달래꽃처럼 희생시킨 숭고한 '혁명'이었음에도 불구하고, 그것이 완전한 의미에서의 혁명으로 승화되지 못하고 있는 당대 현실에 대한 절망감과 배반감이 시 속에 담겨져 있는 것이다. 오히려 세상에는 고달픈 이야기만 들려오며 멍들어가는 얼굴들만 떠도는 어두운 현실로 받아들여진다. 아울러 "훈장을 달고/혁명을 모독하는" 타락한 무리들이 횡행하는 비관적인 세계상으로 파악되는 것이다. 그렇기 때문에 "가야 할 곳은/여기도/저기도, 병실"과 같이 고통과 절망이 함께 하는 어두운 장소로서 현실이 인식되는 것이다. 병실로밖에 암유될 수 없는 시대 분위기는 4·19 이후 표류하던 당대 현실에 대한 날카로운 고발을 담고 있는 것으로 보인다. 그러므로 마지막 연에서처럼 "모든 자살의 집단, 멍든/기를 올려라"와 같이 퇴색한 4·19정신과 왜곡돼가는 혁명의지에 대한 야유를 표출하게 된다. 아울러 "나의 병든 데모는 이렇게도/슬프구나"라는 구절에서 보듯이 병들어가는 현실에 외로이 저항하고 탄식하는 모습이 드러나게 된다. 이 결구 속에서는 순수하고 높기만 하던 4·19의 이념지향과 그렇지 못한 이후의 현실 상황이 서로 충돌하고 갈등하는 데 따른 절망감과 비애가 담겨져 있는 것으로 보인다.

따라서 이 「진달래도 피면 무엇하리」는 이 땅에서 민권·민중혁명으로서 최초로 성공적이었던 4·19의 진정한 뜻이 왜곡되고 모독되며 변질돼 가는 당대 현실에 대한 절망과 탄식을 노래한 데 의미가 있다. 또한 이 시는 흥분과 격정으로 들떠서 온갖 수사적 미문(美文)과 관념적 구호로 일관했던 당대 4·19시와 나날이 변질돼 가는 4·19정신에 대한 비관적 자기성찰을 보여주었다는 데서 주목에 값한다. 실상 이 시는 "혁명은 왜 고독한 것이고/왜 고독해야 하는 것인가"를 질문하던 김수영에 대한 한 응답일 수 있다. 무엇보다도 이 시는 4·19를 바라보는 시선에 대한 근원적인 한 시각을 제시한 것으로 보여서 주목된다. 그것은 이 시가 4·19를 총체적인 면에서 성공한 완료형 혁명으로 보기는 어려우며, 이 점에서 미완의 혁명 또는 반독재 민주화 학생의거로 볼 수도 있다는 암시를 제공한 것으로 판단되기 때문이다. 이것은 4·19에 대한 과소평가나 부정적 판단이 아니다. 실상 이 시가 쓰여진 한두 달 후에 5·16쿠데타라는 불행한 사건이 돌발하는 사태로까지 진전된 것도 실상 4·19가 내포하고 있던 취약성 또는 한계점을 반영한 것일 수도 있기 때문이다.

> 껍데기는 가라.
> 사월(四月)도 알맹이만 남고
> 껍데기는 가라.
>
> 껍데기는 가라.
> 동학년(東學年) 곰나루의, 그 아우성만 살고
> 껍데기는 가라.
>
> 그리하여, 다시
> 껍데기는 가라.
> 이곳에선, 두 가슴과 그곳까지 내논
> 아사달 아사녀가
> 중립(中立)의 초례청 앞에 서서
> 부끄럼 빛내며
> 맞절할지니
>
> 껍데기는 가라.
> 한라에서 백두(白頭)까지
> 향그러운 흙가슴만 남고
> 그, 모오든 쇠붙이는 가라.

1967년에 발표된 시 「껍데기는 가라」(현대한국문학전집, 『52인시집(人詩集)』, 신구문화사)는 4·19시들이 지니고 있던 관념적 허구성과 자기모순, 그리고 감상적 허무주의에 대한 정공법적 비판을 퍼부어 세인의 관심을 불러일으켰다. 이 시는 김수영의 「푸른 하늘을」이 내포하고 있던 다소의 추상성과 박봉우(朴鳳宇)의 「진달래는 피면 무엇하리」에서의 니힐리즘이 극복되어 있다. 우선 제목에서부터 「껍데기는 가라」와 같이 투박한 시어와 명령형 종지를 사용하여 목숨으로부터 울려 나는 정신의 힘을 과시한다. 특히 '가라, 가라……' 등 7번이나 반복되는 명령형 종지법은 서정시가 지니기 쉬운 나약함이나 왜소성을 결연히 제거하고, 분출하는 남성적 대결 정신을 감지하게 만들어 준다. 또한 그것은 맹목적인 반발이나 비판을 위한 비판으로서가 아니라, '껍데기'에 상대되는 '알맹이'를 요구한다는 점에서 구체성을 지닌다. 김수영이 '피'로써 전취한 고독한 자유와, 박봉우가 절망하던 4·19정신의 퇴색을 동시에 뛰어넘어 4·19정신의 알맹이만 남고 껍데기는 물러가라는 사자후를 외친 것이다. 자유·민권·민주를 위해 피를 흘린 4월의 참뜻을 회복하는 일만이 알맹이를 찾는 일이다. 자유민주주의를 억압하는 모든 요소들은 모두 껍데기로 규정되어 매도되고 있는 것이다. 특히 4·19로부터 이 시가 쓰여지기까지 5·16이라는 민족사적 불행이 가로놓여 있었다는 점을 음미해 본다면 껍데기의 요소는 더욱 선명히 드러날 수도 있을 것이다. '껍데기'는 4·19정신을 왜곡하는 일체의 거짓과 부조리, 그리고 반민주적 불순세력을 직접적으로 표상한 것이 된다. 따라서 4·19는 1894년의 동학민중운동으로 자연스럽게 연결된다. 4·19는 민중·민족·민주운동으로서 동학과 이념적인 면에서 근원적 동일성을 지니기 때문이다.

특히 4·19와 동학년(東學年)을 병치시킨 것은 신동엽의 시 의식이 민족주의적인 역사의식에 자리 잡고 있음을 말해주는 것으로 보인다. "남고~가라/살고~가라"라는 대응적 반복 속에는 바로 4·19와 동학 이념에 위배되는 사악한 것들에 대한 강력한 부정정신과 도전의지가 깃들어 있다. 이러한 신동엽의 민족주의적 역사의식은 삼국시대 백제와 신라로 나뉘어 끝내 결합을 이루지 못하고 비련에 죽은 아사달·아사녀를 등장시킴으로써 분단으로 인한 역사의 비극, 민족의 불행을 노래하게 된다. "이곳에선, 두 가슴과 그곳까지 내논/아사달 아사녀가/중립의 초례청 앞에 서서/부끄럼 빛내며/맞절할지니"라는 구절 속에는 민족의 화합, 분단의 극복을 위해서라면 이데올로기는 물론 지상의 그 어떤 인위적 가치까지도 버릴 수 있다는 민족지상주의가 자리 잡고 있는 것이다. 김수영의 참여의식이 다분히 서구적 발상법과 그 취향에 물들어 있다면 신동엽의 그것은 한국적 전통과 대지사상 위에 뿌리박은 민족주의적 역사의식에 젖줄을 대고 있는 것으로 보인다. 우리 정신, 우리 민족, 우리 역사에 대한 본능적 집착과 애정이 자리 잡고 있는 것이다.

따라서 마지막 연에서 신동엽은 분단상황을 거시적 안목에서 총체적으로 바라보고자 노력한다. 그리고 분단상황의 극복은 전쟁에 대한 거부와 무력통치에 대한 배격을 전제 원리로 한다는 점을 강조한다. "향그러운 흙가슴만 남고/그, 모오든 쇠붙이는 가라"라는 구절은 어쩌면 전쟁과 피흘림으로 점철돼온 이 땅의 비극적 역사에 대한 통렬한 비판이자, 반무력·반독재·반외세·반봉건을 갈망하는 평화주의·자유주의·민권주의 이념의 실현을 강조한 것이 아닐수 없다. 이 점에서 「껍데기는 가라」는 4·19정신을 첨예하게 형상화한 4·19시의 꽃이면서 동시에 '60년대 참여시의 한 절정이 될 수 있는 것으로 판단된다.

이렇게 볼 때 4·19의 시적 수용은 '60년대에 있어서도 여러 편차를 지니고 있음을 알 수 있다. 초기 현장시들이 격렬한 구호와 직설적인 현장 묘사, 엇비슷한 주제 또는 소재 나열 등에 머물렀던 데 비해 시인들이 차츰 4·19의 역사적·민족적·사회적 당위성을 깊이 인식하면서부터 거기에 걸맞은 시적 형상화를 추구한 것이다. 김수영의 「푸른 하늘을」, 박봉우의 「진달래도 피면 무엇하리」 그리고 신동엽의 「껍데기는 가라」가 4·19시의 전부도 아니고 또 전범도 될 수 없지만, 그 속에서 우리는 4·19가 우리에게 눈뜨게 해준 자유·민권·민중의 소중함에 대한 인식과 그 가치의 재발견의 노력을 읽을 수 있었던 것은 소중한 일이 아닐 수 없다. 이것은 3·1운동이 「독립선언서」와 몇 편의 암유적인 서정시를 남겼을 뿐이라는 점을 음미해볼 때 실로 값진 수확이 아닐 수 없기 때문이다.

## 4. 1970~80년대의 시적 응전

김수영과 신동엽으로 표상되던 1960년대 4·19시는 공교롭게도 두 시인이 60년대 말에 타계하면서 더 이상의 큰 수확을 거두지 못하고 막을 내렸다. 그 대신 1970년대에 접어들면서 70년대 시인군이 새롭게 등장하면서 또 다른 국면을 맞이하였다. 이것은 1960년대 말기의 박(朴)정권의 삼선개헌과 1970년대 초의 유신 결행으로 말미암은 정치적 탄압과 긴장으로 인해 더욱 예화되고 경화된 양상을 보였다. 특히 이 무렵 「황톳길」 등으로 데뷔한 김지하는 당대의 정치·사회·경제적 모순과 부조리를 구조적으로 파악하여 「오적(五賊)」 등의 풍자시·고발시를 씀으로써 4·19정신의 살아있음을 과시하였다. 또한 신경림·조태일·이성부·김광협·양성우 등의 젊은 시인들도 반유신·반독재 민주화운동의 연장 선상에서 사회적 관심의 시편을 발표하였다. 이 중에서 양성우의 시 「4월 회상」은 1970년대 시인들에 있어서의 4·19의 시적 수용양상을 단적으로 보여주는 한 예가 된다. 양성우는 김지하와 앞서거니 뒤서거니 『시인(詩人)』지에 작품을 발표하여 데뷔하면서 시집 『신하여 신하여』(1974), 『겨울 공화국』(1977) 등의 강도 높은 현실비판과 풍자 그리고 고발과 야유를 시로써 형상화한 시인이다.

들어 보아라. 지금도 광화문 그 부근에 가서
한나절 귀기울여 들어보아라.
시린 목덜미를 움추려가며, 다친 팔다리를
어루만지며, 여기저기 숨죽이며 들어보아라.
온몸에 시뻘건 피투성이로
길바닥에 나뒹굴며 발을 구르며
죽어간 영혼들의 신음소리가 구천에 가득 차서
번쩍이면서 성난 물결로 밀려오지 않느냐.

바람이어라. 진흙 위에 뜨겁게 일어나는
바람이어라. 끈끈한 설움 짓씹어가며
우수수 우수수 몰아쳐 오는 눈물이어라.
서울의 칼날 뿐인 하늘 아래서
이글이글 타오르는 4월 그 아침,
남은 목숨으로 치달으면서
목이 터지도록 외치며 가던 햇살이어라.
총창 끝에 쓰러지며 난자당하며
우수수 우수수 몰아쳐 오는 바람이어라.
진흙 위에 뜨겁게 일어나는 바람이어라.

사방에서 피비린내만 나더라.
어디서나 총든 놈만 즐거워하고,
날마다 사람들은 밤이 되어서
억울하게 부자들의 밥이 되어서
안개처럼 흐르다가 사라져 가고
사방에서 증오만 자라고
사방에서 피비린내만 나더라.

대낮에 흘린 피가 날아 올라서
칙칙한 밤하늘의 큰별이 되고,
대낮에 흘린 피가 스며들어서

먼지 뿐인 이 땅의 큰 꽃이 되어
이글이글 타오르며 손짓하면서
찢어진 가슴팍을 긁어대면서
한밤에도 악몽속에 소리치며 온다.

들어 보아라. 빼앗긴 사람들아.
한세월 땅속에 눈물로 고여서
적막강산 바라보며 눈물로 고여서
지금도 광화문 그 부근에 살며
밤새워 그날을 기다리고 있는
4월 영혼들의 신음소리를
한나절 귀기울여 들어보아라.
물문은 휴지처럼 군화끝에 채이며
얼음 위에 떠도는 빼앗긴 사람들아.
들어보아라.
온몸에 시뻘건 피투성이로
소리치며 소리치며 오지 않느냐.
지금도 광화문 그 부근에
살며.

이 시의 특성은 4·19라는 과거 사실의 현재화에서 선명히 드러난다. "들어보아라. 지금도 광화문 그 부근에 가서/온몸에 시뻘건 피투성이로/길바닥에 나딩굴며 발을 구르며/죽어간 영혼들의 신음소리가 구천에 가득 차서/번쩍이면서 성난 물결로 밀려오지 않느냐'라는 구절 속에는 4·19가 단지 1960년의 자유민주화운동이 아니라 1970년대 당대에 있어서도 가장 절박한 시대사적 당위성이자 민족사적 과제임을 강조하는 주장이 들어있다. 4·19는 1960년대에 종료된 역사적 사건이 아니라 70년대 당대에 있어서도 새롭게 음미되고 실천돼야 할 것이라는 강력한 시사가 담겨 있는 것이다. 여기에서 4월은 회상의 대상이 아니라 새롭게 또 다른 차원으로 극복되고 실천돼야 한다는 깨달음인 것이다. 동시에 이 시는 '얼음 위에 떠도는 빼앗긴 사람들'로서의 민중적 자각과 결집을 강조하는 특색을 지닌다. 4·19가 주로 학생층을 중심세력으로 한 저항운동이었기 때문에 비조직성·관념성·일시성·유행성적인 여러 약점을 지녔으며 그 결과 전민중 각계각층에 광범위하며 심도 있는 저력을 결집하고 조직적으로 지속화하지 못한 데서 한계가 드러났던 것이 사실이다.

　따라서 이 시는 1970년대의 4·19시가 학생층만이 아닌 소위 '뿌리뽑힌 자' 또는 '빼앗긴 자'들을 민주화운동의 주체로 결집화하고 역동화(mobilization)해야 한다는 변모와 투쟁의식을 보여준 것으로 이해된다. 또한 "밤새워 그날을 기다리고 있는/4월 영혼들의 신음소리를/한나절 귀기울여 들어보아라"라는 구절 속에는 4·19가 지난 지 10여 년이 훨씬 지나서도 실현되지 못하고 있는 자유민주주의의 수난에 대한 탄식과 함께 그것의 실천적 행동을 주장하고 강조하는 의도가 들어있는 것으로 보인다. 마치 식민지 암흑 아래서 심훈이 「그날이 오면」에서 광복의 그 날을 기다리고 갈망했던 것처럼 1970년대의 한 시인은 이 땅에서의 진정한 자유민주주의의 도래와 실천의 그 날을 애타게 갈망한 것이다. 특히 「온몸에 시뻘건 피투성이로/소리치며 소리치며 오지 않느냐/지금도 광화문 그 부근에/살며」라는 결구는 과거적 사실의 현재화가 주는 긴박감과 현실감을 고조시킴으로써 실천성·전투성을 강조하는 것으로 보인다. 이렇게 볼 때 이 작품은 1970년대에 들어서서 60년대의 자유·민주주의운동이 민중·민권운동의 차원으로 변모하여 그 실천에 있어서도 한층 과격해지고 있음을 보여주는 한 예가 된다. 이것은 어쩌면 일제하에서 무력 항일 독립투쟁을 주장하던 단재(丹齋) 신채호처럼 전투적 지성의 면모를 반영하는 것일지도 모른다. 이와는 달리 4·19는 1970년대 시인들에게 비분강개하여 우국충정을 토로하던 이조 선비들처럼 지사적 지성의 발현으로 나타나기도 한다. 정희성의 시가 그 한 예가 된다.

보이지 않는 것은 죽음만이 아니다
굳이 돌에 새긴 피
그 시절의 무덤을 홀로
지키고 있는 것은 석탑(石塔)뿐
이 땅의 정처없는 넋이
다만 풀 가운데 누워
풀로서 자라게 한다
봄이 와도 우리가 이룬 것은 없고
죽은 자가 또다시 무엇을 이루겠느냐
봄이 오면 속절없이 찾는 자 하나를
젖은 눈물에 다시 젖게 하려느냐
4월이여

이 「4월에」라는 시는 마치 산림에 묻혀 잘못된 정치·현실 등에 비분강개하며 울분을 삭이던 이조시대 산림유(山林儒)들의 시를 연상케 해준다. 그만큼 비관주의적 세계인식의 태도와 함께 강직한 지절에서 비롯된 고전적 품격을 느끼게 한다는 말이다. 이 시가 비극적 세계인식의 태도와 분위기를 느끼게 하는 것은 무엇보다 '죽음/돌/피/무덤/넋/눈물' 등의 하강적 체언과 '보이지 않는/정처없는/속절없이' 등의 수식언을 주로 사용하는 데 기인하는 것으로 보인다. 그러면서도 지사적 품격과 예술성을 함께 느끼게 하는 것은 '돌'과 '피'의 대응, '석탑'과 '풀'의 대응처럼 견고한 광물적 이미지와 부드러운 생명적 이미지가 효과적으로 결합되는 데서 오는 대립적인 객관적 상관물의 강력한 부딪침에 있다.

그와 함께 '~것은 ~아니다', '홀로 ~뿐', '와도 ~없고', '무엇을 ~하겠느냐' 등의 부정종지법·강세조사·반어법·단정법 등을 활용하는 독특한 문장구조에 기인한다. 물론 이러한 하강적·부정적 시어 활용과 단정형·부정형 문장구조의 습용은 정희성 시에서 단정적·비관적·비판적 분위기를 형성함으로써 그의 시가 고전적·지사적 품격을 지니는 데 결정적으로 작용하는 것으로 보인다. 특히 '피'와 '돌'과 '풀'의 이미지가 등장한 것은 매우 상징적이다. 피는 투쟁과 희생을, 돌은 지조와 강직을, 풀은 생명과 민초(民草, 민중)를 상징한다는 점에서 이 시가 간결하면서도 효과적으로 '인권의식·역사의식·생명의식·민중의식' 등을 함축적으로 제시함을 알 수 있다. 돌(역사)에 새긴 4·19의 피(자유·민권투쟁과 희생)는 시대에서 시대를 넘어 풀(민중·생명력)로서 연면히 또 꿋꿋하게 이어져가리라는 확신이 담겨져 있다. 이루지 못한 것으로서의 한(恨)과 어쩔 수 없음으로서의 비애, 그리고 이루고 말겠다는 굳센 결의의 강직함이 함께 결합됨으로써 목청 높았던 4·19 참여시가 품격 높은 민중시로 변모하게 된 한 예가 바로 정희성의 시인 것이다.

김광규는 4·19세대로서 겪었던 지난 젊은 날의 격정과 그 이후의 낭만적 아이러니(romantic irony)를 활용함으로써 효과적으로 형상화해 주었다.


4·19가 나던 해 세밑
우리는 오후 다섯시에 만나
반갑게 악수를 나누고
불도 없는 차가운 방에 앉아
열띤 토론을 벌였다.
어리석게도 우리는 무엇인가를
정치와는 전혀 관계없는 무엇인가를
위해서 살리라 믿었던 것이다
결론없는 모임을 끝낸 밤
혜화동 로우터리에서 대포를 마시며
사랑과 아르바이트와 병역문제 때문에
우리는 때묻지 않은 고민을 했고
아무도 귀기울이지 않는 노래를
누구도 흉내낼 수 없는 노래를
저마다 목청껏 불렀다

돈을 받지 않고 부르는 노래는
겨울밤 하늘로 올라가
별똥별이 되어 떨어졌다

그로부터 18년 오랜만에
우리는 모두 무엇인가가 되어
혁명이 두려운 기성세대가 되어
넥타이를 매고 다시 모였다
회비를 만원씩 걷고
처자식들의 안부를 나누고
월급이 얼마인가 서로 물었다
치솟는 물가를 걱정하며
즐겁게 세상을 개탄하고
익숙하게 목소리를 낮추어
떠도는 이야기를 주고받았다
모두가 살기 위해 살고 있었다
아무도 이젠 노래를 부르지 않았다
적잖은 술과 비싼 안주를 남긴 채
우리는 달라진 전화번호를 적고 헤어졌다
몇이서는 포우커를 하러 갔고
몇이서는 춤을 추러 갔고
몇이서는 허전하게 동숭동 길을 걸었다
돌돌 말은 달력을 소중하게 옆에 끼고
오랜 방황끝에 되돌아온 곳
우리의 옛사랑이 피흘린 곳에
낯선 건물들 수상하게 들어섰고
플라타너스 가로수들은 여전히 제자리에 서서
아직도 남아 있는 몇 개의 마른잎 흔들며
우리의 고개를 떨구게 했다
부끄럽지 않은가
부끄럽지 않은가

바람의 속삭임 귓전으로 흘리며
우리는 짐짓 중년기의 건강을 이야기했고
또 한 발짝 깊숙이 늪으로 발을 옮겼다

「희미한 옛사랑의 그림자」라는 마치 유행가의 구절 같은 제목 자체에서부터 무언가 아름답던 꿈, 소중했던 젊은 날의 환상의 붕괴 또는 상실을 암시받을 수 있다. 이 시의 쟁점은 바로 이러한 낭만적 아이러니의 묘미에 있다. 낭만적 아이러니란 지난날 품고 있던 동경과 갈망, 환상과 기대가 일시에 붕괴되고 사라지는 데서 오는 돌발적인 정신의 몰락 또는 모순의 정서를 일컫는다.[31] 이 시에서 전반부는 바로 이러한 4·19 당시의 순수하고 아름답던 격정과 낭만이 나타났다가 후반에 그러한 꿈과 환상이 급격히 무너져가는 낭만적 아이러니의 전형을 보여준다. "불도 없는 차가운 방에 앉아/열띤 토론을 벌이고/때문지 않은 고민을 하고/누구도 흉내낼 수 없는 노래를 저마다 목청껏 부르던" 젊은 날의 4·19시절, 자유와 민주, 정의와 진리를 위해 그 아무것도 바라지 않는 순수한 정열과 의기로 뭉치고 투쟁했던 그 시절의 소중했던 꿈은 이미 희미한 옛사랑의 그림자로 남아 있을 뿐인 것이다. "혁명이 두려운 기성세대가 되어/우리의 옛사랑이 피흘린 곳에/고개를 떨구며/부끄럽지 않은가/부끄럽지 않은가/바람의 속삭임 귓전으로 흘리며/또 한발짝 깊숙이 늪으로 발을 옮기는"이라는 퍼스나의 모습 속에는 어느새 현실적 존재로서 세속과 적당히 타협하며 살아가는 데 대한 부끄러움과 함께 또 그렇게 살아갈 수밖에 없는 시들어버린 정신에 대한 깊은 회한이 깃들어 있는 것으로 보인다. 젊은 시절 목숨을 걸고 자유·정의·진리를 외치던 열정과 순수를 잃고 나날이 생활인으로 떨어져 가고 마는 자신에 대한 뼈아픈 절망과 함께 어쩔 수 없음으로서의 현실과 인생에 대한 깊은 탄식을 드러낸 것이다.

---

31) A.Preminger, edit. *Princeton Encyclopedia of Poetry&Poetics*(Princeton Univ. Press, 1979), 407쪽.

김광규의 이러한 순응주의적 현실 인식은 어느 면 대부분의 4·19세대가 지닌 인생관을 적절히 반영한 것으로 보인다는 점에서 4·19정신 계승의 한 한계를 드러낸 것일 수도 있다. 물론 김광규는 시집 『아니다, 그렇지 않다』에서 이러한 4·19 정신의 또 다른 인식을 보여주는 것이 사실이지만, 시간의 경과에 따라 자연스럽게 퇴색해가는 4·19정신의 모습을 정확하게 표출한 것일 수가 있기 때문이다.

아울러 4·19는 여류시인들에게도 미완성 혁명으로서의 아픔을 던져주며 지속적으로 형상화됨을 볼 수 있다. 유안진의 시 「꽃으로 다시 살아」(서울대 대학신문, 1984)도 그 한 예가 된다.

> 지금쯤은 장년고개 올라섰을 우리 오빠는
> 꽃처럼 깃발처럼 나부끼다 졌답니다만
> 그 이마의 푸르른 빛 불길같던 눈빛은
> 4월 새닢으로 눈부신 꽃빛깔로
> 사랑하던 이 산하 언덕에도 쑥굴헝에도
> 해마다 꽃으로 다시 살아오십니다.
> 메아리 메아리로 몰아치던 그 목청도
> 생생한 바람소리 물소리로 살아오십니다.
> 꽃진 자리에 열매는 열려야 했지만
> 부끄럽게도 아직은 비어 있다 하여
> 해마다 4월이 오면 꽃으로 오십니다.
> 눈 감고 머리숙여 추도하는 오늘도
> 웃음인가요 웃음인가요 저 꽃의 모습
> 결고운 바람에도 우리 가슴 울먹입니다.

이 시의 핵심은 "꽃진 자리에 열매는 열려야 했지만/부끄럽게도 아직은 비어 있다"라는 구절에 놓여진다. 1980년대에 들어서서도 4·19가 자유민주주의의 완전한 실천이라는 열매를 거두고 있지 못한 데 대한 탄식을 표출하고 있는 것이다. 이처럼 4·19는 60~70년대 시인군들에게 있어서 고통스러운 상처이자 언젠가는 열매 맺어야 할 미완의 혁명개념으로서 존재하고 있음을 볼 수 있다.

한편 1980년대 들어서서 새로이 등장하기 시작한 젊은 시인들에게 4·19는 또다시 변모한 모습으로 나타난다. 그것은 단지 연례행사로서 되풀이되는 4·19 기념시의 의례성과 형식성에 대한 탄식 혹은 야유로 나타나기도 하며, 때로는 가슴속에 지울 수 없는 그리움으로 살아서 뜨거이 불타오르는 함성일 수도 있고, 아니면 80년대 초의 비극적 상황과의 자연스러운 접합으로 나타나기도 하는 것이다.

> 날마다 와도 아쉬운 판에
> 일년에 한번씩 오다니
> 차비가 없어 그러냐
> 천성이 게을러서 그러냐
> 나뭇가지마다 잎새는 피었다만
> 네가 뛰어 놀던
> 산도 있고 들도 있다만
> 어디가서 딴 살림하느냐
> 일년에 한번씩 와서
> 인사치레만 하고 달력 속으로 지는 해는
> 마산에서 헤어졌던
> 네가 아니다 공중에서 펄럭인다고 다 그날의
> 그리움이 아니다
> 아무리 세월이 흘렀다고 너를 모르겠느냐
> 해가 뜬 다음에도 오지 않더니
> 꽃이 핀 다음에도 오지 않는 너를

1980년대 신진시인인 정규화의 이 「그리움에게」에는 나날이 퇴락해가는

4·19정신과 요식행위화한 4·19 기념일에 대한 안타까움이 담겨져 있다. 4·19의 참뜻과 역사적 당위성을 깊이 인식하지 못하는 사람들에게 있어 4·19란 한낱 화석화해 버린 달력 속의 어느 날에 불과하다. 그러나 그것의 역사적 필연성과 시대적 당위성을 외면하지 못하는 지성들에게는 뼈아픈 아픔으로 다가와서 새삼스러운 그리움으로 되살아나는 그리움의 대상일 수 있다. "날마다 와도 아쉬운 판에/일년에 한번씩 오다니/차비가 없어 그러냐/천성이 게을러서 그러냐'라는 야유적인 표현 속에는 1960년의 4·19를 공시적 입장에서 파악하려는 현실의식이 자리 잡고 있는 것으로 보인다. 또한 "인사치레만 하고 달력 속으로 지는 해는/마산에서 헤어졌던/네가 아니다/공중에서 펄럭인다고 다 그날의/그리움이 아니다"라는 구절 속에는 진정한 4·19정신의 부활을 갈망하는 안타까운 심정이 담겨 있는 것이다. 아울러 이 시는 "아무리 세월이 흘렀다고 너를 모르겠느냐'라는 결구를 통하여 4·19정신의 계승에 대한 의지와 확고한 결의를 다짐하게 되는 것이다.

한편 역시 80년대 신예 시인의 한 사람인 김정환은 「지울 수 없는 노래」 등에서 4·19에 대한 본원적 동경과 함께 실천에 대한 폭발적 열정을 표출하고 있다.

> 불현듯, 미친듯이
> 솟아나는 이름들은 있다
> 빗속에서 포장도로 위에서
> 온몸이 젖은 채
> 불러도 불러도 대답 없던 시절
> 모든 것은 사랑이라고 했다
> 모든 것은 죽음이라고 했다
> 모든 것은 부활이라고 했다
> 불러도 외쳐 불러도
> 그것은 떠오르지 않는 이미 옛날

그러나 불현듯, 어느날 갑자기
미친듯이 내 가슴에 불을 지르는
그리움은 있다 빗속에서도 활활 솟구쳐 오르는
가슴에 치미는 이름들은 있다
그들은 함성이 되어 불탄다
불탄다. 불탄다. 불탄다. 불탄다.
사라져버린
그들의 노래는 아직도 있다
그들의 뜨거움은 아직도 있다
그대 눈물빛에, 뜨거움 치미는 목젖에

　이 시는 자유·정의·진리를 향한 굳건한 실천의지를 담고 있어 관심을 끈다. 특히 이 시는 '비'와 '불'의 두 가지 상징적인 대립 심상을 함께 병치함으로써 현실과 이상, 슬픔과 신념, 좌절과 의지의 갈등을 통한 정신의 살아 있음을 증거하려 했다는 점에서 시적 우수성이 두드러진다. 현실의 어두운 상황과 그에 따른 수난이 '비'로 표상됨에 비해 4·19정신의 부활에 대한 열정의 솟구침은 '불'로 나타나는 것이다. "불러도 외쳐 불러도/그것은 이미 떠오르지 않는 이미 옛날"과 같이 어쩌면 4·19는 화석화해 버린 역사적 사실일지도 모른다. 그러나 그것은 "어느날 갑자기/미친듯이 내 가슴에 불을 지르는 그리움" 또는 "빗속에서도 활활 솟구쳐 오르는/가슴에 치미는 이름"으로서 살아남아 있다가 드디어 "함성이 되어 불탄다/불탄다. 불탄다. 불탄다. 불탄다"와 같이 지울 수 없는 노래로 활화산화하는 것이다. 바로 이 점에서 4·19는 1980년대 젊은 시인에게 있어서는 언제라도 활화산화할 수 있는 휴화산으로 인식되는 한 특징을 지닌다.

　또한 4·19는 1980년대의 어떤 젊은 시인에게는 '오월' 상징과 연결된다는 점에서 관심을 끈다.

봄의 번성을 위해 싹틔운 너는
나에게 개화하는 일을 물려 주었다
아는 사람은 안다
이세상 떠도는 마음들이
한마리 나비되어 앉을 곳 찾는데
인적만 남은 텅빈 한 길에서 내가
왜 부르르부르르 낙화하여 몸 떨었는가
남도에서 꽃샘바람에 흔들리던 잎새에
보이지 않는 신음소리가 날 때마다
피같이 새붉은 꽃송이가 벙글어
우리는 인간의 크고 곧은 목소리를 들었다
갖가지 꽃들함께 꽃가루 나눠 살려고
향기 내어 나비떼 부르기도 했지만
너와 나는 씨앗을 맺지 못했다
이 봄을 아는 사람은 이 암유도 안다
여름의 눈부신 녹음을 위해
우리는 못다 핀 꽃술로 남아 있다

하종오의 「사월에서 오월로」는 전체적으로 견고한 은유 구조를 지니고 있다는 점에 특징이 있다. 제목부터가 암유적이며 '너'와 '나' 그리고 '우리'의 상징결합을 통해서 역사적 사건들의 접합을 시도한다는 점에서 주목을 요한다. 그것은 1960년 초의 4·19가 1980년 초의 불행한 사건과 결코 무관하지 않다는 역사인식을 전제로 한다. 이 두 사건이 경과에는 차이가 있지만 그 기본성격과 이념에 있어서는 근원적 동일성을 지니는 것으로 이해하는 시각이 자리하고 있는 것이다. 그것은 자유·정의·진리를 향한 민주·민권·민중운동이며, 아직도 "여름의 눈부신 녹음을 위해/못다 핀 꽃술로 남아 있어야 할" 커다란 민족적 과제로 인식되고 있기 때문이다. '싹/꽃송이/낙화/꽃샘바람/씨앗/꽃술' 등의 상징적 시어가 암유하는 것은 이 땅에서의 자유민주주의의 진정한 개화에 대한 갈망과 기대일 수 있다. 이 점에서 이 시는 4·19시가 80년대에 성취한 한 문학적 성과로 받아들여진다. 나름대로의 역사의식과 비판정신을 내재하고 있으면서 그것을 4월과 5월이라는 상징으로서 이끌어 접합시켰다는 점에서 이 시가 일단 성공적 표현을 성취한 것으로 판단되기 때문이다.

이처럼 1970~80년대 들어서 4·19시는 이 땅에서의 역사 전개의 풍향에 따라 민감하게 반응하면서 시적 응전력을 강화해가고 있는 것으로 보인다. 60년대의 상황과는 또 다른 새로운 정치·사회적 상황을 맞이하여 4·19 의식은 변모를 겪을 수밖에 없는 것이다.

## 결언: 4·19혁명의 문학사적 의미

1960년대 이후 4·19의 시적 수용과정은 이 땅에서의 정치·사회사적 변동에 따른 정신사적 대응과정을 반영해준 것으로 이해된다. 4·19시의 변모 과정은 광복 이후 이 땅에 있어서 역사 전개의 주체가 누구이며, 그것이 누구를 위한 것이어야 하는가에 대한 질문과 그에 대한 응답을 제시해 준 것으로 받아들여진다. 또한 4·19시는 이 땅에서 근원적으로 추구해야 할 이념적 가치가 무엇이며, 그것이 어떻게 실천돼야 하는가를 모색해온 투쟁의 징표이며 고뇌의 기록으로서 의미를 지닌다. 이러한 4·19의 시적 수용과정으로 볼 때 그것은 이 땅의 시와 시인들에게 중요한 반성을 요구하는 것으로 보인다. 왜 우리 시사에서는 동학에 관하여, 3·1운동에 관하여, 광주학생운동에 관하여, 광복과 6·25에 관하여, 4·19에 관하여 탁월한 서사시, 역사적인 대하시가 쓰여지고 있지 않는가? 거대한 역사적 사건들이 어떻게 항상 상황시·기념시·행사시·서정시만으로 그것도 한때 집중적으로 쓰여지고 마는가? 실상 이즈음 시인들이 구태의연한 전통주의, 서정주의에 함몰돼 있지는 않는가, 혹은 순수라는 명분하에 감상적이고 현실도피적인 실험에 만족하거나 또는 말장난을 일삼고 있지는 않은지, 아니면 조급하고 피상적인 현실 인식과 편협하고 경직된 이데올로기에 매달려 조건반사적인 투쟁 논리의 동어 반복을 일삼고 있지는 않은지 등에 대한 자기성찰이 강력히 요구되고 있는 것이다. 이제 이 땅의 시인들은 거시적인 안목과 통찰력으로 불행한 역사의식, 투철한 민족의식, 확고한 민중의식, 탁월한 예술의식으로 커다란 사상과 혼이 담긴 서사시·대하시를 쓰기 위해 노력해야 할 것이다. 바로 이것이 이 땅 시와 시인들이 걸어가야 할 진정한 현실참여의 길이며 동시에 역사의식에 근거한 예술적 실천의 길이 아닐 수 없다.

4·19는 역사 속에 이미 죽어버린 사화산이 아니다. 그것은 언제라도 반민주·반정의·반인권의 시대라면 활화산으로 폭발할 수 있는 가능성을 지닌 무서운 휴화산일 뿐이다. 해방 50년을 맞이하는 이 중요한 시점에서 4·19는 우리 민족 전체에게 근본적인 자기반성을 요청하는 것으로 보인다. 그것은 4·19가 과거완료형이 아니라 현재진행형이며 미래완료형으로서의 애국애족운동이고 자유·평등·민권 확립을 위한 실천적인 혁명운동의 시발점이기 때문이다.

4·19는 이 땅의 근본목표이자 이념인 자유민주주의를 신봉하는 모든 사람들에게 있어서 깊이깊이 되새겨야 할 역사적·인간적 교훈이면서 동시에 '사람다운 삶'을 지향하는 이 땅 모든 사람들의 마음속에 소중히 간직되고 적극적으로 실천돼야 할 이념적 덕목이 아닐 수 없다. 소설 쪽에서 6·25가 30여 년이 지난 1980년대에 들어서 본격적으로 탐구되기 시작했듯이 시 속의 4·19는 이제부터 이념적인 형상성을 획득하기 위해 깊이 있는 노력을 전개해야 될 것이다.

# 광복 50년 남북한 시의 한 변모

## 1. 서론

해방 이후의 문학은 분단시대라는 역사적 비극의 상황을 대전제로 한다. 그러기에 시련과 갈등으로 점철된 전환기 문학이라는 정신사적 특징을 지닌다. 이것은 실상 해방이 우리 민족의 주체적·능동적 투쟁에 의한 것이라기보다 연합국의 승리라는 타율적인 힘, 즉 외세에 주로 의존해 이루어졌다는 비극적 사실과 관련된다. 해방 이후에도 그것을 주체적으로 감당할 민족적인 자주역량과 결집력이 부족하였다. 이로 인한 좌우의 격심한 갈등과 대립은 38선을 경계로 한 미·소의 진주와 더불어 끝내는 6·25를 겪게 되고 남북분단·민족 양단이라는 민족사적 불행을 초래하고 말았다.

원론적으로 말한다면 문학은 문학 자체로서의 자율성과 예술성을 갖고 있으며, 또 그래야만 한다. 그러나 문학은 그것이 당대의 현실 사회와 역사적 상황을 살아가는 사람들의 이야기이기 때문에 그러한 것들과 무관할 수 없으며 또 그래서도 안 된다. 해방 이후의 문학은 남과 북이 양극화 현상을 벌이면서 전개된다는 점에서 각기 특이성을 지닌다. 남쪽은 남쪽대로 순수문학 중심이 되고 북쪽은 북쪽대로 정치문학 일변도로 치닫는다. 특히 남한의 문학은 순수문학이 주가 되면서도 70년대 이후 특히 당대의 현실과 날카롭게 대응하면서 전개되는 특성을 지니게 된다. 따라서 남북문학은 상대주의적 관점에서 파악하게 될 때 더욱 유효적절한 해명을 기대할 수 있게 된다.

해방 이후의 우리 문학이라 할 때는 당연히 남·북 문학을 함께 통칭하는 것이어야 할 것이다. 그러나 분단 50여 년의 세월이 가져온 커다란 간극과 이질감은 이러한 당위적 명제를 올바로 인식하기 어렵게 한 것이 사실이다.

그러나 오늘날 동서 해빙무드와 이 땅의 민주화 진전으로 인해 남북교류와 통일 지향성은 민족적인 과제로서 시대적 명제이자 역사적 당위에 해당하게 되었다. 이제 분단의 장벽에 가로막혀 적대감과 이질화만을 강조하고 대결상황에 처해 있던 남북관계는 민족공동 운명체로서 동질성을 회복하고 공존상황을 추구함으로써 분단극복, 또는 조국 통일에의 길을 지향해 나아가지 않으면 안 될 운명의 시점에 놓여 있는 것이다.

이러한 시대 인식 아래 우리가 남·북의 시를 객관적, 비판적인 입장에서 함께 살펴보는 작업은 결국 분단극복의 한 노력으로서 민족통일의 길을 향해 나아가려는 능동적인 마음가짐의 반영이며 열린 자세라 할 것이다. 그러나 아직 우리의 현실에서 북한문학에 대한 연구성과는 미미한 정도이며, 북한시의 전모를 대할 수도 없는 것이 사실이다. 따라서 오늘의 처지에서 북한시에 대한 단정적인 판단은 유보할 수밖에 없을 것이 자명하다. 본고에서는 기간된 북한원전의 문학사류와 북한의 월간 문예지『조선문학』및 기타 북한 특집물 등의 자료를 중심으로 북한의 시를 소략하게나마 살펴보고자 한다.

해방 이후 남북문학은 분단시대라는 상황을 전제로 하여, 대략 10년을 주기로 하여 일어나는 역사적 사건과 대응관계를 이루면서 형성·전개되었다. 따라서 본고에서는 해방 50년의 남·북문학을 대략 10년을 기본 축으로 나누어 그 전체적인 특징과 흐름을 개괄적으로 살펴보고자 한다.

## 2. 남북시단 형성과 시의 개념

　해방 직후의 문단은 우익의『전국문필가협회』, 극좌의『조선프롤레타리아예술연맹』(약칭 '예맹'), 중도좌익의『조선문화건설중앙협의회』(약칭 '문건')로 나뉘는데 크게 보아 좌우, 그리고 내용적으로 3파전의 양상을 띠게 된다. 그러나 각기 다른 노선을 걷고 있던 '문건' 측과 '예맹'이 통합하여『조선문학가동맹』(약칭 '문맹')을 결성(1945. 12)하고, 이듬해에는 '문맹' 주최로 '전국문학자대회'를 개최함으로써 기세를 떨치게 된다. 이에 맞서 '문필협' 측에서는 서정주, 김동리, 조지훈, 조연현 등을 주축으로 한『청년문학가협회』를 결성하고(1946. 4), 1947년에 이르러서는 이 두 단체가 통합하여『전국문화단체총연합회』(약칭 '문총')를 결성하게 된다. 그리하여 문단은 1920년대의 프로문학과 국민문학이 대결하던 양상과 흡사하게 '문맹'과 '문총'의 양대 진영으로 갈라지게 되었다. 그러나 급변하는 정치 상황은 이러한 양립을 깨뜨리게 된다. 통일 정부를 열망하던 민족적 기대와는 달리 분단의 징후가 뚜렷해지게 된 것이다. 따라서 좌파의 정치적 활동이 완전히 불법화하게 되자, '문맹' 측 인사들이 대거 월북하는 사태를 맞게 되었다. 이로써 문단도 남과 북으로 완전히 재편성되었다. 따라서 '문맹'과 '문총'의 양대진영의 문학 이념이 서로 변증법적으로 통합 발전되지 못하고 제각기의 편향된 논리 일변도로 흐르게 되고 말았다. 남한문학은 김동리의 '인간성옹호론', 조지훈의 '순수시론', 조연현의 '생리론' 등에 입각한 문학의 자율성과 보편성·예술성을 가장 중요시 여기는 순수편향론이 중심주류를 이루게 된다. 이후 6·25전쟁 과정에서 남과 북의 문인들이 월북(납북) 또는 월남함으로써 남북문단과 문학의 재편성이 사실상 마무리되게 된다.

　한편, 북한의 시단은 해방공간까지만 해도 독자성을 지니고 있지 못했으며, 오영진, 남궁만, 한재덕, 최명익, 백석 등 고향이 북쪽인 문인들이 이른바 재북 문인군을 형성하고 있을 뿐이었다. 그러던 것이 조선 프롤레타리아 문학동맹과 조선문학 건설본부가 1945년 12월 조선문학가 동맹으로 통합되는 과정에서 주도권을 상실한 이기영, 윤기정, 안막, 박세영 등이 월북함으로써 북한문단의 원형이 형성되게 된 것이다. 여기에다가 조기천 등 소련파들이 귀국하고, 박헌영 등 남로당 주체세력이 월북하면서 이태준, 임화, 김남천, 이원조 등이 1947~1948년 사이에 월북하여 북한문단이 세를 더하게 된다. 그리고 다시 6·25를 전후해서 정지용, 김기림, 박태원, 설정식, 이용악, 송완순 등이 입·월북하여 북한문단 재편성이 마무리되게 된다. 이후 북한문단은 남로당 숙청과 더불어 임화, 김남천, 이원조, 설정식, 이태준 등이 미제간첩혐의 등으로 숙청당하고, 1961년 3월 조선문학예술총동맹 결성을 계기로 북한문단의 체제 정비가 완료되었다. 아울러 이 시기를 전후해서 북한문단에 새로운 전후 세대가 등장함으로써 명실상부한 북한문단이 형성·전개되기 시작한 것이다.

　대체로 북한시단에서 지속적으로 활약한 시인들로서 일제강점기 및 해방공간 사이에 등장한 사람으로는 박세영, 박아지, 이찬, 안용만, 박팔양, 백인준, 조벽암, 정서촌, 김북원, 정문향, 조영출, 이맥, 이흡, 조기천, 민병균, 이용악, 강승한, 김상오, 리정구, 김학연, 김상훈 등을 꼽을 수 있다.

　참고로 오늘날 북한시가 지니고 있는 시적 특성과 지향성을 살펴보면, 먼저 북한의 시는 기본적으로 '당의 문예정책'을 바탕으로 하여 전개됨을 알 수 있다. 이른바 주체사상이라는 독특한 사상체계에 기초를 둔 이 문예이론은 사회주의적 문예예술을 발전시키기 위한 당의 정책을 밝혀놓음으로써 북한의 문학 예술인들에게 창작지침과 지도원리를 제시한 것이다. 북한의 문예이론은 『혁명의 위대한 수령 김일성 동지의 주체적 문예사상』(사회과학출판사, 1971), 『우리 당의 문예정책』(사회과학출판사, 1973), 『주체사상에 기초한 문예이론』(사회과학출판사, 1975), 『문학예술건설경험』(사회과학출판사,

1984) 등 여러 저작에 밝혀져 있는바, 그 대강을 요약하면, 사회주의적인 사상을 민족적 형식으로 표현하는 것으로서 당성, 노동 계급성, 인민성을 기반으로 구현된다고 정리된다. 즉 사회주의적 문학예술에서 당의 유일주체사상을 확립하기 위하여 문학예술 작품에서 당의 유일사상을 구현하고 혁명적 문예 전통을 계승 발전시키며, 문예이론과 창작 실제에 있어서 당의 영도를 최우선으로 한다는 것이다. 그러므로 반동적 문예사조 및 반혁명적 문예 사상과 비타협적 적대주의를 지니며, 문학예술의 핵으로서 주체적인 사회주의적 종자론을 핵심으로 하여 사회주의적 전형을 창조하고, 이를 위해서 '속도전'을 펼쳐간다는 내용인 것이다. 결국 북한의 문예창작은 당의 문예 정책에 의해 지도 감독되면서 계획적이고 목적 의식적으로 추동되고 있다고 하겠다. 특히 이러한 당의 지도 감독 아래 오늘날 북한의 문예창작 지침은 사회주의 건설과 혁명투쟁을 핵심으로 해서 항일혁명 전통을 계승하여 이른바 남조선혁명과 통일정책으로 고무 추동해 가고 있는 데서 선명히 드러난다.

북한의 시는 갈래 면에서는 남한과 같이 서정시와 서사시로 대별된다. 서정시는 남한과 비슷하게 "외부세계에 의하여 환기된 인간의 사상, 감성, 지향 등을 직접 표현하는 서정적 작품의 한 형태"(『문학예술사전』, 516쪽)라고 규정된다. 그러나 서정시에 향가, 고려가요, 시조, 가사, 잡가, 창가 등을 하위 범주로 들면서 여기에 항일혁명 시기에 창조했다는 이른바 혁명가요를 추가하는 것이 남한과 다른 변별점이다. 다시 말해서 시라고 할 때 남한에서는 시적 형상으로 표현된 것을 말하지만, 북한에서는 읽는 표현으로서의 시와 노래 부르기 위한 것으로서의 가사를 함께 지칭한다는 것이 색다르다고 하겠다. 이러한 사정은 북한에서는 시와 가사를 함께 시의 범주에 묶어 창작 보급함으로써 대중적인 선동·선전성을 적극적으로 강화하고 있다는 점에서 시의 형식을 최대한 활용하고 있는 것이 특징이라고 하겠다.

이렇게 볼 때 남한에서는 시와 대중가요의 가사가 전혀 별개의 장르로 분화되어 버린 데 비해서, 북한에선 이 두 가지가 함께 묶여 '북한시'라고 하는 독특한 성격을 형성해 가고 있는 데서 장르적 특성이 드러나고 있다는 말이다.

한편 해방 후 시의 시대구분은 남한의 경우, ①해방공간의 시 ②전쟁과 분단의 50년대 시 ③민주화의 시련과 60년대 시 ④민주화와 산업화의 갈등시기의, 70년대 시, 그리고 ⑤민족문학의 시대, 80년대 시로 나누어 볼 수 있다. 이러한 시대구분은 북한의 해방 후 시의 시대구분과 대칭된다. 북한의 해방 후 문학사는 대체로 그 시기 구분을 ①새조국건설시기− 해방공간의 문학, ②조국해방전쟁시기− 6·25 문학, ③전후문학시기− 전후문학, ④천리마문학시기− 1960년대 문학, ⑤유일사상·주체사상시기− 1970~80년대 문학 등과 같이 나누고 있다.

따라서 시문학사의 경우에도 대체로 이러한 시대구분에 따라 기술되고 있다고 하겠다.


## 3. 남북한 시의 시대적 전개


### 1) 해방공간의 시

#### (1) 식민지 문학의 청산과 해방공간의 시

1945년 해방으로부터 1950년대 6·25가 발발하기까지의 혼란 시대를 흔히 해방공간이라고 부른다. 이 시기는 식민지하의 문학 특히 친일 어용 문학의 잔재를 청산하는 일이 가장 큰 과제이면서, 동시에 새로운 민족문학의 건설이라는 어려운 문제에 직면하게 되었다. 그러나 식민지문학 청산과 친일 어용 문인의 단죄문제보다는 민족문학의 건설이라는 문제가 더 크게 부각되었고, 자연히 문인들의 이합집산이 거듭되게 되었다. 해방문학은 지난날의 역사적 과오를 깊이 반성하는 문제보다도 발등에 떨어진 문단 헤게모니 쟁탈전에 급급한 나머지 좌우의 싸움을 벌이게 된 데서 분단시대 문학의 불행이 시작된다.

해방공간의 문단은 크게 보아 문필가협회(청년문학가협회)와 문학가 동맹으로 양분할 수 있다. 전자는 우익진영이 주가 되어 문학의 자율성·예술성을 강조하고, 후자는 이념성·전투성을 더 주장하였다. 전자가 중심이 된 『해방기념시집』(중앙문화협회, 1945. 12), 그리고 후자들이 모인 『조선시집』(아문각, 1946)을 살펴보면 그 특징이 쉽게 드러난다.

대략 이 시기의 시에서 주된 흐름은 몇 가지로 요약할 수 있다.

> ① 팔월(八月) 보름날 저들의 벽력이
> 우리에게는 자유(自由)의 종(鍾)이었다.
>
> 태양(太陽)을 다시 보게 되도다
> 오, 이게 얼마만이냐
> 잃어버린 입을 도루 찾아
> 마음대로 혀가 돌아가노라.
> — 이희승, 「영광(榮光)뿐이다」 부분
>
> 독립만세!
> 독립만세!
> 천둥인듯
> 산천이 다 울린다
> 지동인듯
> 땅덩이가 흔들린다
> 이것이 꿈인가?
> 생시라도 꿈만 같다.
> — 홍벽초, 「눈물 섞인 노래」 부분

② 어데로가나 나라업는 사람
　　어데로가나 암흑업는 사람
　　알지못할 무거운 죄(罪)와 벌(罰)
　　조선(朝鮮)은 속박(束縛)과 눈물의 땅
　　피와땀에 추근이 저저서
　　대지(大地)는 빛을 잃고
　　우리들은 폐허(廢墟)에 누운
　　헐버슨손님에 지나지못하였다.
　　　　　　　　　－ 김광섭, 「속박(束縛)과 해방(解放)」 부분

③ 지난 팔월이후 해방은 되었다지만
　　주리고 병들어 송장이 길에 썩고
　　아직도 삼십팔도(三十八度)는 트이지를 않는다
　　나의 사랑하고 믿는 그대들이여
　　불이듯 하는 그 정열이 식을세라
　　정열이 식은 그 가슴은 빙해보다도 칩어라
　　　　　　　　　－ 이병기, 「해방이후」 전문

　시 ①은 해방의 감격을 노래한 작품들이다. 해방은 "잃어버린 입을 찾아/마음대로 혀가 돌아가"듯이 해방의 감격과 자유의 기쁨을 구가하게 해준 것이다. 어쩌면 그것은 어느 날 갑자기 주어진 것이기에 '꿈'만 같을지도 모른다. 이 무렵의 대부분의 시들은 이러한 감격과 환희를 노래하는 데 바쳐진다. 김광섭의 시 ②는 식민지 시대에 대한 통탄과 함께 일제강점하에서의 친일 어용문학에 대한 고발이 담겨 있는 것으로 이해된다. 이병기의 ③은 '불'과 '빙해(氷海)'의 이미지로서 해방이 지닌 감격과 고민을 함께 표출하고 있다. 남북분단이 시작되는 비극을 고통스럽게 받아들이는 자세가 드러난 것이다.

　이들 이외에도 이 시기 시들에는 내용적인 면에서 극단적인 두 경향이 나타난다. "높으디 높은 산마루/낡은 고목에 못박힌듯 기대여/내 홀로 긴 밤을/

무엇을 간구하며 울어왔는가/아아 이아츰/시들은 핏물의 구비구비로/싸늘한 가슴의 한복판까지/은은히 울려오는 종소리/이제 눈감아도 오히려/꽃다운 하늘이거니"(조지훈, 「산상(山上)의 노래」에서)라는 한 예와, "아아 기ㅅ발 타는 깃발/열 스물 또 더 많이 나붓기고/붉은 기ㅅ발/붉은 기ㅅ발은……"(임화, 「길」에서)이 다른 예이다. 즉 전자는 사상성과 예술성 또는 지성과 감성의 조화를 강조하는 경향이며, 후자는 전투성과 이념성을 주로 노래하는 경향이 그것이다. 바로 이러한 대립과 갈등이 해방공간에 있어 시의 기본적 위상이며, 우리 시는 이들의 양자택일이 강요하는 모순 명제에 봉착할 수밖에 없었다.

이 해방공간의 시단을 이끌어간 사람들은 대부분 해방 전에 활약하던 시인들이었다. 따라서 이 시기의 특징은 앞에서 논의한 식민지문학을 청산하면서 새로운 신진시인들의 등장이 시작되는 과도기 또는 전환기의 성격을 지닌다. 또한 해방 전에 간행되지 못했던 시집들이 빛을 보게 되는 문학적 광복의 시간이기도 하다.

먼저 해방 후 제일 먼저 간행된 시집으로는 『해방기념시집』(1945. 12), 『3·1 기념시집』(건설출판사, 1946. 3) 등이 있다. 민족진영의 시집으로는 『청록집』(1946. 6)이 간행되었다. 이 시집은 박두진, 박목월, 조지훈 등 일제 말 『문장』지 추천시인들에 의한 사화집인데 이들은 '자연'을 하나의 공통의 고향으로 하여 해방 후 민족문학의 한 좌표를 제시해 주었다. 또한 윤동주의 『하늘과 바람과 별과 시』(정음사, 1948. 1)와 『육사시집』(서울출판사, 1946. 10), 심훈의 저항시집 『그날이 오면』(한성도서, 1949. 7)이 나온 것도 이 무렵이다. 이들 이외에도 김광섭, 김영랑, 신석정, 김광균, 모윤숙, 서정주 등이 시집을 발간하는 등 이 해방공간에 약 80여 권의 창작시집이 간행되었다.

한편 신진들의 등장과 활약도 활발하게 시작되었는데 특히 김경린·박인환·김수영 등은 『새로운 도시와 시민의 합창』이라는 신선한 감수성의 사화집을 간행하였으며, 김춘수가 『늪』, 조병화가 『버리고 싶은 유산들』 등의 시집을 통해 새로운 감수성을 보여준 것도 이 무렵이다.

이렇게 볼 때 8·15로부터 6·25에 이르는 해방공간은 해방 전의 식민지문학을 청산하면서 좌우가 함께 뒤엉키면서 새로운 민족문학의 건설로 나아가는 갈등과 모색의 시기로 볼 수 있다.

### (2) '평화적 건설시기'의 시

이른바 해방공간을 의미하는 '평화적 건설시기' 북한의 시는 새로운 지도자 김일성의 등장으로부터 시작된다.

> 파도 거츠러운
> 바다 한복판에서도
> 먼나라 고달픈 여로에서도
> 김일성 장군님 계심을 생각만 하면
> 금시 힘이 뻗어오르는
> 김일성 장군님을 우리는 잊을 수 없어라
> ……중략……
> 진실로 장군님 계시므로
> 내닫는 슬픔을 무찔러
> 모든 곤란을 이겨나갈 수 있고
> 새조선의 회망만이 별빛같은데
> 김일성 장군님 가시는 길, 김일성 장군님 이끄심이라면
> 오오 목숨바쳐 따라갈
> 김일성 장군님을 우리는 잊을 수 없어라
> — 김북향, 「목숨바쳐 따라가오리」(1947) 부분

위의 시는 당시에 북한의 새로운 지도자로 부상하고 있던 김일성에 대한 찬양과 함께 그에 대한 충성심을 노래하고 있다. 이처럼 이 시기에 벌써 북한

의 시는 정치적인 이념과 지향성을 반영하고 적극적으로 대변하는 선전·선동성을 강하게 지님으로써 이후 북한시의 전개 방향을 제시해주고 있는 데서 그 특징이 드러난다.

한편 이 시기에는 북한에서의 토지개혁이나 노동법령 공포, 중요 산업 국유화령 등 제반 사회개혁조치에 대한 찬양을 통해서 사회주의 건설을 고무하고 추동하는 경향도 나타난다.

땅은 밭갈이 하는 농민에게―
토지개혁의 우람찬 환성은
등을 넘고 비탈길을 감돌아
두메산골에까지 산울림해 왔다.

― 나라를 찾은것만 해두 고마운데
땅까지 차지하게 되다니……
― 이거 꿈인가 생시인가
눈은 뜨이고 귀는 열리여
……중략……
― 땅은 밭갈이하는 농민에게~
칠판에 굵다랗게 쓴 토필 글씨를
한 자 한 자 더듬어 읽는 돌쇠는
야학에서 이태나 한글을 익혀 유식하다는
머슴살이에 잔뼈가 굵은 로총각이었다.

― 올부턴 제 땅 갈아
장가밑천 장만하겠수
돌쇠의 입김은 능청맞고
출출하고 사나이 공대 잘하는
마을 처녀를 중매 서 주리
박첨지의 댓구는 너털웃음에 흥겨워

이처럼 오가는 잡담 속에서도
기쁨이 샘물마냥 솟는다.

　　　　　　－ 김우철, 「농촌위원회의 밤」(1946) 부분

이 시의 핵심은 "나라를 찾은것만 해두 고마운데/땅까지 차지하게 되다니……"에서 드러난다. 일제강점하에서의 민족모순과 계급모순을 함께 고발하면서 사회주의 세상이 열리고 있음을 찬양하고 있는 것이다. 이러한 북한의 시는 일제하 카프시처럼 민족해방과 계급해방이라는 두 가지 가치축을 바탕으로 하면서 사회주의 사상을 민족적 특수성과 결합하여 전형성을 획득해가는 경향성을 지니고 있다고 하겠다. 아울러 이 시기에는 소위 남조선해방과 조국 통일을 위해 투쟁하는 모습을 형상화한 「삐라대」(최석두, 1947), 「항쟁의 여수」(조기천, 1949) 등이 씌어지기도 했다. 한편 이 시기에는 북한시의 원형성 또는 전형성이라 할 두 서사시가 씌어져서 주목을 환기한다. 이른바 북한의 3대 문학작품의 하나라고 불리는 조기천의 「백두산」과 강승한의 「한나산」이 그것이다. 조기천이 이른바 보천보전투(1937. 6. 4)를 바탕으로 1947년에 창작한 장편서사시 「백두산」은 항일무장투쟁과 그 속에서 김일성의 영웅적 활약상을 전형화하는 가운데 이 땅에서 민족해방과 민중해방이 얼마나 어렵게 전취된 것이며 동시에 새조국 건설을 위해서 북한의 인민들이 다 함께 어떻게 분투해야 하는가를 고무 충동하고 있다. 조기천은 항일빨치산 투쟁을 미화하고 김일성을 우상화하려는 의도를 바탕으로 해서 새로운 사회주의 국가를 북한에 건설하고자 하는 적극적인 열망을 서사시 「백두산」으로서 형상화함으로써 북한시의 한 전형이자 원형의 모습을 제시한 것이다.

한편 「한나산」은 제주도에서 벌어졌던 4·3사건을 소재로 해서 이른바 남조선해방을 형상화한 작품이다. "단독선거절대반대/미군 즉시 철퇴하라/친일파 민족반역자 타도하자/인민공화국수립만세"(『조선문학개관』 II. 120쪽)를 구호로 내세우면서 제주도 4·3사건을 테마로 하여 반미와 반한을 강조한 것이라 하겠다. 이 점에서 이 작품은 이후에도 계속되는 반제 반미투쟁과 '남조선해방' 및 조국 통일이라는 북한시 주제의 일반적 전형이자 그 원형성을 지닌다고 할 것이다.

이렇게 볼 때 이후의 북한시는 이 시기 시들이 이미 제시했던 내용과 테마를 확대하고 심화해가는 과정이라 해도 과언이 아닐 것이다.


## 2) 50년대, 6·25전쟁과 시적 대응

### (1) 전쟁과 50년대 남한시

해방공간의 무질서와 혼란 속에서 사상적인 혼란에 시달리던 한국인은 1950년 6월 25일 발발한 북한의 기습남침에 의해 동족상잔의 비극을 겪게 되었다. 해방이 진정으로 한국인의 것이 될 수 없었던 비극은 마침내 6·25라는 폭력적이고 야만적인 전쟁터로 한민족을 몰고 간 것이다. 6·25는 그것이 비록 한국의 영토 내에서 한국인 동족 간의 사상전쟁인 것처럼 전개됐지만, 기실은 전후 일본 제국주의의 패망과 중국 대륙의 공산화에 따른 동서 양 진영의 세력균형이 정착되지 못한 데서 파생된 2차대전의 마무리 전쟁으로서의 성격을 지닌다. 무엇보다도 6·25는 국토와 민족, 그리고 역사와 문화를 물리적으로 완전히 양단함으로써 민족의 이질화 현상을 노골화하는 결정적 계기가 됐다는 점에서 비극성이 더욱 고조된다.

문학사의 측면에서도 6·25는 여러 가지 충격과 영향을 미친다. 남과 북의 문인들이 전쟁 과정에서 월북(납북) 또는 월남함으로써 문단과 문학의 재편성이라는 결과를 초래하였다. 또한 일본적 감수성 즉 식민지문학의 청산이라는 문학사적 과제가 채 정리도 되기 전에 전쟁문학이라는 큰 흐름에 휩쓸려 들어가게 됨으로써 문학적 극복과 성숙이 크게 저해되었다. 그리고 무엇보다도 이 시기부터는 남은 남대로 북은 북대로 한쪽의 문학만을 가지고 한국문학 전체를 논해야 한다는 당위적 모순이 가해짐으로써 한국문학사에서 분단문학의 파행성이 심화되는 계기가 된다.

6·25 이후에 50년대 시는 대략 전쟁과 그에 관련된 반공애국의 상황시, 시적 방법과 정신을 탐구한 시, 그리고 존재와 서정을 노래한 시 등 세 가지로 나눠볼 수 있다.

① 무념무상으로 총을 쏘다가
　총끝에 칼을 꽂고 백병전으로!
　살려는 애착도 없고
　죽는단 공포도 없이
　다만 청춘의 불꽃을 발산하면서
　싸워나갈 뿐이다

　　　　　　　　　　　　　　－ 이영순, 「연희고지」 부분

② 물러감은 비겁하다, 항복보다 노예보다 비겁하다
　둘러싼 군사가 다 물러가도 대한민국 국군아－ 너만은
　이 땅에서 싸워야 이긴다. 이 땅에서 죽어야 산다
　한번 버린 조국은 다시 오지 않으리라, 다시 오지 않으리라
　보라 폭풍이 온다, 대한민국 국군이여!

　　　　　　　　　　　　　－ 모윤숙, 「국군은 죽어서 말한다」 부분

③ 조그만 마을 하나를
　자유의 국토 안에 살리기 위해서는
　한해살이 푸나무도 온전히
　제 목숨을 마치지 못했거니
　사람들아 묻지 말아라
　이 황폐한 풍경이
　무엇 때문의 희생인가를……

　　　　　　　　　　　　　　－ 조지훈, 「다부원에서」 부분

시 ①은 직접 전장의 현장을 형상화한 상황시이며 시 ②는 반공애국의식과 승전의식을 고취하는 목적시에 해당한다. 또한 ③의 시는 전쟁의 비극성과 자유의 소중함을 노래하는 휴머니즘시에 속한다. 이들 전쟁시들은 시란 때로 험렬한 전란의 시대에는 그 시대에 직접 대응하는 사회적·역사적 응전력을 지닐 수 있음을 보여준다. 이러한 경향의 대표적인 시인과 시로서는 유치환의「보병과 더불어」, 김종문의「벽」, 구상의「초토(焦土)의 시(詩)」, 장호강의「총검부」등이 있다.

한편 시적 방법과 정신을 강조한 시들이 등장한 것도 50년대 시의 한 특징이다. 조향·박인환·김규동·김경린 등은 피난지 부산에서 『후반기』동인을 조직하여 모더니즘 시운동을 전개하였다. 이들은 당대에 큰 호응을 얻지는 못하였지만, 이들의 방법적 실험은 시사적인 면에서 해방 후 시의 한 주류이던 『청록파』에 대한 반발의 의미를 지닌다. 자연에 대한 탐닉이나 서정적 함몰에 대항하여 도시 문명을 비유와 이미지 등 의도적인 방법을 사용해서 형상화한 것이다.

이들과는 달리 현실의 질곡에서 벗어나서 고전 정서로의 회귀를 지향하는 시인들이 나타났다. 이동주의「강강수월래」,「기우제」, 박재삼의「피리」,「춘향이마음」, 이원섭의「향미사」,「죽림도」등이 여기에 속한다. 이들은 실상 해방 후 시집『귀촉도』를 내면서 동양적 사랑의 정감을 탐구한 서정주의 광범위한 영향을 받았던 것으로 이해된다.

다음으로는 낭만과 서정을 추구한 시인들을 들 수 있다. 조병화·전봉건·홍윤숙·정한모·김남조 등이 여기에 해당된다. 아울러 이형기·김종삼·박성룡·박용래 등은 전원적인 서정을 노래하는 가운데 삶의 허적을 투시하였다.

1955년을 전후한 시단은『현대문학』(1955. 1)이 창간되고『문학예술』, 『자유문학』등의 문예지와『사상계』,『신태양』등의 종합지가 발간되었으며,『동아일보』,『조선일보』,『한국일보』등의 신춘문예가 부활 또는 신설되는 등 문학적 분위기가 크게 조성되었다.

아울러 한하운, 김수영, 김윤성, 홍윤숙, 김구용, 송욱, 전영경 등의 개성적인 시인과 함께 50년대 후반에 고은, 신경림, 신동엽, 박봉우, 윤삼하, 황동규, 김영태 등 새로운 전후 세대 시인들이 등장하기 시작한 것도 주목할 만한 일이라고 하겠다.

1950년대 후반에 무려 백여 권의 시집이 발간된 것은 전후의 폐허에서 시를 통해서 인간회복을 찾아보려는 이 땅의 문학적 열기를 반영하는 동시에 새로운 시단 질서가 형성되고 있음을 말해주는 것이 된다.

지금까지 살펴본 것처럼 50년대 현대시는 이 땅 시사에서 뚜렷한 분기점이 되었다. 이 시기는 전쟁으로 얼룩진 폐허와 분단의 시대이지만, 남쪽 시로서는 이러한 역경 속에서나마 민족과 개인, 서정과 지성, 자유와 평등이라는 소중한 덕목들을 비로소 소중하게 자각하고 형상화하게 된 데서 하나의 전환점이 된 것으로 판단된다.

## (2) '조국해방전쟁시기'의 북(北)의 시

6·25 동란기, 북한의 용어로 소위 '조국해방전쟁시기'에 북한의 시는 김일성 항일무장투쟁의 테마를 계승하면서 인민군대의 투쟁상을 묘파하는 데 집중된다. 아울러 미군에 대한 증오와 적개심을 드러내면서 상대적으로 중국 의용군에 대한 연대감을 과시하는 것이 이 시기 북한시의 주요한 특징이다.

> 따바리 불타는 총자루
> 앞세워 승승장구
> 38선을 넘어
> 벌써 아득한 천리길,
> 나의 따발총이여
> 더웁게 단 총구멍

식혜줄 사이도 없구나
별빛 총총한 야음을 타서
포복 전진의 길
풀향기 그윽히 풍겨오는
산등성이 잔디밭
먼동이 트면 이슬도 반짝!
동무의 추억에 빛나고
바라보면 저 해안선
눈앞에 다가서는
우리 나라 남쪽 끝 수평선이여
나의 따바리! 가자
대구, 진주를 거쳐
려수, 목포, 부산으로
아니 제주도 끝까지
가자, 나의 따바리!

— 안용만, 「나의 따발총」(1950) 부분


심장에 불을 안은
청년들이여!
모든 사람들이여
몸을 폭탄삼아
미국놈의 불아가리 터뜨리고
진격의 길
승리의 길을
피로써 열어놓은
영웅조선의 영웅을
우리 함께 노래하자!

— 김학연, 「독로강기슭에서」(1951) 부분


이처럼 이 시기의 시들은 미군과 소위 '리승만괴뢰'군에 대한 적개심을 분출하는 가운데 이른바 조국 해방 전쟁을 용감하게 수행하고 있는 인민군대의 활발한 투쟁상을 과장하고 승전의식을 고취하는 데 전력을 기울이고 있는 것이 특징이다. 이 무렵에도 김일성에 대한 찬양과 당 및 조국에 대한 흠모 및 충성심이 강조되고 있음은 여전하다.

> 오늘 그이는
> 조선인민의 영예의 상징
> 싸우는 조선의 투쟁의 기치
> 동서의 전선을 한 손에 틀어 쥔
> 승리의 조직자, 탁월한 령장
> 세계의 인민이 그 이름을 노래한다
> '영웅조선'으로 불려지는 그 이름을……
> 월가의 양키들이 그 이름에 떤다
> '싸우는 조선'으로 불려지는 그 이름에
> — 백인준, 「크나큰 그 이름 불러」 부분

> 딸라로 빚어진 월가의 네거리에
> 넥타이를 맨 식인종
> 실크햇트를 쓴 사람버러지
> 자동차에 올라앉은 인간 부스레기
> 성경을 든 도적놈
> 온갖 잡색
> 력사의 저주스런 추물들이
> 제국주의의 고름을 틍기며
> 하수도의 오물인듯
> 뒤섞여 설레이지 않느냐
> — 백인준, 「월가의 관병식」 부분

이 시편들에서 보면 의도의 오류가 단적으로 드러난다. 오로지 정치적 목표와 의도를 위해서 김일성을 극찬하고 있으며, 반대로 미국인에 대해서는 인신공격은 물론 사실의 왜곡이나 과장을 서슴지 않고 있다. 이러한 점은 이들 시의 진실성이 허구적인 것이라는 점을 스스로 반증한다고 하겠다. 이렇게 볼 때 이 시기 북한의 시는 무기로서의 시, 전략 전술로서의 시로서 그 의미가 있음을 알 수 있다. 북한의 전쟁시는 남한시의 다양한 경향 및 내면성 추구와는 달리 오로지 전쟁을 승리로 이끌기 위한 인민군대의 투쟁을 찬양하고 미국과 남한 정권에 대한 적개심과 투쟁의식을 고양하는 데 집중되고 있는 것이다. 아울러 이 시기에 전쟁가요로서 이른바 가사시가 많이 창작된 것도 중요한 특징이라고 할 것이다.

### 3) 이질화의 심화와 60년대 남북의 시

#### (1) 민주화의 시련과 60년대 남한시

4·19혁명과 5·16쿠데타를 떠나서 60년대를 논하기는 어렵다. 4·19는 이 땅에서 해방 이후 실험되고 모색되던 자유민주주의 체제에 대한 결정적인 반성과 비판의 전환점을 마련해 주었다. 한편 5·16은 군의 정치개입이라는 불행한 사태를 초래하면서 더구나 민주화 문제보다는 산업의 근대화 문제를 우선 과제로 추진하였다. 그 결과 근대화 면에서 어느 정도 성과를 거둔 것이 사실이지만, 동시에 급격한 산업화는 사회적 경제적 불평등의 문제를 야기시켰고, 인간적·정신적 가치 지향성보다는 물질적·수단적 가치 편향성을 노골화시킴으로써 인권과 자유 문제의 성장을 저해한 것이 사실이다. 따라서 60년대는 민주화라는 이념적 목표와 근대화라는 현실적 목표가 상호충돌하면서 자유와 평등을 둘러싼 구조적 모순과 현실적 갈등을 예화해 갔다는 데서 근본적인 문제점이 드러난다.

따라서 60년대의 시는 이러한 어려운 현실 상황과 부딪치면서 몇 갈래의 특징적인 흐름을 형성하게 된다. 첫째는 4·19를 정면으로 수용하면서 사회의 구조적 모순과 부조리에 대응하는 사회시의 급격한 대두이며, 둘째는 시의 원형질료서의 생명 또는 서정에 대한 탐구이고, 셋째는 예술로서의 시에 대한 강조 및 언어적인 천착이다.

먼저 4·19는 자유당 정권의 누적된 부조리와 탄압에 대한 전국민적 저항운동으로서, 자유민주주의를 열망하는 시민적 혁명운동이었기 때문에 그만큼 문학에의 반향이 클 수밖에 없었다. 4·19의 강력한 파장 속에서 김수영과 신동엽, 박봉우 등은 60년대의 대표적인 사회시인으로 부상하게 된다.

① 자유를 위해서
　비상하여 본 일이 있는
　사람이면 알지
　노고지리가
　무엇을 보고
　노래하는가를
　어째서 자유에는
　피의 냄새가 섞여있는가를

　혁명은
　왜 고독한 것인가를

　　　　　　　　　　　　　　　　－ 김수영, 「푸른 하늘을」 부분
② 껍데기는 가라
　사월(四月)도 알맹이만 남고
　껍데기는 가라
　……중략……
　껍데기는 가라
　한라(漢拏)에서 백두(白頭)까지
　향그러운 흙가슴만 남고
　그, 모오든 쇠붙이는 가라
　　　　　　　　　　　　　　　　－ 신동엽, 「껍데기는 가라」 부분

시 ①은 자유를 표상하는 노고지리의 암유를 통해서 참된 자유가 반봉건·반민주적 압제에 대해 '피의 냄새가 섞여 있는' 혁명적 저항을 통해서 비로소 획득할 수 있는 능동적 개념임을 강조한다. 시 ②는 한 걸음 나아가 4월을 동학혁명과 결부시킴으로써 민족·민중운동의 소중한 의미를 강조하고, 나아가서 평화와 자유에 기초한 민족·국토 분단의 비극을 극복하고자 몸부림친다. 김수영의 「풀」의 이미지와 신동엽의 「흙가슴」의 이미지는 60년대 이 땅 참여시의 민족주의·민중주의·인문주의의 이념을 표상한 것이 된다.

60년대 시의 또 한 특징은 생명 감각과 서정의 아름다움을 강조하는 경향이다. 60년대 낭만성·서정성을 강조하는 리리시즘의 추구는 50년대 전란의 폐허 속에서 간직해온 인간적 체온과 낭만적 갈망에 연유한 것이기도 하다.

한편 현대시의 마력인 은유와 상징을 폭넓게 구사하면서 현대시의 새로운 방법을 탐구하는 경향도 대두되었다. 이들은 서정이나 비판의식을 도외시하지 않으면서도 시의 시다움을 언어 미학적인 면에서 탐구한 특징을 보여주었다.

또한 60년대는 계간지 『창작과비평』, 문예지 『월간문학』, 시 전문지 『현대시학』 등을 비롯한 많은 문학 간행물이 간행됨으로써 문학 열기가 새롭게 솟구치는 전기가 되었다.

무엇보다도 60년대 시는 4·19를 기점으로 한 새로운 감수성의 시인들이 본격 등장한 데서 새로운 전환점이 되었다. 이들 새로운 시인들은 식민지교육세대와 전쟁세대에 뒤이어 본격적인 한글세대로서 등장함으로써 우리 시가 일본적 감수성 또는 식민지의식을 떨쳐버리는 중요한 전환점을 마련하였다.


## (2) '전후시기와 천리마운동시기'의 북한의 시

이른바 조국 해방 전쟁이 끝난 후 북한은 전후 복구사업을 대대적으로 추진하게 된다. 특히 1956년 12월의 전원회의에서 사회주의 대건설을 고무 추동하기 위해 결정된 천리마운동은 이 시기 북한 사회의 혁명적인 총노선으로 설정된 것으로 이후 북한의 정치·경제·사회·문화의 기본 방향을 제시하였다. 여기에서 천리마운동이란 전후 북한 정권이 전쟁 실패의 책임을 남로당 계열에게 지워 숙청하여 반대파들을 제거해 가면서 정권을 집중화하고 대중을 고무선동하여 정권을 반석 위에 올려놓기 위한 일대 혁명운동이자 대중적 선동사업에 해당한다고 할 것이다.

그러므로 문학계에서도 남로당 계열의 문인들이 대거 숙청되면서 박세영, 박팔양, 안용만, 백인준 등 김일성파를 중심으로 하여 주도권이 장악되고 여기에 새로운 전후 신인군이 등장함으로써 북한 전후 시단이 새롭게 형성되기 시작하는 시기에 해당된다.

이 시기 북한의 시들은 대내적으로 전후 복구사업과 사회주의 건설사업을 적극 전개하는 천리마운동을 고무추동하는 것과 함께 대외적으로는 '남조선 해방'과 '미제타도'를 지속적으로 형상화하고 있다.

① 강철— 이것은
　무쇠 속에서도 자랑으로 빛나는 것,
　용광로 백열하는 도가니에서
　광재를 떨구어버린 순 철분이
　평로의 불길로 다시 달쿠어져 나왔노라.

　당은 그의 아들들을 불러 이렇게
　뜨거운 불길과 싸움에서 투사로 기른다.
　그렇다. 불 속에서 태어나는
　새로운 인간인 우리
　백광을 뿌리는 강철의 전사로 되리라.
　……중략……
　더웁게 달아오른 쇠몸에서

나는 당의 부름을 듣는다
— 동무여, 불길 속에서
달쿠어지는 강철같이 되라!
고귀한 당의 목소리 듣는다.

　　　　　　　— 안용만, 「당의 부름을 들으며」(1956) 부분


② 서울의 형제들이여, 지체 말라!
　한걸음, 한걸음 가까이 더 가까이 죄여들라!
　놈들이 쌓는 바리케트 — 그것이 놈들의 마지막 무덤이 되게 하라!
　그것이 남녘땅에 암흑을 가져 온 놈들
　피묻은 력사의 종지부가 되게 하라!

　　　　　— 정서촌, 「원쑤들이 바리케트를 쌓고 있다」(1960) 전문


③ 쭉 벌거벗었구나 아메리카는
　인류의 면전에서 그의 문명 앞에서
　홀딱 벗고 나섰다. '자유' 아메리카는
　그 구린내나는 알몸뚱이를……

　완력사나운 강도들이 달려들어
　연약한 녀인을 벌거벗겼으니
　어찌하랴 수난을 당할 수밖에
　뺑끼를 온몸에 묻히우고 녀인은
　맨몸으로 거리에 내쫓기였다.
　그러나 오늘 과연
　누가 벌거벗었나 인류의 량심 앞에서?
　남조선의 한 녀인인가 아니면
　'거룩'한 아메리카의 신사들인가?
　온 세계 사람들이 대답하누나,
　'그것은 아메리카! 바로 아메리카 자신!'

　　　　　　　— 백인준, 「벌거벗은 아메리카」(1960) 부분

먼저 시 ①에는 제철공장에서 땀 흘리며 일하는 사회주의 전사들의 모습이 묘사되어 있다. 북한의 인민들이 "불 속에서 태어나는/새로운 인간인 우리"로서 강철의 투사가 되어 새롭게 태어나고 있다는 점을 강조한 것이다. 당에 대한 사명감과 충성심이 그러한 변모의 원동력으로 작용하고 있다는 점이 드러난다. 시 ②는 4·19를 '남조선해방'의 한 호기로 생각하여 선전·선동하고 있는 작품이다. 시 ③은 반미를 선전·선동하는 데 주력하고 있다.

이처럼 이 시기 북한시들은 대내적으로 천리마운동을 통해 사회주의 건설을 추동하고 대외적으로는 반미·반한을 통한 이른바 '남조선해방'을 그 핵심 테마로 하고 있음을 알 수 있다. 이 시기에 또 한 가지 주목할 사실은 인민대중들의 집체작이 다수 출현한다는 사실이다. 전후 신인군들이 등장하는 것과 함께 사회주의적 사실주의의 대원칙과 당성, 노동 계급성, 인민성이라는 기본방침에 의해 인민들의 집체작이 본격적으로 등장함으로써 전후 북한시단을 활성화하는 데 기여한 것으로 판단된다.


## 4) 남북이질화의 심화와 확대, 70년대의 시

### (1) 민주화와 산업화갈등의 남한시

70년대는 삼선개헌의 여파와 유신체제에 의한 공화당의 장기집권 야욕으로 말미암아 초두부터 정치적 탄압과 긴장이 고조되었다. 아울러 60년대 말부터의 급격한 산업화에 따른 사회·경제적 모순과 부조리가 드러나면서 인간적인 평등과 소외의 문제가 대두되기 시작하였다. 이러한 정치적인 면에서의 민주화 문제와 사회 경제적인 평등의 실현문제가 서로 부딪히면서 70년대의 근본 문제로 부상한 것이다.

70년대의 시는 이러한 두 가지 문제점에 대한 응전으로부터 시작되었다. 김지하의 등장은 그 대표적이다. 김지하는 당대 사회의 정치·경제·사회 면에서의 구조적 모순과 부조리를 「오적(五賊)」을 통해 풍자하고 야유하면서 시의 사회적 비판기능을 가장 확실하게 또 실천적으로 보여주었다. 이것은 60년대 김수영·신동엽 등의 한계를 극복하면서 이후의 저항시·민중시·사회시 등, 이른바 참여시의 방향을 확고하게 제시한 것이다. 50년대 등장한 고은, 신경림 등의 새로운 활동도 이 점에서 주목할 만하다. 특히 「농무(農舞)」 등으로 대표되는 신경림의 시는 이 시기에 이르러 본격적으로 농촌문제를 다룸으로써 문학적 현실참여 이념을 성취하게 된 것이다.

70년대에 사회적 관심을 시로써 표출한 중요 신진시인으로는 정희성·양성우·이시영·고정희 등을 꼽을 수 있다.

이 시기는 또한 산업의 급격한 발전에 따른 인간소외의 문제 또는 불평등의 문제가 제기되었다. 여기에서 '소외'의 시 또는 '어둠'의 시가 돌출한다. 김광규·이동순·감태준·정호승·이하석·강은교·김명인·임영조·김종철·이이기·이태수 등의 시에는 이러한 시대의 어둠과 불안한 존재의 모습이 짙게 투영되어 있다.

또한 생명 감각과 서정을 탐구하는 전통적인 경향도 지속적으로 표출되었다. 문정희·김승희·나태주·송수권·권달웅·한광구·조정권 등이 여기에 해당된다. 특히 조정권은 정신세계의 유현한 깊이 속에서 동양정신을 탐구함으로써 개성적인 시 세계를 개척하였다.

아울러 시조시인들의 대거 등장과 활약도 눈에 띄기 시작했다. 60년대의 이근배·윤금초·김제현·조오현 등을 비롯하여 70년대에 유재영·이우걸·유자효·김정휴 등이 활약하기 시작한 것이다.

## (2) '유일주체사상시기'의 북한의 시

사회주의 공산국가로서의 체제 정비가 일단 완료되면서 1967년경부터 북한 사회는 이른바 '당의 유일사상체계를 더욱 철저히 세우며 사회주의의 완전한 승리, 온 사회의 주체사상화를 앞당기기 위한 투쟁 시기'로 접어들기 시작한다. 따라서 이 시기의 문학은 당의 유일사상체계를 공고화하며 주체사상화하기 위한 전면적인 노력을 반영하게 된다. 이러한 노력은 먼저 혁명전통의 상징으로서 김일성 우상화 작업과 그에 따른 혁명가족으로서 김일성 가계에 대한 찬양으로 구체화된다.

> 내 이제는
> 다 자란 아이들을 거느리고
> 어느덧 귀밑머리 희여졌건만
> 지금도 아이적 목소리로 때없이 찾는
> 어머니, 어머니가 내게 있어라
>
> 기쁠 때도 어머니
> 괴로울 때도 어머니
> 반기여도 꾸짖여도 달려가 안기며
> 천백가지 소원을 다 아뢰고
> 잊을뻔한 잘못까지 다 말하는
> 이 어머니 없이 나는 못살아
>
>            &minus; 김철, 「어머니」(1980) 부분

> 조국이여!
> 너는 무엇이기에
> 가만히 네 이름 부르면
> 가슴은 터질듯 긍지로 부풀고
> 눈굽은 쩌릿이 젖어드는 것이냐
>
> 어찌하여, 때로 이국의 거리를 거닐다가도
> 문득 솟구치는 그리움에
> 마음은 한달음에 달려와

너를 안는 것이냐
……중략……
그렇다, 조국은
더없이 신성하고 숭엄한 그 무엇
위대하신 수령님 한생을 바치시는
겨레의 삶이며, 그 무궁한 미래

— 김상호, 「나의 조국」(1979) 부분

이러한 김일성과 그 일가에 대한 찬양과 충성의 맹세는 그대로 당과 조국으로 연결됨으로써 프롤레타리아 독재를 정당화하게 된다. 위에 인용한 두 편의 시에서 보듯이 '어버이 수령관'은 그대로 '어머니 당과 조국사상'으로 연결되는 것이다. 이 시기 북한시의 가장 큰 특징이 바로 이러한 송가시가 크게 대두하였다는 점이다.

다음으로 이 시기 북한의 시는 '사회주의 대건설의 우람찬 행군을 가속화'하는 특징을 지닌다. 농촌현실과 공장의 모습을 긍정적인 각도에서 노래하는 경향이 두드러지는 것이다.

토지개혁의 첫 뢰성이 울던 그 봄
그 봄으로부터 세월은 흘러 몇몇 해던가.
눈을 뜨고 다시 봐도
다시 봐도 꿈만 같아
볼을 비비며 흘린 농민들의 그 눈물이
마를 줄 모르는 이 흙 속에 젖어 있다

땅의 주인— 그 소중한 권리를 지켜
흘린 피
그들이 쏟아부은 땀과 정력—
그리고 그들의 한 생이 여기 다 스며 있다.

뜨는 해도 여기서 맞으며
지는 달도 여기서 보내며
비에 젖고,
눈에 얼고
별과 바람에 살이 트던 그 사람들

제 손에 틀어쥔, 그 운명이
가꾸어가는 그 한 포기, 그 한 알의 낟알에 있었거니
이 흙 속에 그 청춘을 묻어도
그것을 아까워하지 않았다
허나 지금은 그때처럼 그렇게
고달픈 로동의 댓가로
그 나락을 얻기를 원치 않는다
3대혁명은 주었다!
진정한 땅의 주인으로서 그들 모두
이 땅위에 설 권리를
그 권리로 이 땅을 길들여
풍작의 세월을 이어가는 그 기쁨도……
                                           ─ 오재신,「땅에 부치여」부분


　이 시에서처럼 사회주의 농촌의 현실을 혁명적 낙관주의와 낭만적 열정으로 노래함으로써 사회주의 체제의 우월성을 강조하고 있는 것이다.
　다음에는 이 시기에도 이른바 '남조선 혁명'과 조국 통일을 지향하면서 반미 반남한의 구호를 외치는 모습이 그대로 지속되고 있다.


용서하라 귀여운 어린이들아
남녘땅에서 온 나를 위해
이 밤이 즐거우라고
너희들은 행복의 노래 불렀지만

나는 으리으리한 층계를 내리며
쏟아지는 눈물을 어쩔 수 없구나

너희들이 열두 살이라면
나의 둘째와 동갑이
너희들이 이 한밤을 궁전에서
즐거이 노래를 불렀지만
내 아들은 구두닦이통을 메고
서울 판자집거리를 맥없이 걷고 있으리
　　　－ 조태현, 「궁전의 대리석층계를 내리며」(1969) 부분

　여기에서 남한의 현실은 그 빈곤상만이 과장되고 전형화되면서 북한에서의 행복한 삶의 모습과 극단적으로 대조되어 나타난다. 또한 이러한 남한의 비참한 현실로 인해서 남한 주민들이 북한을 동경하고 김일성을 흠모한다는 식으로 그 실상을 왜곡하고 있는 것이다. 이것은 북한 주민들을, 그 사회주의의 패쇄성에 길들여져 있는 인민들을 현혹시키고 그릇되게 이끌어 가고 있는 것이다.

　이렇게 본다면 결국 북한의 공산주의 체제가 확립되는 이 시기에 북한의 시는 사회주의적 사실주의를 기본으로 하여 당성, 노동계급성, 인민성의 원칙을 지키면서 '수령'의 혁명투쟁과 인민들의 사회주의 건설 노력 및 그에 대한 찬양 그리고 남조선혁명투쟁이라는 북한노동당의 문예 정책을 그대로 형상화해 가고 있다고 하겠다.


## 5) 80년대 남북한 시의 한 검토

　분단이 지속되고 심화되면서 남과 북의 문학은 점차 이질화되는 측면을 가속화하게 된 것이 사실이다. 사회주의 체제인 북한은 북한대로 사회주의적

사실주의를 바탕으로 당성, 노동계급성, 인민성을 강화해 나갔으며, 남한은 남한대로 자유주의적인 다양성 속에서 순수편향성과 예술주의를 지향해 가게 됨으로써 민족문학으로서의 동질성보다는 그 이질성이 두드러지게 된 것이다.

1980년대 남한시단의 특징은 무크지운동의 활성화와 '민중시'의 뚜렷한 대두로 요약할 수 있다. 여기서 민중적 내용의 민족적 양식화라는 민중시의 경향은, 그 목적과 내용은 현저히 달라도 다분히 북한의 인민성원칙 및 민족적 특성 강조와 서로 상통하는 면이 있으리라 여겨진다. 남한의 자본주의 체제에서 민중적 내용의 민족적 양식화를 추구하는 민중문학과 북한의 사회주의적 사실주의에 바탕을 둔 계급주의 문학은 분명히 그 목적과 지향성이 상이하지만, 그것들이 이 땅에서 분단상황과 인간소외의 극복을 목표로 하며 민족적 특성을 강조한다는 점에서는 공통성을 지니는 부분을 내포하고 있기 때문이다. 이 점에서 1980년대 남북한의 시는 하나의 민족문학으로서의 공통성과 이질성을 첨예하게 보여주는 시금석이 된다고 하겠다.

① 진정 아름다운 처녀를
　그대 사랑하고 싶거든
　어서 오시라
　이 벌로 오시라

　벼 수확기를 타고
　금나락의 바다우에 하냥 웃음 날리는
　청년분조 저 처녀들
　그대 그리는 선녀가 아닌가

　새벽이슬 남 먼저 털어서만도 아니라오
　꽃나이 꿈을 묻고 땀을 묻어

너른 벌 땅빛마저 달라지게 기름지운
그 뜨거움이 이랑이랑 물결친다오

스쳐지나는 바람결에도 풍겨온다오
쭉정이 한 알 밝은 가을 흐리울 것같아
벼꽃 피는 소리를 지켜 밤새우던
그 갸륵한 마음의 향기

어서 오시라
이 벌로 오시라
그대 한번 오시면
그냥은 못 가시리

그러나 쉽게는 사랑을 터놓지 않으리
눈비바람 다 이겨내고
황금의 구슬을 꿰여 단듯 천만 이삭 하나같이 여물린 그
마음들

아, 이런 처녀들과 함께라면
그 어떤 행복의 열매도 무르익으리
그대 한생의 기쁨을 안고 싶거든
어서 오시라 이 벌로 오시라

　　　　　　　　　　　　　 — 량덕모, 「이 벌로 오시라」 전문

무수한 별들이 흐르는
저 하늘의 은하수처럼
뭉게뭉게 피여나는
화력발전소 하늘가의
저 장쾌한 흰 연기 속에는
어려 있어라
빛나는 삶의 열정 높은 숨결이

어려 있어라
밤이나 낮이나
끝없이 피여나는 흰 연기 속엔
하늘이 아닌 땅 속 깊은 막장에서 빛나는
뭇별이 아닌 탄부들의 미더운 모습이 어려 있어라

어려 있어라
불밝은 창가마다 비껴흐르는
행복의 노래소리
대건설행군의 거세찬 열풍 속에
전진하는 조국의 숨결을 안고 사는
동력전사들의 그 수고로운 모습들이

아, 어려 있어라
인간이 자연을 다스리는
저 줄기찬 흐름 속엔
주인된 창조자의 값높은 모습이

　　　　　　　　　　　－ 로영우, 「흰 연기의 흐름 속엔」 전문

② 저기가는 저 큰 애기를 보아라
　새참으로
　막걸리 든 주전자를 들고
　보리밥과 김치로 가득한 바구니를 이고
　반달같은 방죽가를 돌아
　시방
　논둑길을 들어서는
　부푼 저 가슴의 처녀를 보아라

　마른 자리 반반한 풀밭을 골라
　빨갛게 파랗게 원앙을 수놓은 하얀 보자기를 깔고
　그 위에 들밥을 차리는 농부의 딸을 보아라

이 마을에 아니 이 나라에 하나뿐인
검은 치마 저고리를 보아라

— 아부지 그만 쉬셨다 하셔요
저만큼에서 허리굽혀 나락을 베는 아버지 곁으로 가
아버지 대신 나락을 베고
— 아저씨 밥 한술 뜨고 가세요
지나가는 낯선 사람도 불러
이웃처럼 술도 한 잔 드시게 하는
조선의 딸 그 마음을 보아라
마을에 하나뿐인 아니 이 나라에 하나뿐인

　　　　　　　　　　　　　— 김남주, 「조선의 딸」 전문

수난의 강건내기 인생들이
모여 사는 광산촌
검은 옷에
칸데라 불빛 하나에
모든 것을 걸고
늑골이 부서지는
일곱자 연충 동발을
지고 헉헉거리고
콧구멍이 새카맣게 일하는 막장에서
점심때가 되면
등허리에 꿰차고
들어온 도시락 뚜껑을 열면
부옇게 낀 탄가루를 젓가락으로 대충 걷어내고
입으로 떠넣어 삼키고
피워서는 안되는 담배를
숨겨가지고 와서
피는 맛이란 기차지
……중략……
독한 깡소줏잔을

돌려가며 마실 때
목젖이 얼얼하게
터져나오는
주먹만한 가래침들이
누구나 할 것 없이 덩어리져나오는
우리들의 입술이
끈적거릴 때까지
다 토해내고
떠밀려가는 우리들의 가슴이 큰 불길로 잉잉거릴 때까지
마셔대는 이 바닥에서
가래침보다도 더 검은
이 몸뚱아리들이 끝까지 남아
곪아 터져가는 내부를
변혁으로 바꾸어가고 있지 않느냐
땀속에서 배어나는 이 떳떳한 주인정신으로
　　　　　　　　　　　– 이청리, 「막장에서 부는 바람」 전문


　1980년대 작품인 시 ①, ②는 각각 농민과 광부들의 노동하는 삶을 다루고 있다는 점에서 공통점을 지닌다.

　먼저 시 ①에서 「이 벌로 오시라」는 인간의 삶과 대지가 노동이라는 매개 행위를 통해서 친화와 교감을 획득하는 모습이 제시되고 있다. 또한 여기에 농사짓는 처녀의 사랑을 촉매로써 등장시켜 노동에 대한 자부심과 긍지를 드러내면서 농사일을 독려하는 데 이 시의 특징이 드러나는 것이다. 실상 이 시는 그 결구에서 "인간의 삶=노동하는 삶"이라고 하는 노동사상과 함께 노동 계급의 밝고 힘찬 모습을 강조함으로써 계급주의 문학에서의 선동·선전성을 우회적으로 제시하고 있다고 하겠다.

　이러한 1980년대 북한의 농민시는 이전의 노골적인 노동시보다는 훨씬 예술성이 두드러진다고 할 것이다. 그렇지만 농사노동을 지나치게 미화하고 단순화함으로써 오히려 사실감을 약화시키고 있는 것이 한 단점이라고 하겠다.

그들의 사회주의적 사실주의에서 강조하는 도식성 불식과 무갈등의 배제를 실현하지 못하고 있다. 「흰 연기의 흐름 속엔」은 광산 근로자, 즉 북한 탄부들의 노동하는 모습이 묘파되어 있어 관심을 끈다. 특히 "별=화력발전소의 장쾌한 흰 연기=탄부들의 빛나는 모습"으로 연결되는 상상력의 운동 과정은 삶의 서정을 아름답게 묘파한 것이라는 점에서 이 시의 사상 예술성을 돋보이게 한다. 그러나 이 시에서도 "불밝은 창가마다 비껴흐르는/행복의 노래소리"와 같이 상투적인 미화와 예찬이 드러나고, 무갈등이 제시된다는 점에서는 아쉬움을 준다. 노동하는 환경에서 빚어지는 갈등이나 사회체제 및 구조에 대한 불만이나 비판이 전혀 없이 오로지 노동사상과 노동계급 찬양에만 함몰되어, 도식적인 찬탄과 미화를 되풀이하는 데서 진정한 인간성의 발견 또는 살아 있는 인간의 숨결을 감동적으로 느낄 수는 없기 때문이다.

한편 남한의 시인 시 ②들에도 노동하는 삶의 문제, 농민과 광부의 삶이 다루어져 있는 것은 마찬가지다. 특히 시 「조선의 딸」은 농사짓는 삶에 대한 신뢰와 긍정을 드러내는 가운데 이 땅 농민들의 인정 어린 삶과 생명력을 강조하고 있다는 점에서는 앞의 북한시와 공감대를 지니고 있다. 무엇보다도 민중적 생명력과 민족적 정서에 대한 신뢰와 공감을 지니고 있다는 점에서는 남북한의 시가 서로 공통성을 지닌 면이 발견되는 것이 사실이다. 특히 「막장에서 부는 바람」은 북한의 시와 같이 노동계층에 대한 관심을 드러내는 점에서 공통점을 지닌다. 그렇지만 여기에서는 북한의 시와 달리 광부의 고통스러운 삶과 울분이 생생하게 표출되어 있어 관심을 환기한다. 열악한 환경에 대한 비판이라든지 고통스러운 광부의 삶에 대한 탄식이 펼쳐지는 가운데 현실을 극복해 나가고자 하는 어기찬 분투가 아로새겨져 있는 것이다. 이 점에서 남한문학은 미화의 단순성 및 도식주의, 무갈등론의 테두리에서 벗어나고 있지 못한 북한문학보다 훨씬 시적 리얼리티를 확보하고 있으며 열려 있는 모습을 지니고 있다 하겠다.

그렇지만 우리는 남북한의 시가 오늘날에도 여전히 소중하게 지니고 있는 민족문학적 자산과 원형질을 공통점으로 발굴하여 최대한 살려 나감으로써 민족동질성을 회복하고, 서로 활발한 길 트기 작업을 통해서 민족공동체 의식을 획득해 나아가야만 하는 운명적 과제를 안고 있다. 분단극복의 길, 민족 통일의 길로 나아가지 않으면 안 되는 것이 오늘날 남북한 모든 민족구성원, 특히 모든 문학인이 처한 시대적 과제이자 민족적 사명이기 때문이다.

## 4. 맺음말

남북한의 시를 보다 올바르게 살펴봄으로써 민족문학의 공통성을 발견하고 이질성을 극복해 나아가기 위해서는 무엇보다도 우리가 남북한의 문학을 서로 총체적이면서도 직접적으로 살펴볼 수 있는 기회가 적극 마련되어야만 할 것이 당연하다고 하겠다. 아울러 그러한 문학이 산출된 정치·경제·사회·문학적 토대에 대한 체계적이고 깊이 있는 이해와 탐구가 병행되어야만 할 것이다.

광복 반세기를 맞이하는 이 역사적 시점에서 이 땅에서는 분단의 불행을 극복하기 위해서라도 정치·경제·사회·문화 등의 모든 방면이 더욱 열려지고 다원화해감으로써, 건강한 삶과 문학이 꽃필 수 있도록 민족적 역량이 결집되고 역동화되어야 할 것으로 판단된다. 분단으로 인해 날로 가속화하는 민족 이질화 현상을 극복하고 민족주체성을 확립하기 위해서 민족통일은 민족의 지상과제이며 사명이다.

우리가 지금 남북한의 시를 개략적으로 검토하는 이 작업도 결국은 분단의 극복으로써 민족통일의 길을 향해 나아가려는 열린 노력의 일환이라는 점에서 의미를 지닐 수 있을 것이며, 또한 그러해야 할 것이다. 오늘날 세계 대변혁의 시기를 맞이하여 분단극복의 문학 나아가서 통일지향의 문학이야말로 지금 이 땅에서 가장 긴절한 민족사적 과제이며 민족문학의 중심과제임에 분명하다.

## 김재홍

1947년 충남 천안 출생으로 서울대학교 사범대학 국어교육과를 졸업한 후, 동대학원 국어국문학과에서 박사학위를 취득했다. 1972년 육군사관학교 전임강사를 시작으로 충북대학교, 인하대학교, 경희대학교에서 교수로 재직했으며, 2012년 경희대학교 문과대학에서 정년 연장 명예교수로 퇴직하였다. 현재는 경희대학교 명예교수이자 백석대학교 석좌교수로 있다.

1969년 서울신문 신춘문예에 평론이 당선되면서 본격적인 문단활동을 시작했다. 이후 시인론, 작품론 등의 실제비평 및 문학사와 문학이론 연구 분야에서 독자적인 학문적 영역을 구축했다. 이 과정에서 『한국 현대 시인 연구 1,2,3』, 『카프시인 비평』, 『한국 현대 시인 비판』, 『한국 현대시의 사적 탐구』, 『현대시와 삶의 진실』, 『생명·사랑·평등의 시학 탐구』, 『한국 현대시 시어사전』을 비롯한 40여권의 저서를 발표했다. 이외에도 국내 최장수 시전문지 계간 『시와시학』과 한국현대시 박물관을 창간 및 설립, 사단법인 만해사상실천선양회 상임대표와 만해학술원장 등을 역임하며 시의 대중화 작업 및 인문정신의 실천적 활동을 주도했다.

<제1회 녹원문학상>, <제33회 현대문학상>, <제1회 편운문학상>, <김환태문학상>, <후광문학상>, <현대불교문학상>, <유심문학상>, <만해대상>, <서울특별시 문화상> <보관문화훈장> 등을 수상했다.

한국현대문학의 비극론

# 김재홍 문학전집 ⑦

| | |
|---|---|
| 초판 1쇄 인쇄일 | 2020년 3월 05일 |
| 초판 1쇄 발행일 | 2020년 3월 14일 |

| | |
|---|---|
| 엮은이 | 김재홍 문학전집 간행위원회 |
| 펴낸이 | 정진이 |
| 편집/디자인 | 우정민 우민지 |
| 마케팅 | 정찬용 정구형 |
| 영업관리 | 한선회 최재희 |
| 책임편집 | 정구형 |
| 인쇄처 | 으뜸사 |
| 펴낸곳 | 국학자료원 새미(주) |
| | 등록일 2005 03 15 제25100−2005−000008호 |
| | 경기도 고양시 일산동구 중앙로 1261번길 79 하이베라스 405호 |
| | Tel 442−4623 Fax 6499−3082 |
| | www.kookhak.co.kr |
| | kookhak2001@hanmail.net |

| | |
|---|---|
| ISBN | 979-11-90476-19-5 *94800 |
| | 979-11-90476-12-6 (set) |
| 가격 | 300,000원 |